Holly McQueen

Isabelissimo!

the house of books

Oorspronkelijke titel
The Fabulously Fashionable Life of Isabel Bookbinder
Uitgave
Arrow Books, a division of Random House, London
Copyright © 2009 by Holly McQueen
Copyright voor het Nederlandse taalgebied © 2010 by The House of Books,
Vianen/Antwerpen

Vertaling
Ellis Post Uiterweer
Omslagontwerp
marliesvisser.nl
Omslagbeeld
Getty Images
Foto auteur
Joshua Schaefer
Opmaak binnenwerk
ZetSpiegel, Best

ISBN 978 90 443 2830 1
NUR 302
D/2010/8899/131

Voor mijn ouders, met veel liefs.
En voor Josh, zoals altijd – TD

Dankwoord

Ik ben heel veel dank verschuldigd aan de geweldig modieuze Frances Bentley en Verity Parker van *Vogue*, die me enorm hebben geholpen en altijd met doordachte antwoorden kwamen op mijn belachelijke vragen. Als in dit boek fouten voorkomen over de gang van zaken op de redactie van een modeblad, ligt dat helemaal aan mij.

Veel dank ook aan iedereen bij Arrow. Ik ben vooral Louise Campbell, Claire Round en Louisa Gibbs erg dankbaar voor hun noeste arbeid, hun fantasie en hun aangename gezelschap tijdens de lunch. En natuurlijk veel dank aan Rob Waddington, Oli Malcolm, Jay Cochrane en Trish Slattery voor hun creativiteit, en omdat ze zich zo hebben ingespannen om mijn boek in de winkel te krijgen. En omdat ze altijd bereid waren in exclusieve cocktailbars Snow Kittens te drinken.

In het bijzonder wil ik Vanessa Neuling bedanken, die zowel jaloersmakend rustig als getalenteerd en gepassioneerd is. Een volmaakte redactrice. En uiteraard dank aan Kate Elton, een geweldige uitgeefster. Ze was een bron van goede raad en heeft me altijd aangemoedigd. Bovendien heeft ze een geweldig gevoel voor humor. Dat wil zeggen, ze lacht om mijn grapjes.

Tot slot wil ik Clare Alexander bedanken, mijn literair agent met haar warme karakter. Ze is gevat en wijs. En ook veel dank aan Patrick Janson-Smith, zonder wie Isabel niet zou bestaan.

In den beginne

God, wat heb ik een inspiratie.

Ik was bij het ochtendgloren al wakker. Althans, ik dacht dat de ochtend gloorde. Ik heb onlangs zo'n superintelligente wekker gekocht die je wakker maakt met licht, alsof de zon net opkomt. Veel beter dan wakker worden van een hoop lawaai. Zoiets doet slimme dingen met je metabolisme, met de scheikundige werking van je hersenen, en met iets wat wel je Arcadisch ritme wordt genoemd, en daardoor spring je goed uitgerust en fris als een hoentje uit bed, klaar om de nieuwe dag tegemoet te treden.

Waarschijnlijk heb ik de handleiding verkeerd gelezen. Het stomme ding straalde om achttien over twee een radioactieve gloed uit, en dat maakte me kwaad, het zorgde voor een fors slaapgebrek, en een gevoel totaal niet in staat te zijn wat dan ook tegemoet te treden. Ik kon het gruwelijke oranje schijnsel niet uitzetten, dus uiteindelijk strompelde ik maar de badkamer in, zette het kreng in de badkuip en gooide er twee handdoeken overheen. Volgens mij ben ik rond halfvier weer in slaap gesukkeld.

Toen ik daarnet weer wakker werd, scheen er onvervalst licht door het rolgordijn. Ik deed een paar yogaoefeningen waar je energiek van wordt, en dat was wel goed voor mijn metabolisme en Arcadisch ritme. En nu huppel ik de keuken in om mijn eerste kopje sterke zwarte koffie van vandaag te zetten.

Omdat ik modeontwerper van internationale topklasse ga worden, zal sterke zwarte koffie wel de hoeksteen van mijn dieet gaan vormen. Een goed begin is het halve werk.

Eigenlijk is het best moeilijk om sterke zwarte koffie lekker te vinden. Ik heb het al eens eerder geprobeerd, toen ik van plan was een beroemd auteur van bestsellers te worden, maar toen dronk ik voornamelijk heerlijk romige cappuccino. Deze keer blijf ik echter gedisciplineerd. Wanneer ik het gezicht – en de belichaming – van mijn eigen label ben, kan ik moeilijk extra pondjes meeslepen. Mijn ideale klant, de vrouw voor wie ik ga ontwerpen, is uiterst kritisch. Niets ontgaat haar. Wat zal ze wel niet van me denken als ik iets te mollig ben, alleen maar omdat ik het romige schuim op de koffie niet kan weerstaan?

Maar ik moet wel zeggen dat de vrouw voor wie ik ga ontwerpen wel een beetje te streng en onaardig zou zijn als ze één kopje cappuccino niet over het hoofd wil zien.

Ik bedoel, hier sta ik, ik kan aan niets anders denken dan hoe ik ervoor kan zorgen dat zij er geweldig en uiterst modieus uitziet, en dan doet zij al moeilijk over de schamele tweehonderd calorieën van de koffie en de suiker die ik nodig heb om 's ochtends op gang te komen.

Eigenlijk zijn het honderddrieëntachtig calorieën, als je moet geloven wat er op de verpakking staat.

Weet je, ik vind dat de vrouw voor wie ik ontwerp maar een oogje dicht moet knijpen. Vanavond ga ik een rondje joggen in Battersea Park. Daarmee moet ze zich maar tevreden stellen.

Met een heerlijk kopje cappuccino in de hand ga ik terug naar de slaapkamer om te beginnen aan het belangrijkste moment van de dag: het samenstellen van mijn geheel eigen look.

Ik bedoel, waar zou Donatella Versace zijn zonder luipaardprintje en bruiningsmiddel? Of Stella McCartney zonder kekke, getailleerde broekpakjes? En kijk eens naar Vivienne Westwood, met dat punkige haar en de frommelige Schotse ruitjes. Als ik modeontwerper van internationale topklasse wil worden, is een geheel eigen look van het grootste belang.

Oké. Nou, ik heb duidelijk niks met een luipaardprintje. Mijn garderobe is ook een beetje magertjes op het gebied van kekke, getailleerde broekpakjes. Volgens mij heb ik wel ergens een Schotsgeruit rokje, eentje dat mijn moeder jaren geleden uit de catalogus van Boden voor me heeft besteld, maar dat is niet frommelig. Zelf voelde ik me vanbinnen wel frommelig toen ik het van mijn moeder kreeg, maar ik weet niet of dat telt. Ik bedoel, jeetjemina, er zaten jolig gekleurde knopen op.

Wacht eens... Misschien kunnen jolig gekleurde knopen bijdragen aan mijn geheel eigen look?

De beeldschone Isabel Bookbinder was het stralende middelpunt op de verjaardagsparty van haar vriend en mentor Valentino. Ze ging gekleed in een zwartkanten japon met als accessoires de bekende gekleurde knopen...

De hogepriesteres van de mode, Isabel Bookbinder, zag er zoals altijd uiterst stijlvol uit op het festival van Glastonbury, gekleed in hotpants van spijkerstof en een oude panamahoed, versierd met de zo kenmerkende gekleurde knopen...

Hm... Misschien toch maar niet.

Wat ik eigenlijk wil, is iets elegants en geweldigs. Iets wat mijn modepersoonlijkheid tot uitdrukking brengt. Iets waarvoor de vrouw voor wie ik ontwerp haar eigen grootmoeder zou verpatsen om het te kunnen aanschaffen. Een klassieke zwarte broek misschien, en dit gestreepte T-shirt, voor een Parijse sfeer? En dan instappers met heel hoge hakken, een ellenlang parelsnoer, en voor het typische Franse *je-ne-sais-quoi* de marineblauwe baret die ik de vorige winter bij Comptoir des Cotonniers op de kop heb getikt.

Maar wanneer ik in de spiegel kijk, zie ik er helemaal niet chic of zo-uit-Parijs-weggelopen uit. Stop een stokbrood onder mijn arm en ik zou op weg kunnen zijn naar de auditie voor een niet erg verstandige remake van 'Allo 'Allo.

Oké. Terug naar af. Ik zou een mengeling kunnen doen van designer, vintage en warenhuis. In modetijdschriften staat altijd dat je dat moet doen. Ik kan mijn groenzijden plooirok van Stella McCartney – designer – combineren met een roomwitte blouse van Karen Millen – warenhuis – en het schitterende jasje van rozerood brokaat met lange mouwen dat eruitziet alsof het vintage is, maar dat eigenlijk gloednieuw is en afkomstig uit een winkeltje in Shepton Mallet. Want als de vrouw voor wie ik ontwerp ook maar een beetje op mij lijkt, is ze veel te bang om zo'n winkel met vintage kleren binnen te stappen, dus is dit een goede oplossing.

Ik vind het geweldig. Het is cool, het is hypermodern, en ik weet zeker dat mijn modepersoonlijkheid erdoor tot uiting gebracht wordt.

Zo, de geheel eigen look is gecreëerd, voorlopig althans. Ik haal op de yogamanier een paar keer diep adem, neem plaats achter het bureau in de hoek van mijn slaapkamer, en strek mijn hand uit naar mijn sfeerboekje.

Je moet weten dat ik ooit een artikel over John Galliano heb gelezen. Hij ging maar door over het ontwerpproces, en over zijn visie op modegebied, maar wat ik me vooral herinner is dat hij de ideeën voor zijn nieuwe collectie verzamelt op wat hij een sfeerbord noemt. Eerst schrijft hij het woord op dat aangeeft wat zijn collectie moet reflecteren, bijvoorbeeld cabaret, of rust, of bordeel. Vervolgens verzamelt hij spullen die hem inspireren, en die prikt hij op een stuk zachtboard in zijn Parijse studio. Regels uit een gedicht, stofjes, foto's uit tijdschriften, dat soort dingen.

Nou, dat kan ik ook! Ik heb op de boekenplanken best hier en daar een dichtbundel staan. En ik heb stapels kleren die ik van mijn moeder heb gekregen en die ik nooit wil dragen. Die kan ik best in stukken knippen voor de stof. En ik scheur heel vaak dingen uit tijdschriften. Dus kan ik zo aan de slag.

Ik doe het beter dan John Galliano, al zeg ik het zelf. Ik bedoel, zo'n prikbord is prima, maar niet erg opwindend om te kopen. En omdat ik geen ruime Parijse studio heb – eigenlijk sowieso geen studio – dacht ik dat ik meer zou hebben aan iets wat je kunt meenemen.

Nou hebben ze bij Smythson's geen echte sfeerboekjes – nou ja, eigenlijk heb ik niet echt gekeken – maar ze hebben wel heel leuke opschrijfboekjes waarop staat: MODEAANTEKENINGEN, en dat vind ik voorlopig erg geschikt.

Ik sla mijn gloednieuwe roze opschrijfboekje open, dat voor me ligt op het bureau.

Zo. Welk woord vat alles samen wat ik met mijn debuutcollectie voor het voetlicht wil brengen? Ik bedoel, één woordje moet toch makkelijk zijn. Het is niet een hele roman, waarbij je eindeloos veel woordjes achter elkaar moet schrijven.

Ik pak mijn mooie vulpotlood.

En leg het weer neer.

En pak het weer op.

God, ik ben een en al inspiratie.

Echt waar, ik loop over van inspiratie.

Het enige wat ik nu nog moet hebben, is een debuutcollectie.

IN DIT NUMMER VAN HIYA! LAAT MODEONTWERPER VAN INTER-
NATIONALE TOPKLASSE ISABEL BOOKBINDER ONS HAAR SCHITTE-
RENDE APPARTEMENT IN CHELSEA ZIEN, EN VERTELT ZE OVER DE
OPWINDING ROND DE LANCERING VAN HAAR EXCLUSIEVE NIEUWE
GEURLIJN.

De beeldschone Isabel, 27, doet de voordeur open en ver-
welkomt ons in haar schitterende appartement. Ze gaat gekleed in een zijden peignoir die haar slanke figuurtje goed
doet uitkomen. Isabel is nog maar pas opgestaan, want de
avond tevoren is met een groots feest de lancering gevierd
van haar nieuwe parfum: ~~Isabel no 5 Acqua d'Isabel~~ Isabelissimo. Deze exclusieve parfum wordt uitsluitend verkocht
bij Harvey Nichols in Londen en Bergdorf Goodman in New
York. De wachtlijst voor dit eerste parfum van de modeontwerper van internationale topklasse is nu al ontzettend
lang. Duizenden wachten vol ongeduld. We gaan zitten in de
prachtige woonkamer en onder het genot van sterke zwarte
koffie vertelt Isabel openhartig over haar fabelachtige leven
in de modewereld.

HIYA!: We hebben gehoord dat het gisteren een knalfeest
was. Alle internationale ontwerpers van topniveau waren gekomen om je een hart onder de riem te steken... Stella, Marc,
~~Miu Miu Minicer~~ mevrouw Prada en uiteraard Valentino.

ISABEL: Die schat van een Val. Hij is echt een lieve vriend
en een geweldige mentor.

HIYA!: De party was om Isabelissimo te lanceren, een verrukkelijke mengeling van ~~frangipani en witte muskus pat-~~
~~chouli jasmijn bloemen en veel groen~~ geuren. Isabel, wil je
ons alsjeblieft vertellen waar je de inspiratie voor deze geur
vandaan haalde?

ISABEL: Och, zoals altijd werd ik geïnspireerd door de
vrouw voor wie ik ontwerp. Ik heb het gevoel dat ik haar
heel goed ken. Ze is ~~een krachtige vrouw uitdagend een vrije~~

~~geest~~ een onafhankelijke vrouw die er niet voor terugdeinst om ~~vrouwelijkheid verleidelijkheid sexy charisma~~ glamour uit te stralen.

HIYA!: En ze is uiteraard geen ellendige leeftijdsfascist.

ISABEL: O nee! Uiteraard niet!

HIYA!: Deze geur is een geweldige nieuwe stap, maar voor Isabel Bookbinder begon het allemaal met kleding...

ISABEL: Dat klopt. ~~Ik was nog maar een kind met een pocketformaat sfeerboekje en een droom.~~ Toen ik op die zonnige septemberochtend in mijn piepkleine appartement in Zuid-Londen aan mijn eerste collectie begon, kon ik niet weten dat mijn eigen label tot iets zo groots zou uitgroeien.

HIYA!: Maar nu je eigen label Isabel B op handen wordt gedragen door mensen die alles van mode weten, en je kleding wordt gedragen door beroemdheden, heb je een ander label in het leven geroepen: Izzy B, en door dat label, dat te koop is bij Harvey Nichols en Selfridges, heb je talloze nieuwe fans gekregen.

ISABEL: Geweldig, hè?

HIYA!: Kun je ons iets vertellen over een gewone dag in je glamoureuze leven?

ISABEL: Een modeontwerper van internationale topklasse kent geen gewone dagen! Ik zou bijvoorbeeld auditie kunnen houden voor modellen voor de volgende show op de catwalk, of overleggen met iemand die genomineerd is voor een Oscar en graag een bijzondere jurk wil voor de prijsuitreiking, of in Manhattan op zoek zijn naar de perfecte locatie voor mijn nieuwe boetiek aan Fifth Avenue... Maar waar ik ook ga of sta, ik ben altijd bezig met de nieuwe collectie. Ik schrijf de ideeën op in mijn handige, pocketformaat sfeerboekje. Dat is een heel belangrijk onderdeel van het creatieve proces.

HIYA!: Allemachtig, dat klinkt als echt heel hard werken!

Mogen we je ook iets vragen over je privéleven? Er doen geruchten de ronde dat jij en Daniel Craig...

ISABEL: Daniel en ik hebben elkaar leren kennen toen ik mijn keus op hem liet vallen als gezicht en lijf voor mijn nieuwe collectie ~~onderbroeken~~ menswear. We zijn goede vrienden, meer niet.

HIYA!: Dus je wilt geen commentaar geven op de foto's van jullie tijdens het ontbijt op het hotelterras in Cap Ferrat?

ISABEL: (blozend) Helaas kunnen paparazzi verschrikkelijk opdringerig zijn, en mijn Daniel is erg op privacy gesteld.

HIYA!: En, Isabel, wat staat er allemaal op stapel voor je collectie luxeartikelen?

ISABEL: Later deze maand zijn er drie openingen van nieuwe vestigingen van Emporio Bookbinder. Dus moeten er veel party's worden georganiseerd. Verder ben ik druk bezig met een nieuw label dat waarschijnlijk Iz van Isabel Bookbinder gaat heten, of Izzy B van Isabel Bookbinder. En als er tijd voor is, wil ik een flesje ontwerpen voor een nieuw parfum, een exotische mix van ~~tuberoos vanille citroenbalsem en~~ geuren.

HIYA!: En ondertussen ben je natuurlijk druk bezig met de nieuwe collectie.

ISABEL: Uiteraard! Ik ben al een nieuw sfeerboekje aan het samenstellen.

HIYA!: Isabel Bookbinder, dank je wel dat je de tijd hebt genomen voor dit gesprek.

ISABEL: Dank júllie wel! Ik voel me vereerd.

1

Nou, dit is niet helemaal wat ik ervan verwachtte.

Ik bedoel, je zou toch denken dat de modeafdeling van het opleidingsinstituut voor kunst en design Central Saint Martins zou beschikken over een heel erg pretentieuze receptie. Iets met veel glanzende zwarte lak, en aan het plafond bijvoorbeeld een originele discobal uit de jaren zeventig, en heerlijk zachte, met roze fluweel beklede banken om op te hangen. Of anders iets in art-decostijl, met leren stoelen waarin je wegzakt, en kasten met spiegeltjes in de deurtjes. Of op zijn minst minimalistische witte wanden, plafond en vloer, met petieterige stoeltjes van balsahout die eruitzien alsof ze in elkaar zullen zakken zodra er iemand op gaat zitten die niet aan een levensbedreigende eetstoornis lijdt.

Maar Central Saint Martins heeft een wachtkamer zonder ook maar iets van dat alles. Wat het wel heeft, is dit:

1) grauwe tapijttegels, vol plekjes jarenoude kauwgum;
2) muren beplakt met het viesgele bobbeltjesbehang dat je wel eens aantreft bij bejaarden thuis; en
3) van die oranje plastic stoeltjes waar je zweterige billen van krijgt wanneer je er langer dan twee minuten op zit.

Ik wacht al een halfuur op mijn toelatingsgesprek, dus ik zweet me te pletter. Dat heeft vast de plooien in het zijden Stella McCartney-rokje verpest. Ik kan alleen maar hopen dat er niet ook nog een uiterst gênante vochtplek is ontstaan.

17

Om heel eerlijk te zijn is mijn outfit al gênant genoeg. Hier zit ik, met een roomkleurige blouse aan, een groen rokje en een doorgestikt roze jasje dat vintage moet voorstellen, maar het niet is. En dat terwijl alle anderen gekleed zijn in een zwarte broek en een zwart truitje met v-hals, alsof het een soort uniform is of zo.

Jezus, het zal toch niet echt een uniform zijn?

'Pardon?' Ik buig me naar het meisje met de bril dat op het oranje stoeltje naast me zit.

Verwonderd kijkt ze op van *Pop*, het tijdschrift waarin ze zat te lezen. 'Ja?'

Zachtjes fluister ik: 'Sorry dat ik je stoor, maar ik vroeg me af... Het is bij Central Saint Martins toch niet verplicht om een uniform te dragen? Stond daar iets over op het toelatings- formulier?'

Achter de brillenglazen knippert ze met haar ogen. 'Eh... Vol- gens mij niet.'

'En in het algemeen? Bestaat er zoiets als een uniformplicht voor modeontwerpers?' Ik maak een hoofdgebaar naar al die mensen met vrijwel dezelfde outfit aan. 'Heeft de vakbond van modeontwerpers er iets over in de statuten staan? Of een an- dere belangengroep of zo?'

Weer knippert ze met haar ogen. 'Nou, van de anderen weet ik het natuurlijk niet, maar ik draag graag zwart omdat ik dan niet op de voorgrond treed. Mijn persoonlijkheid stop ik in mijn ontwerpen.'

'O.' Blijkbaar had ik mijn persoonlijkheid niet moeten aan- trekken. 'Bedankt.'

Ik ga weer recht zitten en doe mijn best er rustig en beheerst uit te zien. Maar vanbinnen schaam ik me dood. Ik voel me echt een suffe beginneling die van niets weet. En ik zie eruit als een ordinair ijsje met heel veel bolletjes, in een gelegenheid waar alleen espresso wordt geserveerd.

Weet je, op het toelatingsformulier stond vast wel iets over kledingvoorschriften. En daar zou ik van op de hoogte zijn als ik niet te bang was geweest om dat formulier helemaal in te vullen. Het was allemaal zo lang, met hele onbeschreven stukken waar je kon opschrijven wat je allemaal voor ervaring had op modegebied en wat voor modeopleiding je had gedaan. Maar omdat ik geen modeopleiding en geen werkervaring op modegebied heb, leek het me beter die witte stukken over te slaan.

Of misschien stond er helemaal niets over kledingvoorschriften op het toelatingsformulier omdat je zulke dingen gewoon hoort te weten. Als je de juiste mensen kent, en dat doen die lui bij Saint Martins uiteraard, dan wéét je zulke dingen gewoon. Maar ik ken niemand. Mijn vader is geen popster en mijn moeder is geen model geweest. Ik bedoel, kijk nou naar de jongen die tegenover me zit. Hij lijkt sprekend op Trudie Styler. Trouwens, het meisje met de bril heeft heel veel weg van Art Garfunkel.

Ik maak geen enkele kans.

Ik weet best dat het ambitieus van me is om een plaatsje op Central Saint Martins te willen veroveren voor een master in mode. Vooral omdat ik geen modeopleiding heb gedaan. Eigenlijk is de opleiding vrijwel vol, er zijn alleen een paar plaatsjes vrijgehouden voor mensen die zich pas op het allerlaatst aanmelden. Maar dit was de enige opleiding die me aansprak. Op al die andere opleidingen leren ze je saaie dingen, zoals het zomen van rokken, het inzetten van een mouw, het sluiten van naden. Terwijl ik juist geïnteresseerd ben in de belangrijke dingen. Zoals hoe je je kleding aan Harvey Nichols kunt verkopen, hoe je je parfum moet noemen, hoe je Keira Knightley en Daniel Craig kunt ronselen voor je wereldwijde reclamecampagne. Dat soort dingen.

Want zeg nou zelf, een rok zomen of een naadje sluiten, dat kan toch iedereen?

Nou ja, ik dus niet.

Maar ik ben best bereid anderen, die dat wel kunnen, te betalen om dat soort dingen te doen, zodra ik een eigen label heb. Als ik degene ben met de briljante ideeën, hoef ik niet ook alles in elkaar te zetten. Ik bedoel, doet Kate Moss dat voor haar collectie? En zo te zien is Sarah Jessica Parker ook niet heel handig met naald en draad, en toch heeft ze een eigen label. En dan heb je nog de voetbalvrouwen met hun collectie spijkerbroeken of lingerie. Dus beschouw ik mijn onkunde niet echt als een obstakel voor toelating, zoals mijn vriend Will zou zeggen.

Bovendien is er nog een reden waarom ik mijn keus op Central Saint Martins heb laten vallen. Ik heb mijn familie namelijk verteld dat ik al bezig ben met die opleiding.

Dat was ik trouwens niet van plan. Ik ben al eerder in de problemen geraakt door over mijn carrière te liegen, en dat wil ik niet nog eens meemaken. Toen ik besloot mijn modedroom te verwezenlijken, heb ik zelfs een soort eed afgelegd, namelijk dat ik altijd de waarheid zou spreken. Maar toen ik afgelopen weekend eindelijk mijn moed bij elkaar had geraapt en mijn familie vertelde dat ik geen roman meer ging schrijven, maar al mijn aandacht zou richten op het worden van modeontwerper van internationale topklasse, konden ze daar weinig begrip voor opbrengen. We zaten allemaal om de zondagse dis geschaard om te vieren dat mijn oudere broer Marley en zijn echtgenote Daria zwanger zijn. Er heerste een opgetogen en opgewonden stemming, en dat vond ik een goed moment om eh... met het goede nieuws te komen. Alleen vonden ze het blijkbaar geen goed nieuws. Mijn vader begon zo luidkeels te razen dat Daria er bang van werd en moest overgeven. En toen werd Marley daar weer overstuur van, en mijn moeder barstte in tranen uit, en ik kon iedereen alleen maar weer kalm krijgen door iets geweldigs te berde te brengen. Omdat mijn vader schoolhoofd is, besefte ik dat het enige wat hem tot bedaren kon brengen, een goede opleiding aan een erkend instituut zou zijn.

Ik moet zeggen dat ik dat tot bedaren brengen er best goed van afbracht. Ik bedoel, mijn vader was niet in de wolken, maar in elk geval hield het razen en tieren op. Mijn moeder was wél in de wolken, dat fluisterde ze nog in mijn oor vlak voordat ik weg moest om de trein naar huis te halen. Volgens mij vond ze het aldoor al geweldig, maar durfde ze daar niet voor uit te komen zolang mijn vader er zijn zegen niet aan had gegeven.

En hier zit ik dus. Ik wacht op het gesprek om te worden toegelaten tot de wereldberoemde masteropleiding van Central Saint Martins.

Eigenlijk zit ik al heel erg lang te wachten. De verveling slaat toe. Ik zou de nieuwe *Grazia* wel uit mijn tas willen halen, maar Art Garfunkels dochter is nog verdiept in haar *Pop*, en een ander, er zelfvoldaan uitziend meisje, zit te lezen in *Madame Bovary*. Al heeft ze volgens mij al een kwartier lang de bladzij niet omgeslagen. Andere mensen bladeren door *AnOther Magazine*, waarvan er een hoop nummers op het lage, plastic tafeltje liggen. Dus pak ik er ook maar eentje en blader erdoorheen. Ik trek mijn wenkbrauwen op bij een ellenlang artikel over de Japanse Jarajuku-stijl, mij zo welbekend, en brom gefascineerd bij een nogal verontrustende foto van iets te vlezige personen die, zo te zien, gehuld in vershoudfolie over de catwalk paraderen.

Ik zou veel en veel liever mijn *Grazia* lezen...

Ik wil net toegeven aan die neiging en mijn niet-intellectuele leesvoer tevoorschijn halen, want eerlijk gezegd ben ik in deze outfit toch al het buitenbeentje, wanneer plotseling mijn naam wordt afgeroepen.

'Isabel Bookbinder?' vraagt een mollige vrouw die ook geheel in het zwart is gestoken. Zie je wel? Ze staat in de deuropening van de wachtkamer en lacht vriendelijk in mijn richting.

'Ja, dat ben ik.' Ik pak mijn tas en loop snel naar haar toe, in de hoop dat niemand de vochtige plek in mijn geplette rok zal opmerken. 'Fijn u te leren kennen.' Ik steek mijn hand uit en doe mijn best er vol zelfvertrouwen uit te zien, want dat moet bij een dergelijk gesprek.

'Diana Pettigrew.' Ze schudt mijn hand en gaat me dan voor door een gang naar een schemerig verlicht kantoortje. 'Gaat u zitten. Ik hoop dat we u niet te lang hebben laten wachten.' Ze gebaart naar weer zo'n oranje, plastic stoeltje. Geweldig!

'Dank u.' Ik lach stralend naar haar, om haar te laten zien dat ik heel gemakkelijk ben en niet op mijn strepen sta, precies het soort student dat iedere goede docent graag ziet. 'Nee, hoor. Daardoor kreeg ik juist de kans om rustig na te denken,' voeg ik er gauw aan toe, voor het geval ze misschien denkt dat ik een beetje al te gemakkelijk ben en de opleiding niet serieus neem. 'Denken is een heel belangrijk onderdeel van mijn creatieve proces.'

'O...' Ze kijkt lichtelijk verbaasd, en gaat dan zoeken in de stapel mappen op het bureau. 'Even iets administratiefs... Kennelijk hebben we uw aanmeldingsformulier niet ontvangen.'

'Dat klopt.'

Even kijkt ze op. 'Eh... Hebt u daar een reden voor?'

'Nou, ik vertrouw de post niet. Tegenwoordig raakt er veel zoek.'

'Maar aanmeldingen gaan via internet...'

Shit. 'Nou, technologie vertrouw ik ook niet.'

Er verschijnt een frons in Diana Pettigrews voorhoofd. 'Dus u hebt nu het formulier bij u?'

'Eh, nee.' Mijn handen worden net zo klam als mijn zitvlak. 'Weet u, ik kon mezelf niet echt kwijt in het formulier.'

Dat is helemaal waar. Ik hou me dus aan mijn gelofte van niets dan de waarheid.

'Ik heb een nogal onorthodoxe manier van mode benaderen,'

vertel ik verder. 'Ik wil niet worden beperkt door dingen die moeten, of die zus en zo horen. Daarom vind ik mezelf zo geschikt voor Central Saint Martins,' zeg ik gladjes. 'Want als je hier niet creatief en individueel kunt zijn, waar dan wel?'

'Mevrouw Bookbinder.' Even knijpt Diana Pettigrew geërgerd haar lippen op elkaar. 'Ik heb John Galliano opgeleid. Ik heb Alexander McQueen opgeleid. En zelfs zij waren niet te creatief of individualistisch om het formulier in te vullen.'

'Nou, dat hebt u dan heel goed gedaan,' zeg ik beleefd. 'Gefeliciteerd.'

Er valt een stilte, die ze verbreekt met een zucht. 'Nou ja, u kunt altijd het formulier nog invullen. Kunt u me dan nu uw portfolio laten zien?'

'O ja!' Hier wachtte ik op. Ik heb me goed voorbereid. Gauw haal ik het sfeerboekje uit mijn tas en overhandig het haar.

Haar wenkbrauwen schieten naar boven. 'Heb je geen normale portfolio?'

'Nou ja, dat hangt af van wat u bedoelt met: "normale portfolio".'

'Ik bedoel,' zegt Diana, 'zo'n map die alle anderen bij zich hebben. Met daarin een verzameling van uw ontwerpen. Schetsen. Foto's van de kleding die u hebt gemaakt.'

O... Dus daarom had iedereen in de wachtkamer een zwarte map bij zich, en hielden ze die bij zich alsof hun leven ervan afhing.

'Zo werk ik niet. Ik begin bij de conceptuele fase...'

'Iederéén begint bij de conceptuele fase!' snauwt Diana Pettigrew. Ze kijkt naar mijn sfeerboekje alsof het een stinkende sok is uit de kamer van haar tienerzoon. 'Wat ís dat?'

'Dat is mijn sfeerbord. Nou ja, eigenlijk is het mijn sfeerboekje, want dat is draagbaar, in tegenstelling tot een heel prikbord.'

Diana slaat het boekje open. 'Je hebt opgeschreven: mooi.'

'Ja!'

'In het Frans en in het Engels.'

'Nou, ik wil modeontwerper van internationale topklasse worden.'

Ze negeert die opmerking. 'En je hebt een stukje roze satijn opgeplakt...'

'Echt heel mooi, toch?'

'En je hebt er een foto in geniet van Keira Knightley die in een creatie van Valentino op de rode loper staat.'

Ik kijk Diana lachend aan. 'Keira is precies het soort vrouw voor wie ik wil ontwerpen. Ik heb een geweldig idee voor een jurk voor haar, voor tijdens de Oscaruitreiking...'

'Heb je daar een schets van?'

'Nou, nee, dat niet... Om heel eerlijk te zijn, vind ik kleding tekenen erg moeilijk. Maar dat lijkt me geen bezwaar. Ik bedoel, als ontwerper neem je toch gewoon iemand in dienst om te tekenen? En om te naaien en zo, om alles in elkaar te zetten. En om de mouwen in te zetten. Toch?'

'Kunt u geen mouwen inzetten?' Ze kijkt zo geschokt dat het tot me doordringt dat ik een fundamentele fout heb begaan.

'Nou ja, ik weet eigenlijk niet of ik het kan. Ik heb het nooit geprobeerd.'

'En u kunt goed met naald en draad omgaan?'

'Och... Het gaat wel.' Ik lach. Diana lacht niet. 'Maar kan Sarah Jessica Parker met naald en draad omgaan?' Dat is een retorische vraag. 'Of Victoria Beckham?'

Ze leunt achterover en slaat haar armen over elkaar. 'Kunt u patronen knippen?'

'Nou...' Ik schuif ongemakkelijk heen en weer op mijn stoel. Mijn achterwerk wordt nu wel heel zweterig. Ik heb erge spijt van mijn gelofte niets dan de waarheid te vertellen. 'Dat hangt van het patroon af. Ik bedoel, een vierkant lukt me vast wel. En een driehoek waarschijnlijk ook...'

'Hou maar op. Ik weet genoeg.' Diana Pettigrew houdt haar hand op. 'Isabel, help me hier uit. Je hebt het formulier niet ingevuld... Je lijkt nog niet te beschikken over de rudimentaire kennis van kleding in elkaar zetten. Je komt voor een gesprek en hebt niets anders bij je dan wat je je sfeerboekje noemt, en als voorbeeld van geweldige ontwerpers noem je Sarah Jessica Parker en Victoria Beckham.' Ze leunt naar voren. 'Wat heb je Central Saint Martins te bieden?'

Ik haal diep adem. 'Oké, ik zal heel eerlijk zijn.'

'Graag.'

'Ik heb niet zoveel ervaring als de anderen die zich hebben aangemeld. En ik geef eerlijk toe dat ik niet over de rudimentaire kennis beschik wat betreft het vervaardigen van kleding. Het enige kledingstuk dat ik ooit heb gemaakt, was een T-shirt met zeefdruk, in groep 7. En dat werd niet helemaal zoals het had moeten zijn.' Dat is trouwens helemaal waar. Op de een of andere manier was het zeefdrukken verkeerd om gegaan, zodat op de klassenfoto alle meisjes een T-shirt dragen waarop Babe staat, en ik eentje met ebaB.

'Waarom meld je je dan aan bij de moeilijkste masteropleiding op modegebied die we hebben?'

'Omdat ik denk dat ik heel erg goed zou zijn, als ik maar de kans krijg!' Ik buig me naar voren. 'Echt, Diana... Ik bedoel: mevrouw Pettigrew, ik zou heel hard werken. En ik heb grootse plannen voor de toekomst. Ik bedoel, hoeveel andere studenten krijgt u die al bezig zijn met hun eigen geurlijn?'

'Ik geloof niet dat zoiets al eens is gebeurd,' zegt ze zacht.

'Precies!'

'Het spijt me, ik kan je niet toelaten. Je beschikt niet over de benodigde kwalificaties.' Diana Pettigrew staat op. 'Als ik je zou toelaten, zou dat een belediging betekenen voor mijn andere studenten, en eerlijk gezegd zou het wreed zijn tegenover jou.'

'Maar dat vind ik helemaal niet erg!' Ik zou haar handen willen pakken, maar volgens mij denkt ze er nu al over om een beveiliger te laten komen om me eruit te zetten. 'Hoor eens, de opleiding begint pas over drie weken. Ik kan best de rudimentaire kennis over het vervaardigen van kleding opdoen voordat het begint, heus, dat beloof ik...'

Diana loopt naar de deur.

'Dit is de enige manier waarop mijn familie me ooit nog serieus zal nemen.' Het komt eruit met een piepstemmetje.

'Luister, mevrouw Bookbinder... Isabel.' Er verschijnt een iets zachtere uitdrukking op haar gezicht. 'Ik kan je niet hier een plaats aanbieden omdat je familie je anders niet serieus neemt. Ik kan alleen maar voorstellen dat je, als je echt serieus bent wat de opleiding betreft, je nogmaals aanmeldt...'

'Wanneer kan dat?' Ik trek mijn agenda uit mijn tas. 'Komt er nog een ronde?'

'Over drie jaar.' Ze opent de deur. 'In de tussentijd zou je de basisopleiding kunnen volgen, zorgen dat je werkervaring opdoet en een goede portfolio samenstelt, die uit meer bestaat dan alleen het woord: mooi.'

Ik ga niet met haar in discussie. Niet met die volle wachtkamer waarin iedereen mee zit te luisteren.

Ik pak mijn tas, stop mijn sfeerboekje erin, en met mijn laatste restje waardigheid stap ik het kantoortje uit.

2

Ik heb geen tijd om medelijden met mezelf te hebben. Ik moet naar Mortimer Street, waar ik een afspraak heb met Barney. Dankzij Diana Pettigrew ben ik al een halfuur te laat. De bussen staan in een lange file op Southampton Row, dus slik ik maar even en spring in een taxi.

Eigenlijk kan ik me die taxi niet veroorloven, niet nu mijn droom om ontwerper van internationale topklasse te worden in gevaar is gebracht.

Ik wilde niet alleen toegelaten worden op Central Saint Martins vanwege mijn vader. Ik wilde ook mijn vriend Will iets bewijzen. Elke ochtend vertrekt hij om zes uur 's ochtends naar zijn superbelangrijke, zeer goed betaalde baan bij een advocatenfirma in de City. Sinds ik drie weken geleden bij hem ben ingetrokken, zit ik maar een beetje in zijn appartement met mijn sfeerboekje, scheur ik dingen uit tijdschriften en zoek ik in het woordenboek naar woorden die me kunnen inspireren. Ik weet natuurlijk dat dit allemaal bij mijn werk hoort, maar ik weet niet zeker of Will dat ook snapt.

In elk geval heeft hij er niets over gezegd. Ik maak me er zelfs een beetje zorgen over dat hij het wel fijn vindt om elke dag naar zijn werk te gaan, terwijl ik – in zijn ogen – aan het niksen ben. Ik verdenk hem ervan dat hij zich daardoor een echte mán voelt, heerser van het universum. Je weet wel, zo'n lange, breedgeschouderde man in krijtstreeppak die betaalt voor de tennislessen van zijn echtgenote, en die 's ochtends een biljet van vijftig pond bij de broodrooster neerlegt 'om je eens te verwennen met een manicure', en die van je verwacht dat je zijn das heel mooi strikt terwijl je vol aanbidding naar hem opkijkt, en die je opgewekt uitzwaait terwijl hij op weg gaat om bakken vol geld te verdienen en je te bedriegen met zijn secretaresse.

Niet dat Will me met zijn secretaresse bedriegt, hoor. Ik weet bijna zeker dat hij doodsbang is voor zijn secretaresse – en anders ik wel! In elk geval, Will is niet het type dat bedriegt. Hij is wel lang, en ja, hij heeft brede schouders, en soms draagt hij een pak met een heel subtiel krijtstreepje. Dat pak heb ik voor hem gekocht in de uitverkoop van Selfridges, toen het nog maar de helft kostte, en als hij dat met een wit overhemd draagt, lijkt hij een heel klein beetje op zo iemand uit een reclame voor Hugo Boss. Eigenlijk had ik gedacht dat Will wel zou begrijpen dat ik geen huisvrouwtje ben, dat ik totaal niet lijk op zo'n Stepford-vrouw. Ik bedoel, ik heb geen enkel bezwaar tegen een biljet van vijftig pond bij de broodrooster, en als het moest, zou ik best een stropdas mooi kunnen leren strikken. Maar tennisles gaat me te ver. Er zijn grenzen.

In elk geval, sinds ik de afgelopen maand bij Will ben ingetrokken, heb ik gemerkt dat ik allerlei feministische principes heb waarvan ik me eerder niet bewust was. Dus ga ik echt mijn carrière niet bij het eerste het beste obstakel op losse schroeven zetten. Oké, Central Saint Martins wil me niet. Maar er staan nog zoveel opties voor me open. Zonder teleurstellingen en hard werken kom je nergens in het leven. Ik kan allerlei cursussen gaan volgen als het moet, bij minder goed aangeschreven instituten. En dan blijf ik tot in de kleine uurtjes hard doorwerken, waarschijnlijk bij een sputterende kaars, als ik die kan vinden. Ik zal de ene zoom na de andere naaien totdat mijn vingers ervan bloeden en ik langzaam blind word. Ik zal leren hoe je verdomme een mouw moet inzetten. Ik zal zoveel mouwen inzetten dat ik het zelfs slapend kan doen. Dit ga ik verstandig aanpakken. Ik zal het me niet gemakkelijk maken, ik sla niets over. Ik ga gewoon ouderwets hard werken.

Ik denk dat ik mijn ouders maar niet vertel dat ik door Central Saint Martins ben afgewezen. Ik bedoel, het lijkt me voor iedereen het beste als ze denken dat ik een gedegen opleiding volg. De vorige keer werkte dat goed en kalmeerde het de gemoederen aanzienlijk.

Ondertussen moet ik me eens serieus op het ontwerpen storten. Want als ik mijn ouders zou kunnen vertellen dat mijn debuutcollectie is opgekocht door bijvoorbeeld Harvey Nichols of door hoe heet ze ook weer van Brown's, dan zouden ze niet zo hameren op een gedegen opleiding.

Ik haal mijn sfeerboekje uit mijn tas, sla een nieuwe bladzij op en kijk om me heen, op zoek naar een inspirerend woord.

Verkeer? Geroezemoes? Verlengde bus? O nee, dat zijn twee woorden. O, ik weet het al. City. Ja, dat klinkt helemaal niet gek. Isabel Bookbinders debuutcollectie, City, bestaat uit ruige, grootstedelijke kleding zoals...

Zoals wat?

Eigenlijk is ruige, grootstedelijke kleding niet erg leuk. Dat zouden dan t-shirts van microvezeldoekjes zijn, en combatbroeken. De vrouw voor wie ik ontwerp is daar vast niet blij mee.

Goed, iets anders dus. Shoppers? Toeristen? Of...

Plotseling trilt mijn mobieltje. Er is een sms'je binnengekomen: *hoe ging het?* Het is van mijn beste vriendin Lara. Ze is veertien dagen weggeweest voor een vakantie in Florida met haar vader, haar huidige stiefmoeder en hun zeer jonge kroost. We hebben elkaar vaak sms'jes gestuurd, maar ik heb haar niet meer gesproken sinds ik bij Will ben ingetrokken. Nu ze terug is, wil ik haar stem dolgraag weer eens horen.

Ik bel haar op haar werk, en ze neemt bijna meteen op. 'Met dokter Alliston.'

'Met Isabel Bookbinder,' zeg ik, op net zo'n plechtige toon.

'Iz!'

'Stoor ik? Heb je een patiënt?'

'Een cliënt,' verbetert Lara me. Ze is klinisch psycholoog, en dat betekent dat ze de hele dag met patiënten moet praten die ze niet allemaal op een rijtje hebben. Sorry, met cliënten. 'Nee hoor, ik ben bezig met de administratie. Fijn je stem weer eens te horen!'

'Zeg, hoe was het in Florida?'

'Geweldig! Ik ben hartstikke bruin! En de kinderen waren heel erg lief. Ik heb Claudine, Marcus en Harry leren zwemmen.'

Ik weet niet of het komt doordat ze psycholoog is of omdat ze zo ongelooflijk aardig is, maar ze kan verbazend goed met haar uitgebreide familie omgaan. Haar ouders hebben samen zes huwelijken gesloten, en Claudine, Marcus en Harry zijn slechts enkele van de halfzusjes en halfbroertjes voor wie ze elk jaar kerstcadeautjes moet kopen. Toen ik haar ooit vroeg hoe het kan dat ze allemaal zo goed met elkaar kunnen opschieten, zei ze dat het eraan lag dat ze allemaal goed met elkaar communiceren, grenzen stellen en die respecteren, en hebben geleerd compromissen te sluiten. Of zoiets. Volgens mij heeft ze na dagenlang moeten luisteren naar patiënten – sorry, cliënten – die maar doorratelen over kwaadaardige stiefmoeders en jaloerse zusjes, geleerd dankbaar te zijn voor wat ze heeft. Of misschien komt het omdat haar familieleden zo ver uit elkaar wonen. Ik bedoel, kijk nou eens naar mijn familie, we zitten voortdurend op elkaars lip. En bovendien zijn we niet met zoveel.

'Ik vertel je er een andere keer wel over,' zegt Lara. 'Eerst wil ik weten hoe het op Saint Martins ging.'

'Nou, weet je nog die keer toen ik bij Morgan Stanley ging solliciteren?' Dat was een poos geleden, toen ik heel even dacht dat ik zakenvrouw van internationale topklasse wilde worden, met een pakje van Armani en heel veel lippenstift. 'Dit was bijna net zoiets.'

'O jee... Hè, Isabel!'

'Ja.'

Er volgt een niet erg prettige stilte, en daar knap ik niet erg van op.

'Zeg, ik hoop dat je dit niet bij je patiënten doet.'

'Cliënten,' verbetert Lara me. 'Ik vind het echt rot voor je, Iz.' Ik kan bijna horen dat ze zich klaarmaakt voor de aanval. 'Maar eigenlijk is het misschien maar goed ook.'

Het is fijn om een klinisch psycholoog als beste vriendin te hebben. Ze weet al die dingen over gedragstherapie waardoor bijna alles wat ze zegt goed gaat klinken. Als je bijvoorbeeld zou vertellen dat je echtgenoot ervandoor is met de Zweedse au pair, zou Lara zeggen dat je niet steeds moet denken aan of je hoofd wel in de oven past, maar dat je juist blij moet zijn dat je nooit meer hoeft te doen alsof je 'Dancing Queen' een tof nummer vindt. Blijkbaar heet dat cognitieve herstructurering, en het is heel effectief.

'Waarom is het maar goed ook?' Ik ga er eens lekker voor zitten, in afwachting van troostende, cognitieve herstructurering.

'Nou, ik weet niet of je wel echt geknipt bent voor het werk als modeontwerper, Iz.'

'Wat?' Dat klinkt niet erg herstructurerend.

'Laatst heb ik een artikel in *Atelier* gelezen, op de vlucht van Orlando naar huis. O, wacht, ik heb het nummer nog in mijn tas.' Een poosje hoor ik alleen maar geritsel. 'Ja, hier heb ik het. Het gaat over party's die dag en nacht duren. Achter de schermen van de modearistocratie. Getver, modearistocratie! Alleen daarom al zou je er niet aan moeten beginnen!'

'Eh, ja...' Eigenlijk zou ik best graag bij de modearistocratie horen.

'In elk geval, ze hebben allerlei ontwerpers geïnterviewd. Stella McCartney, Lucien Black, Alexander McQueen... Het klinkt allemaal helemaal niet leuk. Het klinkt als heel, heel hard werken, Iz. Veel stress, lange dagen. Ik bedoel, je zou Will nauwelijks meer zien.'

'Ik zie hem nu ook al bijna nooit.'

'O?' Dat pikte ze wel heel snel op, maar ja, ze is dan ook een professional. 'Gaat het wel met je?'

'O ja, niets aan de hand.' Ik zet het raampje van de taxi open, want ineens is het erg warm geworden. 'Het gaat allemaal geweldig. Nou ja, hij heeft het natuurlijk ongelooflijk druk met zijn werk.' Dat is helemaal waar. Hij heeft heel lastige cliënten die ergens een oliepijpleiding willen kopen en geen belasting betalen, of zoiets. Will noemt ze zijn onbetrouwbare Kazachstaanse ondernemers. Of ze betrouwbaar zijn of niet, daar zou ik niets over durven zeggen, ik weet alleen maar dat ze al twee maanden zijn leven bepalen. Het is echt pech dat hij het zo druk heeft gekregen nu ik net bij hem ben ingetrokken. 'Maar daarom is het ook zo fijn dat we nu samenwonen,' zeg ik. 'Want ook als hij het heel erg druk heeft, weten we toch dat we elkaar op een gegeven moment van de dag zullen zien. Of op een gegeven moment van de nacht,' voeg ik eraan toe, terwijl ik denk aan al die keren dat Will de afgelopen week pas in de kleine uurtjes naast me in bed kroop.

'Zeg, Iz, weet je heel zeker dat alles in orde is?'

'Het gaat geweldig! Ik ben nog nooit zo dolgelukkig geweest!' Ik vind dit niet het moment om over mijn plotselinge, feministische ideeën te beginnen. Of over mijn angst voor tennisles. 'Weet je, volgens mij zitten we nu in een volwassen fase van onze verhouding,' zeg ik, in de hoop dat Lara erover zal ophouden. 'We hoeven toch niet voortdurend bij elkaar in de buurt te zijn? Hij heeft zijn werk, ik het mijne. Het belangrijkste is dat we...' Ik moet even heel diep nadenken over wat ze ook weer steeds in die praatprogramma's zeggen. 'Het belangrijkste is dat we ons op de toekomst concentreren, op het leven dat we samen willen opbouwen.'

'Klinkt leuk,' zegt Lara.

'Dat ís het ook,' zeg ik. 'Het gaat om de kwaliteit van de tijd dat je samen bent, Lara, niet om de hoeveelheid tijd.' Dat is trouwens helemaal waar. Want soms stapt Will pas tegen tweeën in bed, en ook al knuffelen we dan maar iets van een kwartiertje, toch is dat het fijnste kwartiertje van de dag. Het is heerlijk om in slaap te vallen met zijn linkerarm om me heen, zo fijn dat ik helemaal vergeet dat ik drie uur op hem heb gewacht. 'En daarom hebben we vanavond een speciaal etentje,' zeg ik. 'Om de romantiek terug te brengen.'

'Om de romantiek terug te brengen? Maar Iz-Wiz, jullie wonen pas drie weken samen!'

'Zo bedoelde ik het niet.' Dat klopt. Zo bedoelde ik het inderdaad niet. Het leven met Will is een en al romantiek, wanneer hij het tenminste niet zo druk heeft met zijn verdomde werk en we eindelijk eens gewoon samen kunnen zijn. Eigenlijk zou ik dit etentje moeten beschouwen als aanleiding om de goede, oude tijd terug te brengen, van voordat een stel onbetrouwbare Kazachstaanse ondernemers mijn vriend afpikte. 'Zeg, ik dacht dat we het over mijn carrière hadden... Want daarop wil ik me concentreren. Niet op mijn ongelooflijk romantische en volwassen verhouding.'

'Oké, alleen, ik maak me een beetje zorgen om je.'

'Dat is helemaal niet nodig. Het gaat heel goed tussen Will en mij. Echt waar.' De taxi komt tot stilstand op de hoek van Mortimer Street en Great Portland Street. 'Zeg, ik moet hangen. Zie ik je morgen nog?'

We spreken af morgen bij haar om de hoek te gaan lunchen. Dan stap ik uit en betaal de taxichauffeur. Barney zwaait al naar me, alsof ik hem niet allang had gezien. Vooral omdat hij bij een enorme knalrode koffiekar staat, zou ik echt naar Specsavers moeten als ik hem niet had gezien.

Dit is trouwens Barneys nieuwe carrière. Hij is eindelijk weg bij *Saturday Mercury,* waar we allebei hebben gewerkt. Nu heeft hij een koffiekar met gourmetkoffie. Hier op Great Portland Street is hij de enige, en het is maar een klein eindje lopen bij het ziekenhuis vandaan. Ik vond dat een uitstekende locatie omdat je hier zoveel beroemdheden ziet komen en gaan wanneer ze moeten bevallen. Nou ja, zodra hij het gemaakt heeft als Coffee Messiah – ja, ik heb er iets over gezegd – kan hij die karren door de hele stad laten rijden. En dat zou fijn voor mij zijn, want ik ben aandeelhouder. Nou ja, min of meer. Ik heb hem de dertig pond gegeven die ik van mijn peetmoeder Barbara voor mijn verjaardag had gekregen, en daarmee kon hij spullen kopen. In ruil voor deze verstandige investering word ik later multimiljonair, wanneer Barney meer koffie verkoopt dan Starbucks. En dat gaat hij doen, reken maar!

Het enige nadeel is dat Coffee Messiah nog niet zoveel koffie verkoopt. Dat ligt niet aan de koffie. Barneys koffie is helemaal top. De bonen zijn afkomstig uit heel exotische plaatsen hier heel ver vandaan, en hij zet de koffie in een glanzend Faema-apparaat dat hij op de kop heeft getikt in een oude koffietent in Napels. De heerlijk romige melk komt van een organisch bedrijf in Devon, en de tussendoortjes die hij verkoopt, zijn ook helemaal top. Een Joods mevrouwtje in Golders Green bakt dagelijks verse donuts, en Barneys Franse schoonzus bakt elke ochtend verse croissants.

Het probleem is dat de meeste mensen zelf hun koffie willen kiezen, zonder dat iemand zich daarmee bemoeit. En bij Coffee Messiah is dat onmogelijk. Als je bijvoorbeeld denkt dat je een pondje of wat bent aangekomen, wil je misschien liever magere melk in je koffie dan de heerlijk romige melk uit Devon. Maar dat mag niet. Of misschien ben je in de stemming voor ijskoude koffie, of koffie met een chocoladesmaakje. Dat mag ook niet. En als je ook maar de woorden frappuchino of mocha laat vallen, wil Coffee Messiah niets meer met je te maken hebben. Nooit meer. 's Middags om een cappuccino vragen, mag ook niet. Dan krijg je een lange preek over het juiste moment van de dag om koffie met veel melk te drinken. Want in Italië drinkt niemand na elven nog cappuccino. Zegt Barney.

Ik durf er iets liefs onder te verwedden dat ze in Italië ook niet rondlopen met een knalrood schort voor waarop staat: COFFEE MESSIAH. En dat ze ook geen honkbalpet op hebben waarop staat: EN OP DE DERDE DAG SCHIEP HIJ HET SCHUIM. Maar Barney wil geen woord van kritiek op zijn uniform. Volgens mij heeft zijn moeder het ontworpen.

'Nou?' Hij krijgt bezorgde rimpels in zijn ronde gezicht wanneer ik bij de kar aankom. 'Hoe ging het?'

'Eh... Niet zo geweldig, om je de waarheid te zeggen. Ik weet niet of ik wel het soort ontwerper ben dat Saint Martins zoekt.'

'O, Iz...' Hij slaat zijn armen troostend om me heen. Hij voelt knuffeliger dan ooit. Ik heb het vermoeden dat hij zich te goed doet aan de overgebleven donuts. 'Wat rot voor je. Je had er zo hard voor gewerkt.' Daar denkt hij even over na. 'Nou ja, je was van plan er hard voor te werken.'

'Precies! Je hebt zelf gezien hoe geïnspireerd ik de afgelopen weken was.'

Hij knikt. 'Nou en of! Ik bedoel, hoeveel andere studenten hebben al uitgewerkte plannen voor een eigen geurtje?'

'Och, ja...' Eigenlijk wil ik liever niet worden herinnerd aan het ongemakkelijke kwartiertje met Diana Pettigrew. 'Hoe dan ook, ik moet beslissen welke richting ik nu wil inslaan.'

'Zijn er geen andere modeopleidingen? Of misschien kun je werkervaring opdoen...'

'Barney! Je lijkt mijn vader wel!'

'O, sorry.'

'Nou ja, het heeft geen zin me aan te melden bij een andere opleiding. Ik heb nooit iets anders gewild dan Saint Martins.'

Barney ziet eruit alsof hij het niet goed meer begrijpt. 'Maar je had toch pas een paar weken geleden besloten modeontwerper te worden?'

'Een paar weken geleden besloot ik mijn levenslange droom te verwezenlijken. Maar eigenlijk heb ik al heel, heel lang modeontwerper willen worden.'

'O... Oké.'

'Weet je nog dat ik bij *Saturday Mercury* altijd modebladen zat te lezen terwijl ik eigenlijk had moeten werken?'

Barney fronst zijn voorhoofd. 'Ik wist niet dat het modebladen waren. Ik dacht dat je een groot fan van *heat* was.'

'Ja, van de modeartikelen in *heat*,' zeg ik gedecideerd. 'Weet je nog dat ik die bestudeerde? Het was welhaast een obsessie! Ik maakte zelfs aantekeningen!'

Dat klopt. Op kleine stukjes papier. Omdat er niets ergers is dan bijvoorbeeld een foto te hebben gezien van een leuk truitje, en dan vervolgens niet meer te weten waar het te koop is en voor hoeveel.

Hoewel, er is wel iets ergers: wanneer je dat kleine stukje papier kwijtraakt waarop staat waar het truitje te koop is en hoeveel het kost.

'Nou, ook al wil Saint Martins je niet, je komt er wel.' Barney wrijft bemoedigend over mijn rug. 'Ik heb het volste vertrouwen in je. Ik bedoel, je wist van toeten noch blazen toen je auteur was, en toch wist je bijna een uitgever te strikken.'

Dat is nog steeds een teer punt. Ik werkte als personal assistant voor Katriona de Montfort. De multimiljonair en kinderboekenschrijfster Katriona de Montfort, zoals altijd in de krant staat. En ik was ook bezig zelf een boek te schrijven, een sensuele roman: *Amazone*. En toen heb ik een beetje tegen een paar uitgevers gelogen, zodat ze dachten dat Katriona bezig was met *Amazone,* en voordat ik het wist boden ze een bedrag met zes nullen. Voor Katriona, eigenlijk.

Nu snap je zeker wel waarom ik me deze keer aan de waarheid wil houden. Ik zou gewoon niet meer tegen de stress kunnen van anderen om de tuin leiden.

'Zeg, wat zet ik Will vanavond voor?' vraag ik. Dit is de belangrijkste reden waarom ik de hele stad heb doorkruist. Barney heeft gekookt voor het etentje dat de romantiek moet terugbrengen, ik hoef alles alleen maar op te halen. Ik kijk over het toonblad en zie twee draagtassen vol bakjes en potjes en aluminiumfolie. 'Iets romantisch, hoop ik?'

'Precies wat je had gevraagd.' Barney tilt de tassen op en overhandigt ze me alsof er goudstaven in zitten. 'Ik heb een risotto met rode wijnsaus voor je gemaakt...'

'Geweldig! Precies wat ik je had gevraagd!'

'Eigenlijk had ik je je zin niet moeten geven,' zegt Barney afkeurend. 'Risotto mag nooit zo lang van tevoren worden bereid.'

Ik knik respectvol. 'Ik stel het heel erg op prijs, Barney. En Will stelt het straks vast ook heel erg op prijs. Je weet zelf dat hij dol is op jouw risotto.'

Er verschijnt een stralende lach op Barneys ronde gezicht, en dat herinnert me aan de wederzijdse waardering tussen Will en hem. 'Je vriend weet veel van de Italiaanse keuken, Isabel, dus zorg ervoor dat alles goed op tafel komt. De risotto is *al dente,* dus daar kan weinig mee gebeuren als je die voorzichtig opwarmt. En dat betekent dat je er voortdurend in moet roeren. Dus echt voortdurend, Iz. Als je je gaat vervelen, mag je niet weglopen en tv gaan kijken. En op een lage pit, vergeet dat niet.'

'Ja, ja.' Barney is zo'n kok die moeilijk doet over kooktechnieken. Het moet allemaal volgens het boekje. En ik ben meer zo'n kok die van alles in een pan gooit en maar ziet wat ervan komt.

Misschien heb ik daarom wel gevraagd of Barney voor me wilde koken.

'En in deze pot zit de ingekookte wijn.' Barney wijst op een potje van kunststof. 'Vlak voordat je de risotto opdient, doe je er een beetje hiervan overheen.'

Het water loopt me in de mond. 'Mmm!'

'Zeg, je zei dat je geen voorafje wilde, maar ik heb toch wat antipasti voor je, van Camisa. Olijven.' Hij houdt een pot op. 'Paprika.' Alweer een pot. 'Gevulde ansjovis.'

'Geweldig!' Ik zal Barney maar niet vertellen dat de gevulde ansjovis rechtstreeks in de vuilnisbak zal belanden. Ik bedoel, weet hij wel wat een romantisch etentje is? 'En het toetje?'

Zoals altijd wanneer het over toetjes gaat, begint Barney te stralen. 'Panettone. Met brood en boter,' zegt hij trots, en hij haalt de aluminiumfolie van de puddingvorm af zodat ik even de heerlijke vanillegeur van de geelwitte substantie kan op-snuiven. 'Volgens eigen recept! En morgen wil ik van je horen welke alcoholische drank ik heb gebruikt. Je denkt vast dat het cognac is,' voegt hij er geheimzinnig aan toe. 'Maar het zal je nog verrassen...'

Ik beloof Barney dat we tijdens het romantisch etentje zeker een halfuur zullen besteden aan een discussie over Barneys in-teressante gebruik van alcohol. En dan wil ik hem twintig pond geven, maar die weigert hij aan te nemen.

'Kom me er morgen maar alles over vertellen,' zegt hij. 'Dat is voldoende.'

Terwijl ik op pad ga naar de bushalte, zwaait hij me na. Dan draait hij me de rug toe en gaat de Faema nog eens oppoetsen.

Isabel Bookbinder
Een tweekamerappartement
Battersea
Londen

John Galliano
Een ruime Parijse studio
Parijs
Frankrijk

12 september

Beste meneer Galliano,
Ik wil graag beginnen met u te vertellen dat ik een groot bewonderaar van u ben. U hebt een unieke visie op mode, en
wat u niet weet van het creatieve proces is het weten niet
waard.

Eigenlijk schrijf ik u vanwege dat creatieve proces. Nadat
ik vandaag een gesprek heb gehad op uw ~~oude school~~ opleidingsinstituut Central Saint Martins, weet ik niet goed meer
hoe ik verder moet. Ik had vernomen dat u de gewoonte had
een sfeerbord te gebruiken om uw ideeën op te verzamelen,
maar volgens uw vroegere docent Diana Pettigrew is zoiets
niet algemeen gebruikelijk. ~~John~~ Meneer Galliano, kunt u
me alstublieft helpen? Ik heb vrij veel geld besteed aan de
aanschaf van sfeerboekjes – mijn eigen idee, maar u mag het
best overnemen – van Smythson, en ik wil hier liever niet
mee verdergaan als dat zou betekenen dat de hele modewereld me gaat uitlachen. Ik heb ~~de boel al verpest~~ al een
fout gemaakt: dat ik het niet besefte van het uniform. Zulk
soort misstappen wil ik niet nogmaals begaan.

Als ik wel gelijk heb en sfeerborden en -boekjes wel dege-
lijk deel uitmaken van het creatieve proces, zou u dan Diana

39

Pettigrew even kunnen bellen en haar dat uitleggen? Want als ze van u, de grote John Galliano, hoort dat u deze methode ook toepast, staat ze er misschien meer voor open. Ook al bespaart u daarmee slechts één persoon die zich heeft aangemeld bij Central Saint Martins toekomstige gêne, dan zal uw inspanning niet voor niets zijn geweest.

Met bewonderende groet,

Isabel Bookbinder

PS Bent u misschien familie van de uitbundige circusdirecteur uit dat uitstekende boek van Enid Blyton? Dat heb ik me al vaak afgevraagd.

PPS En ik heb gelijk wat het uniform betreft, toch?

3

In de bus naar Battersea Park kon ik goed nadenken over mijn carrière. En ik kon ook aan multitasken doen. Want onderweg naar huis heb ik de *Atelier* gekocht waarin dat artikel over de modearistocratie staat waarover Lara het had, en dat kan ik nu eens fijn gaan lezen.

Goed, Lara heeft misschien wel gelijk wat dat harde werken en de stress betreft. En die foto's van diverse ontwerpers, allemaal in het zwart – zie je wel? – backstage tijdens de modeshows, bezweet en met spelden in hun mond, halen de glans er een beetje vanaf. En die besprekingen met investeerders lijken me ook niet echt leuk. Maar dit artikel belicht slechts één kant van het modebestaan. Waarschijnlijk is het bedoeld om mensen zoals ik, die nog niet helemaal zeker weten of ze wel aan een carrière in de mode willen beginnen, van die stap af te houden. Ik bedoel, er zijn helemaal geen foto's van de afterparty's vol glamour. En geen foto's van besprekingen met acteurs die genomineerd zijn voor een Oscar.

Er is echter een baantje in de wereld van de modearistocratie dat er heel aantrekkelijk uitziet, en dat baantje is van een vrouw die als muze voor Lucien Black werkt. Ik had al eens iets over professionele muzen gehoord, bijvoorbeeld een deftige Lady Amanda Hoe-heet-ze-ook-weer, maar ik wist nooit precies wat zo'n muze deed. Nou, dat staat dus in dit artikel. De muze van Black is zijn zakenpartner Nancy Tavistock, en ze is tevens onafhankelijk moderedacteur bij *Atelier*. Ik weet niet precies wat er zo onafhankelijk aan haar is, maar ze ziet er goed uit. Ze is van Chinees-Amerikaanse afkomst, en op een van de foto's zit ze tussen die enge Anna Wintour en die waanzinnig ogende vrouw van de *Herald Tribune* in, dat mens met die enorme kuif. Op een andere foto staat ze met een extreem lange, een beetje zelfvoldane man, die zeker haar echtgenoot is.

In elk geval, volgens *Atelier* is het leven van die vrouw helemaal top. Ze komt af en toe langs in Lucien Blacks studio, haalt een oud tweedjasje tevoorschijn dat ze heeft opgediept in een winkel met vintage kleding, of misschien uit een opiumkit in Marrakesj, en verkondigt dat tweed het helemaal is voor het komend seizoen. En dan roept iedereen in de studio dat ze geniaal is, en dat de volgende collectie helemaal in het teken van oude tweed zal komen te staan. Of ze haalt een schaar uit haar tasje en knipt vijf centimeter van een cocktailjurkje af, en dan roept iedereen in de studio dat ze het silhouet voor het volgend seizoen heeft bepaald. En dan geeft hij een paar tassen haar naam – ik heb me altijd al afgevraagd waarom zijn tassen Tavistock heten, of Nancy T – en gaan ze allemaal aan de champagne en de oesters bij Scott's in Mayfair.

Is dat niet de beste baan waar je ooit van hebt gehoord? Het lijkt een beetje op het zijn van modeontwerper van internationale topklasse, maar zonder al dat gedoe met ontwerpen.

Ik vraag me af hoe je professionele muze wordt. Ik denk daar zo diep over na dat ik vergeet uit te stappen bij de bushalte bij Wills appartement en met al die zware spullen van Barney een kwartier terug moet lopen.

Wanneer ik eindelijk binnen ben en de twee tassen op de keukentafel zet, rinkelt de vaste telefoon.

Het is een geheim nummer, dus neem ik gauw op, want het zou Will kunnen zijn.

'Hallo?'

'Iz-Wiz!' Het is Will helemaal niet, het is mijn moeder, de enige die me ook via de vaste telefoon belt. Ik kan er maar niet aan wennen dat ze een kantoorbaan heeft. Ze verzorgt het plaatselijke nieuws voor de *Central Somerset Gazette,* haar eerste echte baan sinds ze Marley heeft gekregen. 'Ik stoor toch niet?'

'Nou, ik kom dus net binnen en...'

'O, je hebt het druk. Nou, dan zal ik je niet lang ophouden. Ik belde alleen maar om je te vertellen dat Daria de twaalfweken-echo heeft gehad, en dat het allemaal goed is.'

Dat is fijn. Ik verheug me echt op de komst van Daria's eerste kindje. Dat is dan meteen mijn eerste neefje of nichtje. Het is fijn om te horen dat het allemaal goed gaat.

'Wat is het?' vraag ik, net alsof ik presentator van een quiz ben. 'Een jongen of een meisje? Een wiskundig genie?'

'Dat weten ze nog niet. Marley zei dat ze dat niet willen weten. Ze willen dat het een verrassing is.'

Dat verbaast me. Marley en Daria zijn allebei wiskundige. Ik dacht dat wiskundigen niet van verrassingen hielden. In een wereld vol veranderingen, blijft twee plus twee altijd vier.

'Mij maakt het ook niet uit wat het wordt.' Mijn moeder klinkt erg blij. 'Ik krijg mijn eerste kleinkind!'

Dat is wel een beetje egoïstisch. Maar het is prettig dat mijn moeder zo blij en gelukkig is.

'Nou ja, eigenlijk wil ik het pas over het kindje hebben wanneer het er is. Vertel me nu maar eens hoe het met jou gaat, Iz-Wiz. Ben je al bij Matthew geweest?'

Mijn oudste broer Matthew is onlangs met zijn vriendin Annie in Londen komen wonen. Ze zijn allebei sportleraar en zien er goed uit. Bovendien heb ik me laten vertellen dat ze over seksuele aantrekkingskracht beschikken. Dus verwacht ik dat de leerlingen van St. Dominics binnenkort opeens een passie zullen voelen opkomen voor sporten op regenachtige sportvelden.

'Nee, nog niet. Ik had het erg druk.'

'Natuurlijk heb je het druk! Heb je vandaag nog iets leuks ontworpen?'

'Niks bijzonders, mam...'

'O.' Het klinkt teleurgesteld. Gezien het aantal keren dat ze me per dag belt, krijg ik het gevoel dat haar baan bij de *Central Somerset Gazette* waarschijnlijk net zo leuk is als vroeger de mijne bij de *Saturday Mercury*. Na dagenlang stukjes schrijven over een liefdadigheidsrommelmarkt van de kerk, of een interessante invalshoek verzinnen voor een stukje over de stadsvernieuwing van Yeovil, verlangt ze waarschijnlijk naar een beetje glamour of spanning in het leven.

'Nou ja, ik heb wel een eh... avondjurk gedaan.'

'Echt waar?' Daar knapt ze van op, en dat was ook de bedoeling. 'Wat voor eentje?'

Ik werp een blik op de *Atelier*. Op de cover staat een foto van Eve Alexander, een actrice van wie ik een groot fan ben. Ze ziet er geweldig uit in een strakke jurk van soepele blauwgroene zijde met één blote schouder. Precies het soort jurk dat ik in mijn collectie zou hebben als ik de kans kreeg. Hé, soepel is ook een goed woord om mee te beginnen!

'Och, het is een strakke jurk van soepele blauwgroene zijde met één blote schouder en zo...'

'Mijn lievelingskleur!' roept mijn moeder uit, en dat is lief van haar, want ik weet dat ze meer van knalroze en knalgeel houdt. 'Geweldig, Iz-Wiz! Je zou eigenlijk Barbara eens moeten bellen. Die zou graag een ontwerp van je willen voor Underpinnings.'

Zo heet het lingeriezaakje van mijn peetmoeder Barbara in Taunton.

'Laatst dacht ik nog dat je wel een hele collectie voor haar zou kunnen doen. Je weet wel, iets als Designers voor Debenhams. O, wacht eens, je zou dat etiket Isabel B voor Underpinnings kunnen noemen!'

'Dat heet label, mam.'

'Nou ja, dat is de manier waarop ontwerpers zoveel geld verdienen. Ik heb er een artikel over gelezen in de *You*.'

'Ik zal erover denken.' Ik ben dol op Barbara, maar met het ontwerpen van ondergoed voor de dames van Taunton word ik echt geen modeontwerper van internationale topklasse.

'Nou ja, je opleiding is uiteraard het belangrijkst. Zeg, weet je al wie je model wordt bij de eindexamenshow?'

Jezus, ik had mijn moeder nooit moeten leren hoe Google werkt. Ik dacht dat ze daar voor haar werk veel aan zou hebben, maar zo te zien heb ik een monster van Frankenstein gecreëerd. Toen ze op Google zocht naar Central Saint Martins, ontdekte ze een artikel over Stella McCartney. En nu denkt ze dat iedereen topmodellen zoals Naomi Campbell en Kate Moss bij de eindexamenshow over de catwalk laat paraderen.

En waarschijnlijk is dat ook zo. Maar daar zal ik wel nooit achter komen...

'Nee, nog niet, mam.'

'Nou, zorg dat je uit de buurt blijft van Naomi Campbell. Ze gooit met mobieltjes.' Mijn moeder klakt afkeurend met haar tong. 'En ze zou een slechte invloed op je uitoefenen, met al die drugs.'

Nog iets wat mijn moeder heeft ontdekt. Dat de modewereld is vergeven van de drugs. Ze denkt vast dat je in de kantine van Central Saint Martins niet alleen KitKat kunt kopen, maar ook een lijntje coke.

'Beloof me dat je niet ook aan de drugs gaat,' gaat mijn moeder verder. 'Barbara zegt dat iedereen in de modewereld aan de drugs is, de ontwerpers, de modellen... Ze zei ook dat de aardige dame die die nieuwe onderbroeken voor Underpinnings heeft gedaan, wel heel vaak naar de wc moest. En dat ze erg grote pupillen had.'

Het zou een heel amusant idee zijn geweest dat de kleine

middenstanders van Somerset voortdurend coke zitten te snuiven, als mijn moeder het maar niet echt geloofde...

'Mam, maak je over drugs maar geen zorgen.'

'Nou ja, je hebt wel een persoonlijkheid die openstaat voor verslaving...'

'Echt?' Jezus, wat heeft mijn moeder op Google eigenlijk allemaal aangetroffen?

'Je bent het middelste kind... En omdat Marley zo intelligent is en Matthew er zo goed uitziet, ben ik soms bang dat we je niet de juiste, koesterende nestwarmte hebben kunnen geven...'

Oké. Nu weet ik heel zeker dat mijn moeder zich op het werk nog erger verveelt dan ik indertijd bij de *Saturday Mercury*.

Voordat ik iets kan zeggen, gaat ze met gedempte stem verder: 'En toen je studeerde, hebben we ooit eh... pillen gevonden, weet je nog?'

'Dat was ProPlus!' roep ik uit terwijl ik pannen uit de kast haal.

'Nou ja, ik weet niet hoe ze dat spul op straat noemen,' reageert mijn moeder gekwetst.

'Het waren cafeïnetabletten, mam.'

'Als jij dat zegt, geloof ik je, Isabel. En je vader ook.'

Ja, hoor. Mijn vader zou dolgraag willen dat ik een aan pillen verslaafde junk was, al was het maar omdat dan zou worden bevestigd wat hij altijd al heeft gedacht: dat ik nergens goed voor ben.

'Hoor eens, mam, ik moet nu echt hangen.' Ik doe mijn best het bakje met Barneys risotto met één hand open te krijgen. 'Ik kook iets speciaals voor vanavond.'

'O ja?'

'Nou ja, niks bijzonders, hoor.' In mijn hoofd gaan allerlei alarmbellen af. 'Gewoon voor een gezellig avondje thuis. Met z'n tweetjes.'

'Er is toch niets aan de hand, hè?' vraagt mijn moeder gespannen.

'Nee, mam, echt niet.'

'Weet je dat heel zeker?' vraagt mijn moeder. 'Want Jenni, van de horoscopen, weet je nog? Nou, Jenni heeft vorige week onze horoscoop getrokken, en ze zei heel duidelijk dat er binnen het jaar een bruiloft zou zijn.'

Allemachtig... 'Mam, daar hecht je toch geen geloof aan?'

'Maar Isabel, ze is echt heel begaafd. Ze heeft voorspeld dat Nathans zus een zoontje zou krijgen...'

'Dan had ze vijftig procent kans dat ze goed zat!'

'En dat ze hem Joshua zou noemen..'

'Maar mam, tegenwoordig heten alle jongetjes Joshua.'

Dat is helemaal waar. Ik heb laatst een artikel gelezen waarin stond dat je in Londen nooit verder dan drie meter vandaan bent bij een jongetje dat Joshua heet. Of misschien ging het om ratten. Ik lees zo veel, soms haal ik dingen door elkaar.

'En,' zegt mijn moeder op een toon alsof ze met een troefkaart komt, 'dat hij een bruin en een blauw oog zou hebben!'

O. Nou ja, dat is natuurlijk toeval.

Ik bedoel, ik heb zelf weinig ervaring met helderzienden, maar het zou interessant zijn te weten hoe groot de kans is dat er een kind met een blauw en een bruin oog wordt geboren. Die kans lijkt me erg klein.

'Ik wil alleen maar zeggen,' gaat mijn moeder zelfvoldaan verder, 'dat Will misschien met een grote verrassing op de proppen komt.'

'Nou, bedankt, hoor,' zeg ik. Ik doe mijn best ongeïnteresseerd te klinken. 'Maar ik denk dat Jenni er in dit geval helemaal naast zit.'

'Je mag denken wat je wilt.'

'Echt, mam, ik moet hangen.' Ik heb het opgegeven met mijn linkerhand het deksel van de risotto open te peuteren. Gedeeltelijk omdat dat deksel er onmogelijk met één hand af te krijgen is, en gedeeltelijk omdat ik me opeens afvraag of ik mijn linkerhand er niet beter zo goed mogelijk kan laten uitzien. Ik bedoel, hoe schitterend een Asscher geslepen diamant ook is, het is een beetje een vlag op een modderschuit als je nagels gebroken zijn en je lelijke nagelriemen hebt.

En dat gaat ook op voor een emerald geslepen diamant met baguette geslepen stenen ernaast.

Of een gigantische marquise geslepen roze diamant, met eromheen kleine witte steentjes, gezet in platina.

De adem stokt me in de keel wanneer het beeld voor me oprijst van Will die bij het schijnsel van kaarsen voor me neerknielt op de keukenvloer... Om de een of andere onverklaarbare reden speelt op de achtergrond Phil Collins' 'Groovy Kind of Love'. Nee, dat kan niet. Er klinkt een prachtige aria uit een opera. Will haalt een met fluweel bekleed doosje uit zijn zak en kijkt dan naar me op met die chocoladebruine ogen, met lachrimpeltjes in de hoeken, schraapt zijn keel en zegt...

'O, voordat je ophangt, moet ik je nog iets vertellen!' De stem van mijn moeder brengt me terug in de werkelijkheid. 'Ik was het bijna vergeten, maar nu schiet het me weer te binnen. Laatst was ik aan het uitvogelen wie wat moet meenemen voor de barbecue van zaterdag...'

Nee, hè? Ik doe al tijden mijn best niet aan die zaterdag te denken. Want dan is de jaarlijkse familiebarbecue, en daar komen allemaal familieleden en vrienden en vriendinnen van familieleden en heel verre familieleden die ik slechts eens per jaar zie: op die barbecue. De meesten die ik slechts eens per jaar zie, zijn familie van mijn vader, en daarom eindigt de dag altijd met een afgrijselijke wedstrijd, soms sportief, soms intellectueel. En heel vaak allebei. Vorig jaar was het een waar dieptepunt, waarbij oom Michael de gecombineerde quiz-met-hindernisparcours won. Mijn vader was de quizmaster en deed dat heel pompeus.

Hij las de moeilijkste vragen uit Trivial Pursuit voor terwijl de vermoeide deelnemers rondjes renden door de tuin, om pionnen heen zigzaggend en over netten springend, terwijl ze net deden alsof ze het allemaal niet zo serieus namen. Dat duurde totdat oom Michael in volle vaart door het raam van de serre knalde en ons niet de ambulance wilde laten bellen omdat er dan te veel van zijn tijd af zou gaan.

'En toen herinnerde ik me dat ik tante Clem nog niet had gevraagd die lekkere bosbessenschuimpjes te maken,' gaat mijn moeder verder. 'Dus belde ik haar, en ze was graag bereid ze te maken, en...'

Ik weet niet goed waar ze naartoe wil. Maar ik weet wel dat ik belangrijker dingen te doen heb dan luisteren naar een verhaal over tante Clems bosbessenschuimpjes.

'En toen zei ik dat je was aangenomen voor die geweldige modeopleiding...'

'Mam! Ik had nog zo gezegd dat je daar niet over moest opscheppen!'

'Ik was niet aan het opscheppen, lieverd. Het was juist fijn iets goeds over je te kunnen vertellen. Je weet hoe tante Clem altijd doorratelt over die koters van haar,' voegt mijn moeder eraan toe met het venijn dat tante Clem, de oudste zuster van mijn vader, bij sommigen kan opwekken. 'En weet je? Portia gaat óók naar Central Saint Martins!'

Het is maar goed dat ik het bakje met risotto heb neergezet. 'Portia... Wát?'

'Portia gaat naar Saint Martins!' zegt mijn moeder nogmaals. 'Ze begint dit jaar. Ze doet een master in de beeldende kunsten of zoiets. Je weet toch dat Portia dol is op opleidingen?'

Ja, dat weet ik maar al te goed. Mijn nichtje Portia is vier jaar jonger dan ik, en de braafste van tante Clems toch al zo brave dochters. Een poos geleden zat Portia in Florence, waar ze kunstgeschiedenis studeerde, haar toch al uitstekende Italiaans oppoetste en waarschijnlijk het leven van talloze onschuldige Florentijnen tot een hel maakte.

En nu gaat ze naar Central Saint Martins om mijn leven tot een hel te maken.

'Weet je, je vader vindt het geweldig dat jullie aan hetzelfde instituut gaan studeren. Clem zegt dat Central Saint Martins de beste kunstacademie van het land is.'

'Maar dat had ik ook al tegen pap gezegd...'

'Jawel, lieverd, maar je weet zelf ook wel dat je de neiging hebt om te overdrijven...'

Ik leg mijn hoofd tegen de ijskast in de hoop het klamme zweet op mijn voorhoofd te laten verdwijnen. 'Weet je, mam, Central Saint Martins is ontzettend groot. Het zou best kunnen dat ik Portia er niet één keer tegen het lijf loop.'

'O, maak je maar geen zorgen. Clem zorgt er wel voor dat Portia meteen naar je op zoek gaat. Jammer dat Portia niet op de barbecue kan komen, anders zouden jullie leuk samen kunnen babbelen. Maar ze moet naar een introductieweekend. Jij zult binnenkort ook wel zoiets hebben.'

'Eh... Vast.'

'Nou ja, ik moet nu ophangen,' zegt mijn moeder. 'Ik wilde je alleen dat leuke nieuws over Portia even vertellen.'

'Ja,' zeg ik als in trance. 'Leuk nieuws.'

'We verheugen ons erop je in het weekend te zien. Misschien heb jij dan ook leuk nieuws...'

'Nee, mam.' Dankzij Portia en haar zucht naar steeds hogere opleidingen zijn alle gedachten aan ringen met diamanten en etentjes bij kaarslicht verdwenen. 'Ik kom niet met leuk nieuws. En nu moet ik echt hangen.'

'Goed, lieverd. Veel succes met het etentje. En met het ontwerpen.'

4

Ik ben zo in de war van het telefoontje van mijn moeder dat het even duurt voordat ik me op het koken kan concentreren. Nou ja, op het opwarmen van wat Barney heeft gekookt. Uiteindelijk zet ik de risotto op een laag pitje en ga ik zelf in bad. Ik gooi bijna een halve fles met aromatische olie in het bad, want volgens het etiket werkt die ontspannend. En ik zoek ook een oud artikel in de *Marie Claire* op over ontspannen, want daarin geeft zakenvrouw van internationale topklasse Nicola Horlick zes supertips om te ontspannen. Toch lukt het me niet te ontspannen. Ik kan alleen maar denken aan die verwaande Portia die straks tante Clem gaat bellen dat ze me nergens op Saint Martins kon vinden. En dat gaat tante Clem natuurlijk meteen aan mijn moeder doorvertellen. Of nee, aan mijn vader! En dan zal die mij natuurlijk bellen. Of nee, waarschijnlijk stapt hij in de auto, rijdt met veel te hoge snelheid over de M4 en sleurt me aan mijn haren naar buiten...

Oké, dit wordt belachelijk. Als die rare helderziende kennis van mijn moeder gelijk heeft en Will me vanavond een aanzoek gaat doen, moet ik niet alles door dit soort enge mogelijkheden laten verpesten. Ik moet me er geen zorgen over maken dat mijn nare nichtje mijn leugentje om bestwil gaat doorprikken. Daar kan ik me morgen ook druk om maken.

Trouwens, als Will me een aanzoek doet, kom ik er misschien mee weg. Want dan kan ik mijn ouders vertellen dat ik met de opleiding ben gestopt omdat ik het te druk heb met de voorbereiding van de bruiloft. Yes! Zelfs mijn vader kan daar niets van zeggen, niet als ik op het punt sta me te ontdoen van de door hem zo vereerde achternaam Bookbinder. Perfect!

En ik zou inderdaad heel veel te doen hebben als we zouden gaan trouwen. Ten eerste zouden we op zoek moeten naar een goede locatie. Misschien een kasteel in Ierland, of een palazzo in Italië. En we zouden een gastenlijst moeten opstellen. En jezus, ik zou aan zijn ouders worden voorgesteld! Will heeft me nog steeds niet aan zijn ouders voorgesteld omdat... Nou ja, ik weet eigenlijk niet waarom Will me nog steeds niet aan zijn ouders heeft voorgesteld. Ik heb zijn broer wel leren kennen. Nou, en of ik die heb leren kennen! Ik heb zelfs iets met hem gehad, al is dat nu heel lang geleden. O, misschien heeft Will me daarom nog niet aan zijn ouders voorgesteld. Misschien is hij bang dat zijn ouders het me kwalijk nemen dat ik van de ene broer naar de ander vlinder. Nou, als ik hun schoondochter word moeten ze zich daar maar overheen zetten. Hopelijk merken ze dat ik heel veel van Will hou en vergeven ze me die vreselijke vergissing met hun oudste zoon, en dan heb ik de komende tien jaar geen last meer van gênante steken onder water bij de punch en pasteitjes met Kerstmis.

O, misschien kan de bruiloft ook een opstapje betekenen voor mijn carrière in de mode! Ik kan mijn eigen bruidsjurk ontwerpen. Iets heel simpels, maar toch adembenemend mooi, met lange mouwen. Want dan kan ik meteen laten zien dat ik mouwen in kan zetten. En uiteraard een sleep, maar geen heel lange. Natuurlijk ga ik voor Lara een prachtige bruidsmeisjesjurk ontwerpen, in een bleek duifgrijs, en een niet zo prachtige voor Annie, de vriendin van mijn broer Matthew, want zij is blond en rondborstig, en als ik geen actie onderneem, staat zij mooier op de foto's dan ik. En dan stuur ik de foto's naar zo'n bruidsblad en word ik overspoeld met opdrachten, ook voor de niet zo prachtige bruidsmeisjesjurk, want iedereen weet dat zo'n rare jurk het geheime wapen van de bruid is. En dan bouw ik een grootse reputatie op als geweldige ontwerper die schitterende kleding ontwerpt voor echte vrouwen...

De Echte Vrouw: de nieuwe geur van Isabel Bookbinder.

Zodra ik uit bad ben gestapt, moet ik na gaan denken over wat ik die avond aan wil trekken. Dat is lastig. Ik wil er uiteraard beeldschoon en verleidelijk uitzien, maar ook als het lieve, eenvoudige meisje op wie Will verliefd is geworden en dat hij een aanzoek wil doen. Uiteindelijk valt mijn keus op heel sexy en ongemakkelijk zittend ondergoed van La Perla, plus mijn lievelingsspijkerbroek en een geleend wit shirt uit de stapel kleren van Will die schoon en gestreken is teruggekomen van de stomerij. Geen schoenen. Ik ga voor de natuurlijke, zorgeloze look.

Ik kan niemand aanraden op blote voeten en gehuld in het wit de keuken in te gaan. Ik ben er nauwelijks twee minuten of ik zit onder de vlekken van Barneys ingekookte wijn, en ik verbrand mijn natuurlijke, zorgeloze tenen aan de aangebrande risotto. Jezus, die stond toch op een laag pitje?

Ik hinkel in het rond, op zoek naar keukenpapier en probeer de vloer niet al te plakkerig te maken. Want Will gaat straks op zijn knieën op die vloer, als hij me tenminste op de juiste manier ten huwelijk gaat vragen. En terwijl ik alles opveeg, zie ik ineens op de digitale klok van de oven hoe laat het is.

Dertien over acht.

Is het al acht uur geweest? Will was van plan om halfacht thuis te komen. Hij is al drie kwartier te laat voor het etentje waardoor de romantiek moet terugkeren. Dat kan toch niet? Hij had me beloofd het vanavond niet laat te maken. Met een misselijk gevoel bel ik Wills vaste telefoon, in de wetenschap dat zijn enge secretaresse Marie al uren geleden naar huis is gegaan en dat hij zelf zal opnemen.

'Thomson Tibble Telford, met het toestel van William Madison. Waarmee kan ik u van dienst zijn?'

Verdorie, dat is Marie.

'Hoi, Marie.' Ik lach omdat ik dan vast vriendelijker klink. Dat trucje heb ik geleerd van mijn vorige werkgever, Katriona de Montfort. 'Met mij!'

'Pardon, met wie spreek ik?'

Dat is een trucje dat Marie van haar vorige baas heeft geleerd: Satan. 'Met mij,' zeg ik met vaste stem. 'Isabel.'

'Eh... Isabel...'

'Isabél!' Ik speel het spelletje niet met haar mee, en vertel haar niet wat mijn achternaam is. Ze weet heel goed wie ik ben. Volgens mij vindt ze Will zelf leuk. Ze bejegent me altijd hoogst onvriendelijk, ook toen ik in het begin probeerde vriendinnen te worden. 'Wills vriendin.'

'O, díé Isabel.' Marie laat een lachje horen. 'Oeps!'

'Ja,' zeg ik. 'Oeps.'

'Het spijt me, Isabel, hij is in bespreking.' Het klinkt helemaal niet alsof het haar spijt. 'Ik zit te wachten tot hij terugkomt, want hij moet een paar dingen signeren die vanavond nog weg moeten.'

'O.' Ik kan mijn teleurstelling niet verbergen. 'Ik dacht dat hij al wel weg zou zijn...'

'Ik vrees van niet,' reageert Marie opgewekt. 'Eigenlijk zou hij al uren geleden terug moeten zijn. Het was een lunchbespreking.'

Ik kijk nog eens op het klokje. Zestien over acht. Dat is wel een heel erg lange lunchbespreking. 'Weet je wanneer hij terugkomt?'

Marie laat een soort fluittoon horen die erg lijkt op zo eentje die een loodgieter maakt voordat hij je vertelt dat het driehonderd pond gaat kosten om de wc te ontstoppen. 'Ik zou het niet kunnen zeggen. Gisteren is hij ook met Julia gaan lunchen en toen waren ze pas op kantoor om... Goh, na negenen pas.'

Julia? Wie is in vredesnaam Julia?

Will had gezegd dat de cliënten Kazachstaanse zakenlui waren. Zou Julia een mannennaam zijn in Kazachstanië... Kazachië... Nou ja, waar Kazachstaanse zakenlui ook vandaan komen. Buitenlandse namen kunnen je echt op het verkeerde been zetten. Ik bedoel, toen ik nog studeerde, kende ik een Deense jongen die Kristen heette, en overal elders is dat toch een meisjesnaam.

Het misselijke gevoel maakt plaats voor iets anders. Ik word helemaal koud vanbinnen. Maar ik ga die verwaande Marie echt niet laten merken dat ik me zorgen maak. En zeker niet omdat ik me totaal geen zorgen maak.

'O, Julia!' juich ik opgewekt en totaal niet bezorgd. 'Ik ben dol op Julia. Hoe is het met haar?'

'Ik wist niet dat je Julia kende,' zegt Marie na een korte stilte.

'Natuurlijk ken ik Julia.' Ik begeef me in een lastige situatie. Ik moet maar zo gauw mogelijk alles over deze Julia te weten zien te komen. 'Eh... Mooi, leuk kapsel, goed gekleed toch?'

'Precies,' zegt Marie.

O... Wacht, er bestaat nog hoop.

'Het zal haar niet meevallen zulke lange dagen te maken. Op haar leeftijd,' zeg ik meelevend.

Marie snuift. 'Op haar leeftijd? Drieëndertig?'

'Ja.'

'De jongste advocaat die Thomson Tibble Telford ooit in de maatschap heeft opgenomen,' zegt Marie, zo zelfgenoegzaam als een zouthandelaar bij een open-wondenconventie.

Geweldig. Deze Julia is dus een geniale belastingexpert van internationale topklasse. Plus vast nog veel meer.

'Nou, Julia en ik zijn dikke maatjes,' ga ik verder, gewoon om Marie een poepie te laten ruiken. 'Al jaren. Ze komt voortdurend bij ons over de vloer. Bij ons thuis. Dus in het appartement dat Will en ik delen.'

'O ja?' Marie geeuwt. 'Ik wist niet dat Will Julia al kende voordat ze drie weken geleden vanuit Moskou hier naartoe werd overgeplaatst.'

Volgens mij heeft deze conversatie nu wel lang genoeg geduurd.

'Hoor eens, Marie, kun je Will zeggen dat ik heb gebeld? En wil je hem vragen terug te bellen?'

'Tuurlijk. Ik zeg wel dat je naar hem op zoek bent.'

'Nee! Nee, ik ben niet naar hem op zoek. Ik wil alleen... Nou ja, het doet er niet toe. Ik zie hem straks toch.'

Ik hang gauw op, voordat Marie nog iets kan zeggen.

Geweldig. Helemaal geweldig.

Waarschijnlijk is hij ons romantische etentje gewoon vergeten.

Ik bedoel, het is de vijfde keer dat hij een gezellig samenzijn is vergeten, heeft afgezegd of uitgesteld sinds ik hier een maand geleden ben ingetrokken. Maar dat kun je verwachten als je vriend een jurist is die gek is op zijn werk.

En op zijn collega's, blijkbaar.

Ik bedoel, Will houdt toch van mij? Vroeger sloop hij stiekem het kantoor uit om veel te lang met mij te gaan lunchen, en dan stond hij er altijd op dat ik een toetje nam, ook al moest hij eigenlijk terug om te werken. En hij heeft mij meegenomen voor dat weekend – één keertje maar – in dat superdeluxe hotel in Rome, en dat hotel had hij niet uitgezocht vanwege het uitzicht, maar omdat je daar hoofdkussens kon uitzoeken van de hoofdkussenkaart. Hij wist dat ik daar niet meer van zou bijkomen.

En hij komt elke avond bij mij thuis, ook al is het nog zo laat. Met mij heeft hij een volwassen verhouding.

Weet je, ik vermoed dat die Julia echt bont draagt, en dat zou Will moeten afkeuren.

En ik durf te wedden dat ze tegen hem zegt: lievelink.

En ik durf te wedden dat...

Ik ben nog steeds aan het wedden wanneer ik Barneys heer-lijke, aangebrande eten in de vuilnisbak mik, en ik zorg ervoor dat ik geen moment naar mijn linkerhand kijk. De hand waar-van ik, sukkel die ik ben, dacht dat er nu wel een schitterende verlovingsring aan zou prijken.

En ik wed nog steeds wanneer ik vier uur later moederziel al-leen in bed stap.

5

Ik word wakker van de geur van geroosterde boterhammen die een beetje verbrand zijn. Wanneer ik mijn ogen opendoe, zie ik Will over me heen gebogen staan. Ik zie ook dat hij zich wel eens zou mogen scheren, al staan die stoppeltjes hem best goed. En ik zie ook dat zijn ogen rood zijn, en dat hij vermoeid kijkt. Hij heeft zijn pak al aan, en hij houdt een bord vast waarop geroosterde boterhammen met Nutella liggen.

Schaapachtig zegt hij: 'Het spijt me.'

Ik draai hem en de geroosterde boterhammen de rug toe.

'Heb je mijn sms'je gekregen?' vraagt hij na een poosje.

'Dat van een uur of een 's nachts, waarin je zei dat je onderweg was naar huis? En dat het je speet dat je onze romantische avond had verpest? Ja, Will, dat heb ik gekregen.'

Hij gaat op het bed zitten en doet zijn best me te laten omdraaien. 'Het was een idioot drukke dag, Isabel. Zodra ik op mijn werk was, had ik cliënten en...'

'Dan had je zeker geen tijd om te lunchen.' Ik kijk even achterom.

Hij geeuwt en strijkt zijn pas gewassen haar glad, zodat het niet plukkerig opdroogt. Wanneer zijn haar nat is, is het nog donkerder, en dan ziet hij er nog knapper uit. Maar vandaag oogt hij alleen maar nog vermoeider. 'Ik had een lunchbespreking... Zoiets kun je nauwelijks een lunch noemen. Die duurde tot na elven.'

'Dat weet ik. Marie had het me al verteld. Weet je,' voeg ik eraan toe, hoewel het een oeroud cliché is, 'volgens mij is je verhouding met je secretaresse beter dan die met mij.'

Will schiet in de lach. 'Isabel, we hebben het wel over Maríé!'

'Nou en?'

'Je kunt onmogelijk een goede verhouding hebben met Marie. Marie heeft de pest aan iedereen.'

'Maar niet aan jou.'

'Maar niet aan mij.' Will legt zijn hand op mijn arm. 'Trouwens, schat, ik moet je iets vertellen. Je vindt het vast vreselijk, maar ik kan dit weekend helaas niet mee naar de familiebarbecue.'

Met een ruk draai ik me om. 'Wat?'

'Ik moet met cliënten mee naar de Kaaimaneilanden. Ik vertrek morgenvroeg, en ik weet nog niet wanneer ik terugkom. Als het meezit, ergens midden volgende week.'

'De Kaaimaneilanden?' Ik kijk hem met grote ogen aan. Mijn hart gaat akelig tekeer. 'Je denkt toch zeker niet dat ik achterlijk ben?'

Want zeg nou zelf... Denkt hij soms echt dat ik achterlijk ben? Kan hij niet met een iets geloofwaardiger smoesje komen, zoals een reisje naar Brussel of zoiets? Terwijl hij eigenlijk naar een zonovergoten paradijs met witte stranden gaat waar hij exotische cocktails met een rietje gaat drinken, en Julia – hij gaat vast en zeker met haar – loopt te flaneren in een minieme bikini. Met string. Waarschijnlijk is die minieme bikini met string gevoerd met echt bont, en dat zou hij moeten afkeuren. Waarschijnlijk zegt ze dan: 'Een beetje meer kokosolie op mijn weelderige, gebruinde lichaam graag, lievelink.'

'Ik denk helemaal niet dat je achterlijk bent.' Er verschijnt een bezorgde blik op Wills gezicht. Of is het een schuldige?

'Allemachtig, je bent toch belastingexpert! Wat moet jíj nou op de Kaaimaneilanden?'

Nu verschijnt er een lach op zijn gezicht. 'Schat, de Kaaiman-eilanden zijn een belastingparadijs.'

'Je bedoelt zeker: een paradijs voor belastingexperts.'

'O nee. Integendeel.' Hij wrijft in zijn ogen en ziet er opeens heel érg moe uit. 'Het wordt een grote ellende. Aldoor maar besprekingen. Die gewiekste Kazachstaanse zakenlui gaan vast heel moeilijk doen. Waarschijnlijk zal de airconditioning de geest geven. En eigenlijk wil ik alleen maar thuis zijn, hier, bij jou.'

Ik moet zeggen, hij is goed van de tongriem gesneden.

'Ga je dan alleen?' vraag ik. Ik neem het bord met geroosterde boterhammen van hem aan, maar met tegenzin. Hij mag niet denken dat ik zin heb in geroosterde boterhammen met Nutella.

'Nee, we gaan met een paar man.'

'Gaat Julia mee?' vraag ik achteloos.

Will staat op en trekt zijn stropdas over zijn hoofd. 'Waarschijnlijk wel, we hebben haar nodig om het een en ander voor ons te vertalen...' Opeens zwijgt hij. 'Had ik je al over Julia verteld?'

'Ik kan me haar naam herinneren,' antwoord ik vaag, voor het geval hij het in zijn hoofd haalt te denken dat ik zijn doen en laten laat natrekken.

'Oké. Zeg, het spijt me ontzettend van de barbecue, Iz. Je weet dat ik me erop verheugde iedereen eens te leren kennen.'

En dat is precies wat me zo'n zorgen baart. Dat hij zo gladjes kan liegen. Zo overtuigend. Daarom is hij zeker zo'n goede advocaat.

'Kun je niet iemand anders meenemen?' oppert hij. 'Lara? Barney?'

'Misschien.' Over mijn lijk. Ik ga die arme Barney niet blootstellen aan de familiebarbecue. Lara is vaak genoeg mee geweest om het te kunnen overleven. Maar ik weet niet of ik het wel zal overleven als Lara gaat lopen kwijlen bij de aanblik van mijn broer.

'Jezus, ik moet echt gaan.' Will kijkt op zijn horloge en buigt zich dan over me heen om me een zoentje op mijn voorhoofd te geven. Ja, op mijn voorhoofd. Precies zoals de heersers van het universum afscheid nemen van hun Stepford-vrouwtjes. 'Wat zijn jouw plannen vandaag, Iz?'

'Och...' Rebels stop ik nog een stuk geroosterd brood met Nutella in mijn mond. 'Misschien ga ik mijn nagels laten doen, of misschien ga ik tennissen.'

'Oké.' Hij ziet eruit alsof hij in verwarring is gebracht, maar niet voldoende om het risico te nemen te laat op zijn werk te verschijnen. 'Nou, fijne dag verder, schat. Ik doe mijn best niet te laat thuis te zijn. Niet al te laat, bedoel ik,' verbetert hij zichzelf. En dan legt hij zijn jasje over zijn arm en zet koers naar de deur.

Hij is allang weg wanneer het tot me doordringt dat hij helemaal niet heeft gevraagd hoe het was op Central Saint Martins. Blijkbaar heeft hij belangrijker dingen aan zijn hoofd.

Oké. Will mag dan denken dat ik een soort timide huisvrouwtje ben, totaal geen partij voor de almachtige Julia, maar ik zal hem eens iets laten zien. Als hij me wil inruilen voor een nieuwer modelletje, moet ik echt iets dóén. Bovendien zou ik dan aan de bedelstaf raken, en zou ik een dak boven mijn hoofd moeten zoeken. Ineens zie ik mezelf voor me, met een oud, verweerd valiesje door de straten van Londen zwalkend, terwijl Julia voor Wills huis uit een glanzende luxetaxi stapt en haar enorme koffers van Louis Vuitton naar binnen zeult. Nou, ik zal haar eens iets laten zien. Wacht maar tot ik de nieuwe winkel van Emporio Bookbinder in Moskou open. Op een dag loopt ze dan met haar poenerige, in bont gehulde Russische vriendinnen binnen, en dan gooien mijn door de KGB getrainde, ontzettend trouwe beveiligers haar prompt het Rode Plein op.

Gedreven door ambitie sta ik op, neem een douche en trek mijn elegante grijze broek, van een winkelketen, aan, mijn schoenen van de ontwerper Kurt Geiger, en mijn nep-vintage gewatteerde jasje. Om halftien ben ik helemaal klaar. En daar zit ik dan aan mijn bureau met een kopje sterke zwarte koffie, klaar om mijn collectie een grote sprong voorwaarts te laten maken.

Wat had ik ook weer bedacht? O ja, soepel...

Dat schrijf ik in mijn sfeerboekje, met grote letters. En dan leun ik naar achteren om eens diep na te denken.

Soepel, de briljante nieuwe collectie van Isabel Bookbinder, bestaat onder andere uit een schitterende jurk van elegante blauwgroene zijde die één schouder onbedekt laat...

Nou, dit is een goed begin. Dat van die ene onbedekte schouder is echt geniaal, want dan hoeven er ook minder mouwen ingezet te worden. Als ik er een soort toga van zou maken, hoeven er zelfs helemaal geen mouwen ingezet te worden. Ik heb alleen maar een flinke lap stof nodig, iets wat soepel valt, uiteraard. En dan drapeer ik die, en zet de boel vast op de schouder met een speld, misschien wel met een oogverblindende broche... Perfect!

Ik probeer het uit met mijn grootste pashmina-sjaal en een paar veiligheidsspelden, en na tien minuten snap ik hoe het moet. Een bevredigend ochtendje werk, al zeg ik het zelf.

Wat nu?

Ik kijk een poosje naar het ontbijtprogramma met Phil en Fern. Want het onderdeel met een make-over is heel belangrijk voor mijn carrière, en bovendien is het leuk om Phil en Fern in een deuk te zien liggen over hun opmerkingen die net op het randje zijn. Zodra mijn research is afgelopen, besluit ik vroeg op pad te gaan voor mijn lunch met Lara, want dan kan ik onderweg al die bakjes afgeven bij Barney.

Wanneer ik bij Coffee Messiah aankom is Barney blij me te

zien, en dat is strelend voor mijn ego. Maar zijn goede humeur verdwijnt als sneeuw voor de zon wanneer ik hem over de zo rampzalig verlopen avond vertel.

'Iz, waarom heb je me niet gebeld? Dan was ik meteen gekomen!'

'Lief van je, Barney, maar het was oké, hoor. Ik heb een paar tijdschriften zitten lezen en toen ben ik naar bed gegaan.'

'Ik bedoel dat je had moeten bellen, dan was ik gekomen om alles op te eten.' De normaal zo opgewekte uitdrukking op zijn gezicht heeft plaatsgemaakt voor een sombere. 'Die risotto was een waar meesterwerk. En het dessert ook. Er zat trouwens grappa in,' vertelt hij er nors bij. 'Maar de vuilnisbak heeft er vast van genoten.'

'Het spijt me, Barney.' Je zou bijna gaan denken dat híj degene is met de – misschien – overspelige vriend. 'Hoe kan ik het ooit goedmaken?'

Daar moet hij even over nadenken. 'Je kunt een kwartiertje op de kar passen terwijl ik even naar de taartjes bij Villandry ga kijken.'

Ik kijk hem met grote ogen aan. 'Maar je hebt hier toch al geweldig lekkere?'

Hij zucht eens diep. 'Het is marktonderzoek. De hele dag zie ik al die kantoormensen naar Villandry gaan. En dan ga je je toch afvragen wat Villandry heeft wat ik niet heb.'

Ik zeg maar niet dat Villandry waarschijnlijk heel gewoon de klant geeft waar die om vraagt, niets meer en niets minder. 'Is goed, Barney. Ik pas wel op de kar.'

'Fijn!' Barney doet het knalrode schort af en zet de knalrode honkbalpet af. Hij geeft ze aan mij.

'Moet ik... Moet dat echt?'

'Ja, Iz, dat moet echt.' Hij slaat zijn armen over elkaar en kijkt me doordringend aan. 'Stel dat er een klant komt die niet beseft dat jij bij de kar hoort?'

Kleine kans, denk ik, maar dat zeg ik niet. Ik zet braaf de pet op en strik het schort om mijn nep-vintage jasje.

Barney klapt in zijn handen. 'Nou, dan zal ik je even vertellen welke soorten espresso we vandaag schenken...'

Ik kan de energie niet opbrengen om me goed te concentreren, dus knik ik aandachtig en maak een paar aantekeningen op een bestelbon. Ik zeg ook dingen als: 'O, verrukkelijk, biologische Braziliaanse cocomin caracoli.' En: 'Is dat de fruitige smaak of de scherpe?' Barney lijkt het allemaal best te vinden. Hij vindt het niet zo leuk dat ik niets snap van zijn teerbeminde Faema, maar de eenvoudigste handelingen legt hij me uit. Vervolgens maakt hij een erg lekkere dubbele espresso voor me, en draagt me op daar genietend een slokje van te nemen zodra ik een mogelijke klant in het vizier krijg. En dan loopt hij over Portland Street weg naar Villandry.

Ik ga op de hoge kruk achter de toonbank zitten en haal mijn sfeerboekje tevoorschijn. Ik krijg allerlei briljante ideeën voor die lap stof om mee te draperen. Ik bedoel, ik hoef er niet alleen jurken met één blote schouder van te maken. Je kunt er ook een strapless jurk mee maken, als je de stof om je lijf wikkelt. Of je kunt een gat in de stof knippen voor je hoofd, dan krijg je een elegant soort tuniek. En uiteraard hoeft de stof niet blauwgroen te zijn. Er zijn nog veel meer mogelijkheden. Bijvoorbeeld gebrande siena. Of mokka. Of fuchsia...

'Pardon? Bent u van de koffie?'

Ik kijk op en zie een lang meisje met rossigblond haar. Door haar jurk van dunne zwarte wol zie ik een buikje dat aantoont dat ze zwanger is. Jee, zie ik dat goed? Ja hoor, ze heeft een tas van Yves Saint Laurent, de Muze! Een heel mooie leren tas, in een soort blauwzwart. Nou, je kunt wel zien dat ze uit het Portland Hotel komt. Helaas is ze geen beroemdheid, maar ze straalt toch glamour uit.

'Ik vroeg of u van de koffie was...'

'O ja, ik ben van de koffie.' Dit is Barneys eerste klant daag. Misschien zelfs van de hele week. En als aandeelhoud van Coffee Messiah, en natuurlijk als goede vriendin van Barney, is het mijn plicht ervoor te zorgen dat ze iets koopt. Ik bedoel, zo moeilijk kan het niet zijn koffie uit de Faema te krijgen. Eigenlijk is het gewoon een heel groot Nespresso-apparaat.

'Fijn. Ik wil graag een cappuccino. Een grote.'

Ik knipper met mijn ogen. 'Ja, maar in uw toestand...' Ik zwijg als ik de blik in haar ogen zie. 'Natuurlijk! Een grote cappuccino! Komt eraan!'

Klikt dat niet professioneel? Ik wist wel dat ik dit kon! Ik draai me om en hannes met de Faema terwijl de klant haar mobieltje openklapt en verwoed toetsen indrukt.

'Mam?' zegt ze dan. 'Weer met mij. Sorry dat ik daarnet de verbinding verbrak. Jezus, ik heb toch zo'n klotedag... Bij Villandry stond een dikke man voor me en die kocht zowat de hele winkel leeg, en nu moet ik koffie halen bij een of andere rare kar om de hoek... Ja, mam, dat wéét ik. Maar je weet toch ook dat ik mijn bloedsuikerspiegel op peil moet houden?'

Ik druk op een klein, onaanzienlijk knopje van de Faema, en plotsklaps maakt die een griezelig geluid, alsof het ding op het punt staat te ontploffen.

'Weet ik, mam,' zegt de klant weer. Ze klinkt een beetje huilerig. 'Ja, ik weet dat ik me in de nesten heb gewerkt. Maar je weet ook hoe gespannen Nancy de laatste tijd is, na wat er is gebeurd tijdens de Fashion Week, en nu gaat dit ook nog aan mijn neus voorbij...'

O. Misschien had ik kunnen weten dat ze in de mode zit. Ik bedoel, met die tas... En ze is ook van top tot teen in het zwart gestoken.

'Ja, dokter Roussos heeft gezegd dat ik onmiddellijk moet ophouden met werken... Nee, geen bedrust,' ratelt ze verder.

'Maar ik moet me ontspannen... Ja, ik zat ook al aan St. Lucia te denken.'

Het alarmerende geborrel verandert in een venijnig gesis. Ik zet gauw een klep open voordat de druk van de stoom te hoog wordt. Het zweet breekt me uit, vooral onder die pet. Ik zie de koppen al voor me: KOFFIEKARBEDIENER BLAAST MODEL OP, ONGEBOREN KIND EN YSL-TAS INCLUIS. VOOR DE GELEGENHEID WORDT DE DOODSTRAF WEER INGEVOERD!

'Goed, mam, ik bel je straks weer.' Mijn klant verbreekt de verbinding. 'Is er iets niet in orde?' snauwt ze tegen me.

'Nee, hoor!' Ik draai nog twee kleppen open, en godzijdank wordt het sissen minder griezelig. 'Ik eh... Ik wilde u het een en ander over onze koffie vertellen.' Als ik haar aan de praat kan houden, komt Barney misschien op tijd terug van Villandry om haar een heerlijke koffie voor te zetten. Hopelijk heeft ze alleen zijn achterhoofd gezien en herkent ze hem niet. 'We hebben heerlijke koffie van caracolibessen.'

'Caracoli?'

'Ja, een heel bijzondere, biologische bes. Uit Brazilië.'

Ze fronst haar wenkbrauwen. 'Is dat net zoiets als de goji-bes?'

'Ja! Net zoiets! Maar dan nog beter,' zeg ik gauw, want misschien kan ik haar al babbelend hier houden. 'Met nóg meer antioxidanten.'

Dat kan toch? Ik bedoel, wie weet dat nou zo precies?

'En kun je daar koffie van zetten?' vraagt ze terwijl ze haar tas verschuift. Ze kijkt nog net zo mokkend als eerst, maar toch een klein beetje geïnteresseerd.

'Heerlijke koffie. U zult versteld staan.'

'Eh, ga ik binnen de twee minuten versteld staan?' snauwt ze. 'Sommige mensen hebben werk te doen, weet u.'

'O ja, natuurlijk. Sorry...' Ik kijk langs haar heen of ik Barney al zie aankomen. Nee, dus. 'De caracoli-bessen moeten even wellen,' zeg ik. 'Dan is het antioxiderend effect het grootst.'

Gelukkig rinkelt haar mobieltje.

'Met Ruby,' zegt ze. 'O, Jasmine, schatterd, hoi!'

Ik laat die vervelende Faema maar met rust en doe net of ik druk bezig ben met de enorme koffiemolen; nog zo'n super-deluxe stukje techniek van Barney waarvan ik geen idee heb wat ik ermee moet. Maar ik denk dat ik een heel eind kom als ik er een beker bij houd, alsof ik wacht totdat de gemalen koffie eruit komt stromen.

'Nee, maar ik ben de hele dag nog niet op de werkplek geweest... Natuurlijk doe ik dat! Bedoel je de speedbestelling die Greta Bonneville zou sturen?'

Wacht eens... Hoorde ik daar: speed?

'Nee, speed,' gaat ze verder. 'Ik hoorde Nancy duidelijk zeggen dat het een speedbestelling was.'

Jezus, mijn moeder had gelijk toen ze dat zei over de mode-industrie! Ze zijn écht allemaal aan de drugs.

Ik sta daar met open mond. Goh, ik zie er vast niet cool uit... Terwijl zij maar babbelt over dat spul alsof het een Chinese afhaalmaaltijd is, doe ik net alsof ik niets heb gehoord en druk op een paar knopjes van de enorme koffiemolen, om aan te tonen dat ik hard aan het werk ben.

'Uiteraard laat ik het je meteen weten als het er is... Nee, ik kan het best openmaken... Zodra ik heb gebeld, kom jij om te kijken of het in orde is, en dan geef ik het aan Nancy... O, dank je, schatterd... Nou, dokter Roussos zegt dat ik nu echt eens aan mezelf moet denken... Nancy moet maar op zoek naar een ander manusje-van-alles! Ik bedoel: naar een andere personal assistant.' Ruby giechelt en luistert naar wat die Jasmine allemaal te zeggen heeft. 'O, dat weet ik niet, bij *Atelier* vinden ze heus wel iemand die vanwege de werkervaring bereid is alles te doen wat ze zegt.'

Ik laat bijna de beker uit mijn handen vallen. Want opeens dringt het tot me door over welke Nancy ze het hebben: Nancy

Tavistock! De vrouw over wier geweldige leven ik net heb gelezen. De onafhankelijke redacteur bij *Atelier,* en de professionele muze van Lucien Black.

En ze heeft een nieuwe personal assistant nodig. Nou ja, een nieuw manusje-van-alles.

Daar doe ik niet moeilijk over. Ik wil best haar hond uitlaten, en als het moet, wil ik ook best wel de nagels van die hond knippen.

Dit is mijn kans om via de achterdeur de modewereld in te glippen. Die kinderen van popsterren op Central Saint Martins, met hun vooropleiding en werkervaring, en hun kennis van mouwen inzetten, kunnen me de rug op. Als ik voor Nancy Tavistock ga werken, kom ik linea recta in de modearistocratie terecht. Nou ja, met een omweggetje.

Lucien Black zou me kunnen ontdekken. Hij zou kunnen zien dat ik ben voorbestemd voor een sterrenstatus aan het modefirmament.

Of... Nee, dat zou te ver gaan.

Maar stel dat Lucien Black in de toekomst behoefte zou hebben aan een nieuwe muze?

Ik sta te trillen op mijn benen. Rustig worden! Maar jezus, ik zou dat baantje als personal assistant best graag willen hebben. Elke kans, elke mogelijkheid moet worden aangegrepen, toch?

Kans: De nieuwe geur van Isabel Bookbinder.

'Nou, als je iemand weet voor dat baantje, moet je Ellie van human resources maar bellen,' zegt Ruby. 'Ze heeft al een paar sollicitatiegesprekken op stapel staan.'

Nee! Dat baantje is voor mij!

'Ja, schatterd, leuk je gesproken te hebben... Nee, waarschijnlijk ben ik er niet wanneer de bestelling komt, ik heb om één uur een lunch in het Café Anglais... Ja, oké, dag schatterd!' Zodra Ruby heeft opgehangen, verschijnt er een woedende uitdrukking op haar gezicht. 'Waar blijft mijn koffie?'

O, gelukkig. Daar zie ik Barney aankomen, bepakt en bezakt met tassen van Villandry.

'Komt eraan!' zeg ik terwijl hij zijn plaats achter de toonbank inneemt. 'Barney, een grote caracoli-cappuccino, graag.'

'Maar het is al na elven...' begint hij, maar ik val hem gauw in de rede.

'Dat is dan twee pond,' zeg ik luidkeels tegen Ruby. Die drukt een munt in mijn hand en wacht terwijl Barney koffie maalt en melk laat schuimen. Alles bij elkaar duurt het nog geen minuut. 'Beveel ons maar aan bij je vrienden en collega's,' zeg ik wanneer Ruby weg beent. 'En geniet van de heerlijke antioxidanten!'

Met grote ogen kijkt Barney me aan. 'Antioxidanten?'

'Van de caracoli-bessen, Barney. Die zou je moeten aanprijzen als gezondheidsdrankje.'

'Maar caracoli zijn gewoon koffiebonen.'

O. Dat wist ik dus niet.

'Kijk eens wat ik bij Villandry heb gekocht?' Hij haalt witte doosjes uit de draagtassen. 'En ik had gelijk. Niets van wat ze daar hebben ziet er zo lekker uit als mijn donuts.'

Eigenlijk heb ik er niet zoveel aandacht voor. Ik moet mijn kans grijpen, en snel ook. Goed, Ruby gaat dus om één uur lunchen, en dat betekent dat ik rond die tijd een gesprek met Nancy Tavistock moet hebben. Ik zou niet willen dat Ruby me herkende als het meisje van de koffiekar. Ik pak dus snel mijn telefoontje en bel de nummerinfo.

'Iz? Wie bel je?'

'Ik wil graag het nummer van het tijdschrift *Atelier*,' zeg ik tegen de telefoniste. 'Kunt u me dat als sms'je sturen?'

'*Atelier?*' Zo te zien begrijpt Barney er niets van. 'Waarom zou je hen willen bellen?'

Ik hef mijn hand op om hem het zwijgen op te leggen, en dan bel ik het nummer uit het sms'je. 'Hallo,' zeg ik heel neutraal wanneer er wordt opgenomen. 'Werkt u voor Nancy Tavistock? Ja? Nou, dit is Ellie van human resources. Ik wil graag zo gauw mogelijk een belangrijke sollicitant bij haar op gesprek laten komen. Ze heet Isabel Bookbinder.'

Deze week geeft Isabel Bookbinder zes tips over hoe een modemuze te worden. Zelf was ze al modeontwerper van internationale topklasse – haar debuutcollectie *Soepel* wordt nog steeds beschouwd als hoogtepunt van draperen – maar ze hing het ontwerpen aan de wilgen om Nancy Tavistock te vervangen als Lucien Blacks professionele bron van inspiratie. Tegenwoordig ~~is Isabel single~~ ~~woont Isabel met haar vriend~~ ~~Will Madison~~ ~~is Isabel sing woont~~ verdeelt Isabel haar tijd tussen Londen, Parijs en Milaan.

1. Grijp je kans
'Helaas is er geen gebaand pad dat de aanstormende muze kan volgen. De vooraanstaande modeopleidingen in Londen concentreren zich vooral op de praktische aspecten van modeproductie, zoals het inzetten van mouwen, en zodoende kunnen degenen met andere vaardigheden nergens heen. Daarom is het van het grootste belang je kans te grijpen. ~~Afluisteren van~~ Wanneer je toevallig een gesprek opvangt, kan dat een belangrijke eerste stap betekenen op het pad van professioneel muzen, dus wees voorbereid en grijp je kans zodra die zich voordoet.'

2. Wees voorbereid
'Besteed alle tijd aan het perfectioneren van je geheel eigen look. Modeontwerpers kunnen misschien wegkomen met hun niet erg inspirerende uniform van zwarte truitjes met v-hals en zwarte broeken, maar als muze moet je je vanaf het begin onderscheiden. Een combinatie van winkelketen, vintage en designer is altijd goed, daarmee zul je veel bewondering oogsten, maar je van top tot teen in luipaardvellen hullen is niet aan te bevelen. Ook jolige knopen moeten worden vermeden.'

3. Wees een bron van inspiratie

'De modeontwerper van internationale topklasse heeft je daar speciaal voor ingehuurd. Maar soms lukt het zelfs de besten onder ons niet inspirerend te zijn. In dat geval moet je vooral niet in paniek raken. Gelukkig zijn er ijzersterke trucs waarop je kunt terugvallen. Waarom zou je niet op de proppen komen met een oud tweedjasje dat je uit een vintage winkel of een opiumkit hebt gehaald? Of pak een schaar en knip hier en daar iets af. Doe dit voor alle veiligheid voordat je de fles champagne opentrekt!'

4. Zorg dat je alles hebt wat nodig is

'Zie boven: een oud tweedjasje en een schaar. Andere dingen waarover een muze hoort te beschikken, zijn bijvoorbeeld: een pocketformaat sfeerboekje, dat je misschien met korting bij Smythson kunt krijgen als je een grote hoeveelheid afneemt; de laatste nummers van belangrijke tijdschriften, waarbij je eraan moet denken dat de *Pop* en *AnOther Magazine* in het openbaar kunnen worden gelezen, maar de *heat* en de *Grazia* wanneer je alleen bent; drugs naar keuze; en een footootje van Daniel Craig, of van wie dan ook die je graag bij je volgende collectie als model wilt.'

5. Laat je niet intimideren door die enge Anna Wintour

'Ongetwijfeld zul je op een bepaald moment tijdens een modeshow een plaats toegewezen krijgen naast die enge Anna Wintour. Vrees niet. Je hebt net zoveel recht om daar te zijn als zij. Misschien helpt het om echt heel, heel dure kleren aan te trekken, of om een paar maanden van tevoren een personal assistant in te huren, zodat je zelf ook ~~broodmager~~ in een piepklein maatje past.'

6. *Het is heel, heel belangrijk dat je van sterke zwarte koffie leert houden*

'Zie tip 5. Bovendien wil niemand een muze met een enorme kont.'

Isabel is hier geportretteerd bij Scott's in Mayfair, gekleed in een jurk van Lucien Black, model Izzie, en met een tas van Lucien Black, model Iz.

Volgende maand geeft Angelina Jolie zes tips over hoe je goodwill-ambassadeur bij de Verenigde Naties kunt worden.

Daniel Craig
~~Cap Ferrat?~~
~~Op locatie in de Pinewood Studios?~~
Londen

Lieve Daniel,

6

Ik kreeg Nancy Tavistock niet zelf te spreken, en dat is misschien maar goed ook. In elk geval kon ene Lilian, het meisje met wie ik wel heb gesproken en die me een soort administratieve kracht lijkt, een afspraak van een kwartiertje regelen met Nancy, ook al heeft die het nog zo druk. Vandaag om kwart over één. Het was even vervelend toen ze tegen mij – of eigenlijk tegen Ellie van human resources – zei dat de jongens van de postkamer niet erg meewerkten, en dat ze het prettig zou vinden als ik eens met hun chef kon praten over hun werkhouding. Ik beloofde dat ik mijn best zou doen, en toen verbrak ik gauw de verbinding omdat ze aan een verhaal begon over de technische dienst die ook al niet erg meewerkte, en of ik eens met de chef daarvan kon gaan praten.

In elk geval is de eerste horde genomen. En ik heb er veel van geleerd. Ik bedoel, ik kan me nu even niet houden aan mijn gelofte dat ik me aan de waarheid zal houden. Maar dat doe ik uiteraard zo gauw mogelijk weer wel. Eerlijk waar.

Het is het anders waarschijnlijk wel waard. Dit baantje bij Nancy Tavistock zou ideaal zijn. Ten eerste kom ik dan meteen in de modewereld terecht. Want wat wil je nu liever: jarenlang van Diana Pettigrew leren hoe je mouwen moet inzetten en een portfolio samenstellen, of meteen met Nancy Tavistock van de modearistocratie in het diepe springen? En het zou ook ideaal zijn omdat ik dan aan mijn ouders kan uitleggen waarom Por-

75

tia me op Central Saint Martins nergens kan vinden. Want dan kan ik zeggen dat ik een heel prestigieuze stageplaats in de wacht heb gesleept, bij een modetijdschrift van internationale topklasse! En omdat ik dan toch al in de modewereld zit, zou het niet langer dan een paar maanden hoeven te duren voor ik een goedlopend eigen label heb. En daar zal mijn vader zo van onder de indruk zijn dat hij niets meer durft te zeggen over dat ik de opleiding niet afmaak. Briljant!

Zodra Barney me de les heeft gelezen over het me uitgeven voor Ellie van human resources, wordt hij een ware steunpilaar. Hij sluit zelfs de kar af om met me mee te gaan naar Starbucks, waar we op de toiletten mijn haar kunnen doen. Vervolgens biedt hij heel lief aan helemaal naar de Boots op Marylebone High Street te rennen om dat spul tegen kroeshaar te kopen. Gelukkig is mijn outfit oké. Nou ja, die grijze broek is een beetje saai, maar mijn schoenen zijn goed. Het zijn heel onhandige roze plateauschoenen, pas gekocht bij Kurt Geiger. En mijn nep-vintage jasje is een vrolijke noot. Op de foto's in *Atelier* zag ik dat Nancy Tavistock wel van vintage houdt. En trouwens, ze is een muze, geen ontwerper. Zo'n zwart uniform is niet nodig.

Ik heb nog maar een kwartier, dus stap ik op Great Portland Street in een taxi en stuur die naar het gebouw van Mediart Magazines in het bepaald niet modebewuste en glamoureuze Holborn.

Na de teleurstelling bij Saint Martins ben ik erop voorbereid dat de burelen van *Atelier* ook wel een beetje somber zullen zijn. En de grauwe gevel van het Mediart-gebouw belooft inderdaad weinig goeds. Maar zodra ik door de draaideur ben gekomen, zie ik dat ik het mis had. Onder mijn voeten glimt het zwarte marmer terwijl ik naar de receptie loop, en de balie in de vorm van een schilderspalet is gemaakt van stevig, glanzend kersenhout. Twee bijzonder knappe beveiligers begroeten me met een tandpastalach en bellen naar *Atelier* om ze daar te laten weten dat ik er ben. Ik stap in een lift met spiegelwanden en nog meer van dat prachtige kersenhout, en druk zoals me is gezegd op het knopje voor de achtste etage.

Wanneer de liftdeuren openschuiven, zie ik een spierwitte muur met daarop in grote zwarte art-decoletters: ATELIER. Een ernstig meisje met een John Lennon-bril op haar neus en met bruine pijpenkrullen staat me op te wachten.

'Isabel?'

'Ja! Dat ben ik!' Ik steek mijn hand uit. 'En dan ben jij zeker Lilian. We hebben elkaar telefonisch gesproken.' O jezus, dat hebben we helemaal niet gedaan... 'Eh, ik bedoel, Ellie heeft gezegd dat ze je telefonisch heeft gesproken.'

'Dat klopt.' Lilian geeft me een stevige, koele hand. 'Ik geloof niet dat ik je hier al eerder heb gezien.'

O... Dat zegt ze zeker omdat 'Ellie' haar telefonisch had verteld dat ik bij een ander tijdschrift van Mediart heb gewerkt. 'Nou ja, ik ben hier nog niet zo lang.'

'Nou, blijkbaar heb je een goede indruk op Ellie gemaakt. Ze prees je de hemel in.'

'Dat is aardig van haar.'

'Briljant op alle terreinen, zei ze,' gaat Lilian verder, en ze trekt haar wenkbrauwen een beetje op. Ze gaat me voor door een gang. 'Helemaal geobsedeerd door mode.'

'Dat ben ik ten voeten uit.' Ik giechel nerveus.

'Hm. Weet je, het is maar een baantje als personal assistant. Als je echt helemaal geobsedeerd bent door mode, kun je misschien beter wachten totdat er een baantje vrijkomt als assistent van een moderedacteur.'

'O nee! Nee, ik wil dolgraag gewoon personal assistant worden.'

'Hm.' Deze keer klinkt het afkeurend. 'Er is anders niets gewoons aan, hoor. De administratieve krachten bij ons tijdschrift moeten net zo hard werken als de creatievelingen.'

'O, vast!' Godallemachtig, wat ben ik blij dat ik mijn sollicitatiegesprek niet met Lilian hoef te hebben. 'Misschien nog wel harder.'

We blijven aan het eind van de gang staan, voor een houten deur waarop de naam van Nancy Tavistock prijkt. Ernaast is een zitje met een bureau met glazen bureaublad en een makkelijke stoel. Dat bureau lijkt wel een altaar voor Ruby. Er staan foto's op van Ruby met een oudere vrouw die erg op haar lijkt, allebei op een paard. Op een andere staat Ruby met een man met vierkante kaken, met een bruidsjurk aan. Ik bedoel, Ruby met een bruidsjurk aan, niet die man met de vierkante kaken. Er is ook een foto van Ruby op een strand terwijl de zon ondergaat, en daarop staart ze afwezig in de verte. Er liggen ook stapels oude tijdschriften, een paar Beanie Babies, een hele batterij nagellakflesjes, een vergrotende spiegel en een pincet. Er is ook een slordig ogende bak vol velletjes papier, en op het bovenste velletje zit zo'n geel plakkertje. En op dat plakkertje staat: SOLLICITANTEN PERSONAL ASSISTANT.

'Dit is de werkplek van Nancy's personal assistant.' Lilian maakt een hoofdgebaar naar het bureau, en daar kijkt ze afkeurend bij, zeker vanwege alle troep. 'Nu zit Ruby hier. Maar die is gaan lunchen,' voegt ze er nog afkeurender aan toe. 'Dat is waar Ruby in uitblinkt: gaan lunchen. Als je tijdens je gesprek met Nancy je beste beentje voor wilt zetten, moet je zeggen dat je nooit of te nimmer gaat lunchen. Dat zal zeker in de smaak vallen.'

'Bedankt voor de tip!'

'Ik moet nu verder met mijn werk. De technische dienst laat het vandaag helemaal afweten. Kun jij hier op Nancy blijven wachten? Ze komt vast gauw terug.' Lilian gebaart naar de tijdschriften op Ruby's bureau. 'Lees die maar terwijl je wacht.'

'Doe ik!' Ik wuif haar na als ze weg beent door de gang.

Eigenlijk heb ik wel iets belangrijkers te doen dan tijdschriften te zitten lezen.

Ik heb vaak genoeg naar CSI gekeken om te weten dat de privacywetgeving niet opgaat voor dingen die open en bloot zichtbaar zijn. Ik bedoel, je ziet toch voortdurend dat Gil Grissom en die leukerd met een afro DNA van de slechterik verzamelen dat op een blikje cola zit waar de schurk een paar slokken uit heeft genomen en dat heeft laten staan op de tafel in de verhoorruimte? En dan maakt het niet uit dat de gewiekste advocaat van de boef komt zeuren over de grondwet, want Grissom en die leukerd hebben niets gedaan wat tegen de grondwet indruist.

Dus als ik een beetje bij Ruby's bureau rondhang en een blik werp op de brieven van de andere sollicitanten, die open en bloot in dat bakje liggen, doe ik niets wat tegen de grondwet indruist.

Waarschijnlijk is iets dergelijks ook vastgelegd in de Britse grondwet, niet alleen in de Amerikaanse. Ik bedoel wij hadden al die dingen toch zeker eerst? De Amerikanen hebben vast alles van ons gejat.

Ik vind het alleen maar eerlijk als ik weet wie mijn concurrenten zijn. Na het debacle gisteren op Central Saint Martins is het zelfs van levensbelang. En na mijn babbeltje met Lilian heb ik het gevoel dat ik niet helemaal goed ben voorbereid. Stel dat al die anderen professionele personal assistants zijn, die triljoenen woorden per minuut kunnen tikken en slimme dingen kunnen, zoals omgaan met spreadsheets en PowerPoint?

Als er iemand door de gang komt, zou ik voetstappen horen. Volgens mij kan ik best even naar het bureau sluipen en in dat bakje kijken.

Ik schuif het bovenste velletje papier zo ver mogelijk weg zonder het echt op te pakken. Dan wring ik mijn nek in een rare bocht om te kunnen lezen wat er staat. Het is een brief van

Tilly Prentice-Hall, geschreven in een krullerig handschrift, met groene inkt.

Lieve Nancy,

Dat is lang geleden! Mijn moeder vertelde dat ze erg had genoten van haar lunch met jou, en ze zei ook dat je op zoek bent naar iemand om Ruby te vervangen.

Goh, dit is geen traditionele sollicitatiebrief. Zoiets zou Diana Pettigrew vast niet goedkeuren.

Ik denk dat ik erg geschikt zou zijn voor die baan. Weet je nog toen ik klein was en rondhing op de set tijdens de fotoshoots van mijn moeder?

Ja hoor. Zoiets was te verwachten.

Ik moet het opnemen tegen zo'n artistiek wicht uit de betere kringen, dat je elke maand weer tegenkomt in de *Tatler*. Hé, volgens mij heb ik een paar maanden geleden in de *Tatler* zelfs een foto gezien van die Tilly Prentice-Hall. Blond, opgespoten zoenlippen, en een heel verhaal over de geweldige verzameling vintage kleren van haar moeder, ex-model uit de jaren zeventig. Zij en haar zusjes (Milly en... Billie?) ook met opgespoten zoenlippen, jatten daar kleren uit wanneer ze weer eens naar Boujis gingen.

Ik kan het dus wel vergeten.

Ik leg Tilly's brief opzij om naar de brief eronder te kunnen kijken. Die is in elk geval niet handgeschreven, en dat doet de hoop in me opkomen dat die afkomstig is van een meisje dat Jane heet en dat in Northampton een opleiding tot secretaresse volgt.

Geachte mevrouw Tavistock,

Ik ben Lulabell Davenport. Ik hoorde van mijn broer en zusje, David en Dee-Dee, dat u op zoek bent naar een personal assistant.

Oké, ik geef het op. Ik bedoel, ze is een zusje van de Davenports! Je weet wel, van dé Davenports, die goed ogende broer en zus met dat geweldige label, D+D. Van al die luxe bohemien-achtige flodderjurkjes, een beetje zoals die van Alice Temperley. Eigenlijk heel erg zoals die van Alice Temperley, want de Davenports hebben in Somerset een geweldige bohemienachtige, biologische boomgaard niet ver van de geweldige bohemien-achtige cidermakerij van Alice Temperleys familie.

Hé, ik kom ook uit Somerset. Waarom zijn mijn ouders geen geweldige, bohemienachtige boerderij begonnen? Dan had ik Lulabell Davenport een poepie kunnen laten ruiken. Maar ik ben opgegroeid met een schoolhoofd en een huisvrouw als ouders, woonachtig aan Ilkley Close in Shepton Mallet, en daar heb ik niets aan bij een baan als deze.

Weet je, eigenlijk hoopte ik meteen weer terug te kunnen vallen op de hele waarheid en niets dan de waarheid. Maar volgens mij moet ik dat moment nog even uitstellen.

Ik schuif net de brief van Lulabell opzij om die eronder te kunnen lezen, van Flopsie Cavendish als ik het goed heb gezien, wanneer ik voetstappen hoor.

Met een schuldig gevoel draai ik me om, klaar om alles uit te leggen met de verontschuldiging: 'Het is in orde, hoor, alles lag daar open en bloot.' Maar het is gewoon een bezorger van DHL.

'Pakje voor Nancy Tavistock,' zegt hij, en hij duwt me een klembord onder de neus waar hij met een pen op tikt.

'O, maar ik ben Nancy niet...'

'Maakt me niet uit wie u bent, dame, als u maar tekent.'

'O... Nou, het is vast wel in orde.' Per slot van rekening kan ik misschien indruk op Nancy maken door vast een paar typische personal assistant-dingen te doen, helemaal gratis en voor niets, zelfs nog voordat het sollicitatiegesprek heeft plaatsge-vonden. Dus teken ik en neem de bubbeltjesenvelop in ont-vangst. Meteen daarna snelt de bezorger weg.

En dan valt mijn oog op de naam van de afzender: GRETA BONNEVILLE.

Dus dit is het pakje waar Ruby het over had toen ze aan de telefoon was.

Als deze bubbeltjesenvelop van Greta Bonneville afkomstig is, zit die vol speed.

Ik weet niet of ik dat wel zo fijn vind. Als ik modeontwerper van internationale topklasse wil worden, of – alsjeblieft, Heer – een modemuze van internationale topklasse, moet ik waarschijnlijk zelf ook van alles gaan slikken en snuiven. Ik bedoel, ik wil er wel bij horen en vrienden maken.

Maar om nou met een envelop vol speed in mijn handen te staan, open en bloot, waar iedereen het kan zien...

Dat vind ik beangstigend.

Ik probeer me te herinneren of er afleveringen van CSI zijn geweest waarin onschuldige lieden per ongeluk zijn veroordeeld voor dealen, alleen maar omdat ze met een envelop in hun handen werden betrapt. En dan hoor ik weer voetstappen.

Razendsnel stop ik de verdachte bubbeltjesenvelop in mijn tas.

En dan komt Nancy Tavistock de hoek om.

7

In het echt is ze nog geweldiger dan op de foto. Ze is heel lang voor iemand die van Chinese afkomst is, ik denk wel één meter tachtig, op haar bruine schoenen met open neuzen van Christian Louboutin. Ze draagt een vintage Pucci-kaftan over ellenlange blote benen, aan haar oren hangen een soort kroonluchters van Lucien Black, en o, wat een verrassing, aan haar arm bungelt een exclusief Tavistock-tasje van roze suède. Haar volle zwarte haar glanst dat het een lieve lust is, maar het is een beetje ongekamd en door de war. Dat zou mijn moeder afkeuren, maar bij Nancy Tavistock heeft het iets zorgeloos, alsof ze zich van niets of niemand iets aantrekt. Het is best stijlvol.

Weet je, ze ziet er helemaal niet uit alsof ze aan de speed is. Ik bedoel, ik weet niet zo goed wat een gevaarlijke verslaving aan speed voor effect op je uiterlijk heeft. Maar ik betwijfel of een verslaafde er zo geweldig kan uitzien.

'Ben jij mijn afspraak van kwart over één?' vraagt ze. Ze heeft een Amerikaans accent dat nogal verengelst is door al die jaren aan deze kant van de Atlantische Oceaan, en daardoor klinkt ze een beetje als Madonna. 'Voor het baantje van personal assistant?'

'Ja! Ik ben Isabel...'

'O, hoi, Isabel.' Ze geeft me een krachtige handdruk en duwt vervolgens de deur open met haar in Louboutin gestoken voet. 'Kom binnen. Ga zitten.'

Wauw. Dit is echt een droomkantoor.

Eigenlijk lijkt het niet op een kantoor. Daardoor is het ook zo aantrekkelijk. Het is helemaal wit, de lichtval is heel natuurlijk, en op de vloer ligt een dik tapijt. Wit, uiteraard. Er staat ook een witte bank, zo'n heel lage, en een eveneens lage salontafel met een glazen blad. Op dat blad staan overvolle asbakken, dus Nancy is niet alleen aan de speed, maar ook aan de nicotine. Verder staan er lege bekers van Starbucks. Maar wat het allemaal pas echt geweldig maakt, is de enorme inloopkast. De schuifdeuren staan open, zodat ik de rijen schitterende kleding kan zien hangen, en planken beladen met Christian Louboutins met de kenmerkende rode zolen.

'Sorry voor de troep,' zegt Nancy terwijl ze naar het bureautje in de hoek schrijdt. Ze kijkt even naar haar e-mail op haar superdunne MacBook. 'Ik was hier gisteren tot heel laat, en mijn nergens voor deugende personal assistant Ruby had het te druk met haar verdomde wenkbrauwen plukken om de schoonmakers te vragen vandaag vroeger te komen...' Ze kijkt op en lacht even. 'Je ziet wel dat ik echt een nieuwe personal assistant nodig heb.'

Is dit een test? Moet ik met haar meedoen en de vorige personal assistant door het slijk halen voordat ik de nieuwe kan worden? Of gaat het hier meer net als in een gezin, waar je flink kunt klagen over je gezinsleden, maar wee het gebeente van de buitenstaander die met je meedoet?

'Eh... Nou ja, een verandering is voor iedereen vast prettig,' zeg ik beduusd.

'Ga toch zitten.' Ze gebaart naar de lage bank terwijl ze haar blik weer richt op het computerscherm. 'Ik heb een paar mailtjes die dringend moeten worden beantwoord. Maak het jezelf gemakkelijk.'

Ik ga op het puntje van een zacht kussen zitten en kijk nog wat beter om me heen. Ik moet acclimatiseren. In een hoek ligt een serie tassen van internationale topklasse: een rode Birkin, een zilverkleurige Baguette, en een paar verweerde zwarte Paddingtons, allemaal op een hoop bij het raam. O, en wat zie ik daar aan de andere muur? Een groot stuk zachtboard, met foto's erop geprikt van dames met boze gezichten in maxi-jurken, met een lapje chiffon, en met in het midden in grote zwarte letters: DUN, LUCHTIG en TRANSPARANT.

'U heeft een sfeerbord!'

Nancy kijkt me aan, en richt haar blik dan op het sfeerbord. 'O ja. Dat zijn een paar ideeën voor Luciens nieuwste collectie. Je weet zeker wel dat ik Lucien Blacks creatief directeur ben.'

'O ja, dat weet ik.' Klinkt dat niet goed: creatief directeur? Veel officiëler dan muze. Jeetje, als ik creatief directeur was, zou ik mijn vader er vast wel van kunnen overtuigen dat ik een echte baan had. 'Ik vind het gewoon geweldig om een sfeerbord in eh... in actie te zien.'

'O... Ja...' Nancy werpt nog een blik op het sfeerbord. Ligt het aan mij, of vertrok ze daarnet echt haar gezicht? 'Lucien begint graag met een paar woordjes, gewoon wat er op dat moment door ons heen gaat. En dan kijken we wel welke kant het opgaat.'

Jammer dat Diana Pettigrew dit niet kan horen...

'Zo.' Nancy is klaar met mailen. Ze pakt een schrijfblok en komt naast me op de bank zitten. Ze trekt haar benen op en krult zich op als een exotische kat. 'Isabel... Bookbinder. Toch?'

'Klopt.'

Ze schrijft het op. 'En je bent... vijfentwintig?'

Ik ben nu al dol op haar. 'Bijna achtentwintig.'

Dat schrijft ze ook op. 'En je komt hier vanuit de hemel?'

Bescheiden kijk ik naar de grond. 'Dat is wel heel erg aardig gezegd.'

In verwarring gebracht kijkt ze op. 'Of kom je van *Brides Boutique?*'

O, nu snap ik het. Ik word verondersteld bij een ander blad van Mediart te hebben gewerkt, en die bladen heten *Heaven* en *Brides Boutique.*

'Och, ik heb bij diverse bladen gewerkt. *Heaven* en *Brides Boutique* zijn er daar twee van.' Snel voeg ik eraan toe: 'Waarschijnlijk heb ik bij geen ervan lang genoeg gewerkt om te worden herinnerd door de medewerkers.' Voor het geval Nancy het in haar hoofd haalt te bellen en me na te trekken. 'Ik doe mijn best niet op te vallen en hard te werken.'

'O...' Nancy schrijft nog iets op.

Ondertussen kijk ik gefascineerd naar de diamanten aan haar vingers. Die echtgenoot met de zelfvoldane uitdrukking op zijn gezicht moet een aardig bedragje op de bank hebben staan. Haar trouwring is bezet met tientallen kleine steentjes, en de verlovingsring is een enorme emerald geslepen diamant met daarnaast twee baguette geslepen stenen. Hij lijkt precies op wat ik me gisteravond aan mijn eigen hand voorstelde.

'Is er iets?' vraagt ze terwijl ze opkijkt.

'O, sorry... Ik was uw sieraden aan het bewonderen. Ik bedoel,' verbeter ik mezelf, voordat ze gaat denken dat ik hier ben om haar te beroven, 'ik ben tegenwoordig erg geïnteresseerd in verlovingsringen. Ik ben namelijk pas bij mijn vriend ingetrokken.'

'O... Leuk voor je. Maar als je bezig bent met de bruiloft, is dit misschien niet het juiste moment om aan een nieuwe baan te beginnen...'

'O nee, ik ben nog niet bezig met de bruiloft. We zijn nog niet eens officieel verloofd.' En mijn onofficiële verloofde zit op dit moment op de Kaaimaneilanden met ene Julia. 'Nee, ik ga voor honderd procent voor mijn werk. Nee, voor tweehonderd procent!' Ik tover een enthousiaste, gedreven uitdrukking op mijn gezicht, verzacht door een vriendelijke lach, om aan te geven dat ik makkelijk ben in de omgang, en gezeglijk. Die lach opbrengen is lastiger dan je zo zou denken.

'Fijn. Want het is soms een erg drukke baan. En de komende weken wordt het hier hectisch.' Nancy legt het schrijfblok op de armleuning van de bank en pakt een pakje sigaretten van de salontafel. 'En, heb je al eerder als personal assistant gewerkt?'

'Jawel, voor Katriona de Montfort.'

'De auteur? Wauw. Hoe was dat?'

Gelukkig hoef ik me even niet aan de waarheid te houden. 'Het was geweldig, fantastisch. Ik heb heel veel van Katriona geleerd.'

'Fijn dat je al ervaring hebt. De meeste meisjes die komen solliciteren hebben nog nooit iets dergelijks gedaan.'

Ha, Lulabell Davenport en Tilly Fosbury-Flop, daar hebben jullie vast niet van terug!

'Maar ik zal heel andere dingen van je verlangen dan Katriona.' Nancy steekt haar sigaret op en blaast een wolk rook uit. 'Ik moet natuurlijk iemand hebben die mijn agenda kan bijhouden, die de telefoon kan beantwoorden, die dingen voor me regelt. Iemand die orde aanbrengt in de chaos.'

Ik knik. 'Daar ben ik goed in.'

'En dan heb ik het alleen nog maar over mijn werk voor *Atelier*. Eigenlijk heb ik iemand nodig die me ook kan helpen bij alle andere dingen die ik doe.'

'U bedoelt met wat u voor Lucien Black doet?' vraag ik achteloos. Ze mag niet weten dat ik wel zou kunnen juichen. Zie je wel, ik wíst dat ik met dit baantje een voet tussen de deur zou krijgen.

'Ja.' Nancy trekt een gezicht. 'Ik hoef je denk ik niet te vertellen dat er op dat front waanzinnige dingen gebeuren.'

Ik doe mijn best begrijpend te kijken, zoals duidelijk van me wordt verwacht. Zei Ruby niet iets over de spanningen rond de Fashion Week? 'Geen wonder, na alles wat er is voorgevallen tijdens de Fashion Week.'

'Breek me de bek niet open.' Weer trekt ze dat gezicht, alsof het iets is waar ze liever niet aan wil denken. 'Het heeft grote gevolgen gehad. Ik ben nog druk bezig de schade binnen de perken te houden.'

'Dat begrijp ik,' reageer ik meelevend, al heb ik geen flauw benul waar ze op doelt. 'Helemaal.'

'Och...' Ze plakt weer zo'n opgewekte lach op haar gezicht. 'Ik wil niet dat het je tegen gaat staan. Want zodra wat dat betreft de rust neerdaalt, zijn er ook leuke dingen waarmee je mij en Lucien kunt helpen.'

'Als muze, bedoelt u?'

'Eh...' Even lijkt het alsof ze me niet goed begrijpt. 'Och, zo zou je het kunnen zeggen. Ik bedoelde dat we blijkbaar een beetje achterlopen met zijn volgende collectie. Terwijl we aan nieuwe ideeën werken, zal ik flink op zoek moeten naar vintage kleding en daarvoor zou ik een manusje-van-alles goed kunnen gebruiken.'

Dit lijkt me niet het moment om op te biechten dat ik doodsbang ben voor vintage winkels.

'O, ik ben dol op snuffelen in vintage winkels!' roep ik stralend uit.

'Dat dacht ik al.' Ze knikt in de richting van mijn nep-vintage doorgestikte jasje. 'Ik hou erg veel van die promqueen esthetiek à la Jackie Kennedy.'

Ik knik heftig. 'Dat is mijn lievelingsesthetiek!'

'En geweldige schoenen. Van wie zijn die?'

Ik weet niet goed wat ik daarop moet antwoorden. 'Eh... van mij.'

'Maak je je eigen schoenen?'

O... Jezus, wat kan ik toch stom zijn. Nu pas snap ik de vraag. Leden van de modearistocratie vragen niet waar je je spullen hebt gekocht, ze vragen wie je dráágt.

'O, sorry, ik verstond het verkeerd. Eh... deze zijn uiteraard ook vintage.'

Verkeerde antwoord. Nancy vertrekt haar gezicht tot een grimas. 'Getsie, daar houdt het voor mij op, hoor. Geen oude schoenen van iemand die ik niet ken aan mijn voeten.'

'O, maar ik bedoelde niet vintage uit een wínkel! Ze zijn van mijn moeder geweest. Waarschijnlijk nog uit de tijd dat ze model was.' Ik ga die Tilly Hoeheetzeookweer-Dinges dit baantje echt niet laten afpakken omdat ze schaamteloos haar ex-model-moeder gebruikt. Niet nu het net zo goed gaat.

'Was je moeder model?'

Ik knik. 'In de jaren zeventig.'

'O ja?' Nancy kijkt geïnteresseerd. 'Hoe heet ze?'

'Ze was dikke vriendinnen met Bianca Jagger, Edie Sedgwick,' zeg ik gladjes, alsof ik de vraag niet goed heb begrepen. 'Nou ja, alle echte topmodellen uit die tijd. Je weet wel, die naar Studio 64 gingen.'

Nancy knippert met haar ogen. 'Je bedoelt zeker Studio 54?'

Shit. 'O, nou, ik vermoed dat mijn moeder en eh... tante Bianca te high waren om het adres goed te weten.'

Nancy kijkt me met grote ogen aan. 'Wauw. Dat moet een moeilijke jeugd zijn geweest.'

'O, het gaat nu heel goed met mijn moeder, hoor,' zeg ik gauw. 'Ze is helemaal clean, en samen met mijn vader heeft ze een biologische boerderij in Somerset. Ze maken daar eh... mede.' Dat klinkt echt als iets wat biologische boeren in Somerset zouden kunnen brouwen. 'Jawel, mede!'

'Mede?' Nancy's wenkbrauwen verdwijnen onder haar pony. 'Ongelooflijk!'

'Ja, ongelooflijk.' Ik knik erbij. 'En toch helemaal waar. Ik ga er trouwens dit weekend naartoe, voor een bohemienachtige familiebijeenkomst.' Ik peins me suf. Wat doen ze daar? Wat heb ik allemaal gelezen over de feesten bij de Temperleys en de Davenports? 'Gewoon, we verkleden ons... Yoga bij zonsopgang... Wigwams van biologisch katoen...'

'Jeetje!' Nancy spert haar donkere ogen wijd open. 'Nou, dat is wel een heel creatieve achtergrond. Ik vrees dat daarbij vergeleken een baantje als mijn personal assistant een beetje saai voor je zal zijn.'

'O nee!' Ik buig me naar haar toe. 'Dit is mijn droombaan, mevrouw Tavistock. Echt waar. Als u me de kans geeft, word ik de beste personal assistant die u ooit heeft gehad.'

'Nou, je hebt wel hartstocht voor mode...'

Ik leg mijn hand op mijn hart. 'Ik ben erdoor geobsedeerd.'

'Ja, dat zei je al... En als je Katriona de Montfort hebt overleefd, zou je mij ook moeten kunnen verdragen. En waarschijnlijk Lucien ook,' voegt ze er peinzend aan toe. 'Goed dan, je mag een maand op proef komen, en dan zien we wel verder.'

'Geweldig!' Ik kan haar wel zoenen.

'Ruby gaat de komende week weg, halleluja! Ik denk dat het goed zou zijn als ze je nog even inwerkt.'

'O nee!' roep ik uit. 'Nee, dat hoeft niet, hoor. Ik bedoel, als Ruby er toch niets van bakt, neem ik misschien alleen maar haar slordige werkhouding over.'

'Misschien heb je wel gelijk. En je bent ervaren, toch?'

Ik lach extra stralend, maar geef geen antwoord. 'Wat spannend!'

'Weet je wat? Schrijf hier je gegevens maar op.' Ze schuift het schrijfblok in mijn richting. 'En dan bel ik je dit weekend om je te vertellen hoe laat je maandagochtend kunt beginnen. Omdat dit een interne sollicitatie is, hoef ik niet je hele cv te zien.'

'Fijn.'

'Maar als je per post een referentie kunt sturen...'

Mijn hart slaat over. 'Een referentie?'

'Ja, een persoonlijke referentie, voor in het dossier. Van bijvoorbeeld Katriona de Montfort?'

'O, daar heeft Katriona het vast te druk voor.'

'Misschien dan van iemand uit het modevak? Iemand die jou goed kent. Hé, je tante Bianca! Dat zou geweldig zijn.'

Even weet ik niet over wie ze het heeft. Ik bedoel, ik heb helemaal geen tante Bianca. Maar dan dringt het tot me door dat ze het over de vroegere hartsvriendin van mijn modelmoeder heeft.

'Ik doe mijn best. Maar volgens mij zit ze tegenwoordig veel in Nigeria...'

'Wat doet Bianca Jagger in Nigeria?' vraagt Nancy verbaasd.

O. Misschien komt ze niet uit Nigeria? Moet ik toch eens opzoeken.

'Nou, in elk geval zie ik je volgende week, Isabel.' Weer schudt ze mijn hand, en dan doet ze de deur voor me open.

'Dank je wel, Nancy. Ik verheug me er echt op met jou samen te mogen werken.'

'Ik ook, lieverd.' Ze doet de deur al achter me dicht. 'Ik ook.'

Isabel Bookbinder
Londen

Bianca Jagger
Nicaragua (niet Nigeria!)

13 september

Beste mevrouw Jagger,

~~U kent me niet, maar~~

~~Misschien herinnert u zich mijn moeder niet~~

Ik wil graag beginnen met u te vertellen dat ik altijd een groot fan van u ben geweest. Vanaf het verbluffende moment dat u werd gefotografeerd in dat witte broekpak, ~~tot uw die keer dat u zich onvermoeibaar~~ en door alles wat u verder hebt gedaan, is het altijd mijn ambitie geweest in uw voetsporen te treden – uiteraard zonder een huwelijk met Mick Jagger.

Er heeft zich onlangs een geweldige kans voorgedaan en nu kan ik mijn eerste stappen in de fantastische modewereld zetten. Ik vroeg me af of u misschien ~~mij een grote gunst wilt bewijzen~~ zo vriendelijk zou willen zijn een handtekening te zetten onder bijgaande referentie. Als ik u was zou ik geen kostbare tijd verspillen en alles aandachtig doorlezen. U heeft vast wel interessantere dingen te doen. Gewoon een handtekening is voldoende.

Misschien heeft u gezien dat ik een telefoonnummer heb opgegeven dat niet het uwe is. Het is van een vriendin. Maar maak u geen zorgen dat ze zich als u gaat voordoen, het is alleen maar om het mogelijk te maken dat ik die baan krijg. De vriendin is psycholoog en heeft dus overal begrip voor.

Nu ik u toch schrijf, vraag ik me af of u misschien nog van die geweldige witte broekpakken ~~heeft rondslingeren~~ in uw archief van de jaren zeventig heeft? Ik heb nu geen tijd om het allemaal uit te leggen, maar ik heb dringend een garderobe uit de jaren zeventig nodig, en

Als goede vriendin van de familie ken ik Isabel al vanaf haar geboorte. Zelfs als baby was ze al zeer modebewust en gaf ze de voorkeur aan van top tot teen in het wit gekleed te gaan. Ze had al een geheel eigen look – net zoals ik. Als ~~heel bijzondere~~ tiener wist ze zich met haar enorme wilskracht te onttrekken aan de invloed van haar moeder, die al in de tijd dat ze Studio ~~64~~ 54 bezocht een zorgwekkende neiging had om kleding in bij elkaar passende kleuren te dragen.

Ik zou niemand kunnen bedenken die beter geschikt is voor de functie van personal assistant, en ik kan haar dan ook van harte aanbevelen.

Zoals gevraagd geef ik u mijn telefoonnummer, 07700 910103, maar ~~ik wil u vriendelijk verzoeken~~ u moet goed begrijpen dat u mij alleen in dringende gevallen kunt bellen. Ik ~~heb het erg druk met liefdadigheidswerk zaken~~ leid een druk leven en ben vaak het land uit, voornamelijk met reizen naar Nicaragua, waar ik op 2 mei 1945 in de hoofdstad Managua ben geboren.

Met ~~stijlvolle~~ vriendelijke groet,

Bianca

8

Hoewel ik me de tijd dat ik niet met angst en beven naar de familiebarbecue uitkeek nauwelijks kan herinneren, is het dit jaar heel anders.

Ik bedoel, helaas lukt het me deze keer weer niet om met een leuke vriend op de proppen te komen. Volgens mij ben ik dieper teleurgesteld dan Will.

Maar nu ik een nieuwe baan heb, kan ik in elk geval met fier geheven hoofd rondlopen. Want mijn familie van vaderskant hecht grote waarde aan een carrière, dus is die baan heel belangrijk. Ik geloof dat er op de vorige barbecue drie dokters aanwezig waren, twee personen die doctor voor hun naam mogen zetten, een schooldirecteur, twee onderdirecteuren van een school, vijf leraren, een bankier en een belastinginspecteur. Omdat ik toen even zonder baan zat, na een suffe baan en voor de volgende suffe baan, vonden ze me maar niks. Afgezien van tante Clem dan, de oudste zus van mijn vader, die me graag gebruikt als boeman om haar kinderen de stuipen op het lijf mee te jagen. Je weet wel, zo van: als je niet hard genoeg werkt en niet voor je examen slaagt, word je straks net zoals je sullige nichtje Isabel. Mijn negentienjarige neef Robert is het enige zwartere schaap van de familie. Hij heeft blonde dreadlocks, is van twee scholen getrapt omdat hij wiet verhandelde, en hij heeft al in een gesloten jeugdinrichting gezeten.

Maar denk eens aan de uitdrukking op al die gezichten wanneer ik kom opdraven als een echte fashionista en iedereen vertel van mijn gloednieuwe, prestigieuze stageplaats! Dan kunnen ze echt niet meer neerbuigend doen.

Om er als een echte fashionista uit te zien, heb ik gisteren de perfecte outfit samengesteld. Ik heb er veel tijd en energie in gestoken, en heb er ook mijn bankrekening voor moeten plunderen. Maar het is het waard. Want de combinatie van vintage, winkelketen en designer waar Nancy zo van onder de indruk was, zou voor dit publiek een beetje te ver gaan. Dus heb ik besloten voor modieus en intimiderend zwart te gaan. En dan niet dat saaie uniform van zwart truitje met v-hals en zwarte broek. O nee. Dit is wat ik aanheb:

1. Een zwart jurkje van Reiss tot net boven de knie, getailleerd – nou ja, het geeft aan waar mijn taille hoort te zitten, dat stukje tussen mijn heupen en ribbenkast waar ik ietsje dunner ben – met een brede zwartleren riem;
2. De grootste zwarte zonnebril die ik bij de Topshop kon krijgen;
3. Een enorme zwarte strooien hoed, met een brede rand en een band van zwarte chiffon;
4. Zwartleren pumps met open neuzen en hoge blokhakken. Voor maar dertig pond bij een geweldig vintage winkeltje aan Kensington Church Street.

Oké, voor honderddertig pond bij Kurt Geiger aan Kensington High Street. Ik ben het helemaal eens met Nancy T wat betreft schoenen die anderen aan hun voeten hebben gehad.

Ik draai voor de tweede keer voor de spiegel in het rond als ik de bel hoor.

Ik vermoed dat het mijn broer Matthew is, want die zou me komen ophalen. Maar het is Matthew niet, het is Lara.

'Hé, Lara!' Ik laat haar binnen. 'Wat doe jij hier?'

Even vraag ik me af of ze is gebeld door Nancy Tavistock, en dat herinnert me eraan dat ik Lara nog op het hart moet drukken dit weekend de telefoon op te nemen als Bianca Jagger, voor het geval Nancy het nummer uit de referentie belt. Maar Lara kijkt niet boos, ze staart me niet-begrijpend aan.

'Wat heb jij nou aan?'

'Vind je het leuk?'

'Je ziet eruit als Maria Callas in de rouw,' zegt Lara.

'Dank je,' zeg ik.

'Het was geen complimentje.' Lara stapt de gang in. 'Neem het niet verkeerd op, Iz, maar je ziet er erg somber uit.'

'En slank?'

'Heel slank. Maar is het wel gepast voor een barbecue?'

'Het is geschikt voor déze barbecue,' zeg ik terwijl ik in de keuken mijn nieuwe zwarte tas uit de draagtas van Dune haal, en mijn mobieltje, mijn bankpas, mijn laatste biljet van vijf pond en mijn lipgloss erin stop. 'Eigenlijk zou ik liever in een dwangbuis gaan, omdat ik dan misschien niet met een tennisbal onder mijn kin geklemd om oranje pionnen heen hoef te rennen.'

Lara kijkt me aan alsof ik daadwerkelijk in een dwangbuis zou moeten zitten.

'De hindernisquiz van oom Michael,' herinner ik haar. 'Nou ja, jij bent er ook niet echt op gekleed.' Ik bekijk haar van top tot teen. Ze ziet er beeldschoon uit in een broekje tot op haar knieën, een sexy haltertopje en espadrilles met hoge blokhakken om langer te lijken. Haar haar zit ook geweldig, helemaal warrelig en goudblond door twee weken zon in Florida. En ze heeft niets te veel gezegd over haar bruine kleurtje. 'Worden je patiënten niet afgeleid door zo'n outfit?'

'O, maar ik heb vandaag geen cliënten.' Lara gaat op zoek naar een glas om water in te doen. Ze ontwijkt mijn blik. 'Er waren een paar afzeggingen.'

'Afzeggingen? Op zaterdagochtend?'

Zaterdagochtend is Lara's drukste dag. Ondanks hun gekte – of juist vanwege hun gekte – hebben haar patiënten, sorry,

97

haar cliënten, veeleisende banen, dus kunnen ze alleen op zaterdag met haar afspreken. Dat vind ik niet zo fijn, want daarom kan ik nooit op zaterdag eens iets leuks met haar doen.

'Och, sommigen zijn met vakantie... Dat soort dingen. En toen vroeg ik me af, omdat ik toch niks te doen heb, of ik met jou mee mocht naar de barbecue.'

Ik zeg niets.

'Geestelijke steun,' zegt ze. Eindelijk kijkt ze me aan, met een professionele en meelevende blik in haar ogen. 'Ik weet hoe lastig je vader kan zijn.'

Ik blijf zwijgen.

'En ik weet ook dat het moeilijk voor je zal zijn omdat Will niet meegaat...' Ze doet nog een laatste poging zich te rechtvaardigen. 'En vergeet niet dat ik je tante Clem uitstekend van repliek diende toen ze op het verlovingsfeest van Marley vroeg of jij en ik een lesbisch stel waren.'

Er komt geen woord over mijn lippen.

'Goed dan.' Met een klap zet ze het glas water neer en slaakt een soort dierlijke oerkreet. 'Ik geef het toe!'

'Wat geef je toe?' vraag ik, op de bemoedigende toon waarvan ik vermoed dat professionele counselors die gebruiken bij alcoholisten die op hun omslagpunt zijn beland. 'Wat geef je toe, Lara?'

'Ik wil Matthew graag zien,' brengt ze met moeite uit.

Eigenlijk voel ik me helemaal niet triomfantelijk nu ze het eindelijk heeft opgebiecht. Ze ziet er zielig uit in die sexy outfit, allemaal in de hoop dat hij haar zal zien staan. Mijn hart breekt bijna. Ze is al bijna veertien jaar verliefd op mijn broer, en het wordt maar niet minder. Hoe ouder ze wordt, en hoe wijzer ze op andere terreinen is geworden, des te erger en wanhopiger wordt het. Blijkbaar is ze immuun voor de trucjes die slimme psychologen op anderen toepassen. Ik heb het geprobeerd met cognitieve herstructurering, ik heb met haar gepraat, ik heb gepoogd haar tot rede te brengen, en het helpt allemaal geen steek. Ik heb zelfs mijn best gedaan haar denkbeeld te veranderen, maar wat ik ook zeg of doe, haar stelling blijft dat Matthew een soort god is. Ik heb ook aan een eigenbedachte vorm van aversietherapie gedaan, door hen per ongeluk expres op te sluiten in het schuurtje in de tuin, maar dat maakte het alleen maar erger. Dus nu weet ik het niet meer... Tenzij Matthew tot inkeer komt, zou ik niet weten wat ik moet doen.

Ik bedoel, ieder verstandig manspersoon zou er wat voor over hebben om Lara te kunnen krijgen. Maar mijn broer blijft liever bij die schattige, rondborstige blonde vriendin Annie.

'Maar Lars, je weet toch dat hij onderweg naar mijn ouders aldoor zijn hand op Annies knie zal hebben, terwijl jij met moordlustige gevoelens achterin moet zitten.'

'Nee hoor!' Er verschijnt een triomfantelijke blik in Lara's ogen. Eigenlijk een behoorlijk maniakale. Ik kan alleen maar hopen dat het aan de lichtval ligt. 'Want Annie gaat niet mee in de auto. Ze is in Dorset dingen aan het inpakken, en ze gaat per trein naar Shepton Mallet.'

Ik kijk haar met grote ogen aan. 'Hoe weet je dat?'

Opeens vindt Lara het weer nodig druk in de weer te zijn met dat glas en het water. 'Och, ik heb Matthew gisteren even telefonisch gesproken...'

'Dus het is een vooropgezet plan? Lara!'

En dan hoor ik de bel weer, en de deurklopper, en een mannenstem. 'Hallo! HA-LO-HO!' Matthew is er, hij staat buiten. Hij is niet iemand die ergens bijna ongemerkt binnenkomt.

'We moeten gaan.' Lara bloost al diep en doet haar best zich langs me heen te wringen naar de voordeur.

'Nee, Lara.' Ik versper haar de weg. Als een echte expert. Maar ik heb dan ook al veertien jaar ervaring. 'Je gaat niet mee.'

Ze kijkt me met een onschuldige blik aan. 'Is er geen plaats?'

'Natuurlijk is er plaats! Je weet best wat ik bedoel.' Jezus, het is echt eng wanneer Lara me dwingt de verstandigste te zijn. 'Je moet jezelf niet zo kwellen, Lara.'

Matthew toetert. 'Meiden!' roept hij. 'Ik sta dubbel!'

Zonder enige vorm van waardigheid stormt Lara langs me heen. Zij heeft ook veertien jaar ervaring. Dan pakte ze mijn hand en trekt me naar de voordeur.

Matthew staat naast zijn rode Polo op de Prince of Wales Drive. Oude dames staren naar hem, en mensen die hun hond uitlaten, knallen tegen lantaarnpalen op. Dat effect hebben lange, knappe halfgoden zoals Matthew. Ik let er niet meer op. Ik bedoel, het hebben van een broer die er zo uitziet, kan de eerste dag lastig zijn. En de volgende vijftien of zestien jaar ook. Maar zodra je wat ouder en wijzer bent, en eraan gewend bent dat je thuis of op school bijna onzichtbaar bent wanneer hij erbij is, is het geen probleem meer.

'Meisjes!' Hij beent op ons af, woelt door mijn haar en buigt zich diep om Lara op haar wang te zoenen. 'Hoi, Wizzy. En Lara, wat zie je er weer mooi uit. En zo bruin! Jezus, een plaatje!'

O god, dit gaat een lange rit worden. Omdat Annie er niet bij is, zal hij zijn niet onaanzienlijke charme op Lara richten, zoals hij al vaker heeft gedaan. Ik zou hem daar graag eens over onderhouden, maar ik mag hem natuurlijk niet vertellen van de gevoelens die Lara voor hem koestert. En trouwens, Matthew flirt alleen maar met Lara omdat hij haar graag mag, en hij flirt met iedereen die hij graag mag, man of vrouw. Zo is hij nu eenmaal. Ik heb hem verdorie met de captain van het hockeyelftal zien flirten. En op het rugbyveld met een aanvaller van de tegenpartij. En met...

Wacht eens. Wie stapt daar uit Matthews auto?

Hij lijkt opvallend veel op Ben Loxley, Matthews beste vriend. Als tiener was ik erg verliefd op hem.

Jezus, het ís Ben Loxley!

Hoewel we in dezelfde straat zijn opgegroeid, en soms zelfs in hetzelfde huis omdat Matthew en hij onafscheidelijk waren wanneer Ben niet naar die deftige kostschool was, geloof ik dat ik hem na mijn zeventiende niet meer heb gezien.

Nee, dat klopt niet. Ik weet precies hoe oud ik was toen ik hem de laatste keer zag. Ik was zeventien jaar en een maand, en Ben achttien jaar en een paar dagen. Ik weet zelfs de datum nog. Als ik onder druk word gezet, zou ik ook nog wel weten wat voor weer het die dag was. En als ik heel erg onder druk word gezet, zou ik ook nog wel de paar gedichten kunnen opdreunen die ik in de vakantie na mijn eindexamen over hem heb geschreven. Nou ja, bijna een boek vol. En ik weet ook nog hoe lekker het Nirvana-shirt rook dat Lara en ik van de waslijn van zijn moeder hadden gejat, zodat ik dat 's nachts in mijn armen kon houden en net doen alsof hij bij me in bed lag, heerlijk geurend naar Persil ColourCare.

ColourCare: de nieuwe geur voor mannen van Isabel Bookbinder.

In elk geval, het laatste wat ik over Ben Loxley heb gehoord, was dat hij in New York ging werken, en ik weet vrijwel zeker dat hij daar de afgelopen vier à vijf jaar is geweest.

En nu is hij terug.

'Hebben jullie de verstekeling gezien?' Matthew lacht luidkeels om zijn eigen grapje en wenkt Ben dan. 'Fijn dat hij er weer is, hè? Ben en ik hebben gisteren een paar pilsjes gedronken, en toen hij hoorde dat we vandaag die kant opgingen, vroeg hij of hij mocht meerijden voor een bezoekje aan zijn ouders. Blijkbaar is hij daar sinds zijn terugkomst pas twee keer geweest.'

Nou, het eerste wat ik denk, is: goh, wat ben ik blij dat ik er vandaag slank uitzie.

Want bij Ben Loxley voel je je niet op je gemak als je een beetje mollig bent.

Ik bedoel, kijk nou! Hij is een man, geen jongen meer, merk

ik tot mijn schrik. Hij is lang, en hij heeft brede schouders gekregen. En op zijn vroegere perzikhuidje groeien nu stoppeltjes, en om zijn groengrijze ogen heeft hij lachrimpeltjes. Zijn blonde haar staat in plukjes overeind, alsof hij net uit bed is gestapt. En hij lacht nog net zo leuk, een beetje scheef, precies zoals ik me herinner. Hij draagt een grijze spijkerbroek, een verschoten blauw shirt, lekker oude Oliver Sweeney-schoenen, en om zijn gebruinde pols heeft hij een oud ogend horloge met leren bandje.

Snap je? Met zo iemand wil je niet samen voor de badkamerspiegel staan.

Hoewel je daarentegen wel graag met hem in bad zou zitten. Het liefst een bad met veel schuim aan jouw kant. En een heel summiere verlichting.

Hou op. Ik moet niet op deze manier aan hem denken. Ik bedoel, toen ik veel jonger was, was ik waanzinnig verliefd op hem, en het was niet te verwachten dat hij in de tussenliggende jaren minder knap zou worden. Bovendien heb ik een vriend. Al zijn we dan niet verloofd, we hebben wel een volwassen verhouding, en dat betekent dat ik niet moet fantaseren over bij kaarslicht in een schuimbad liggen met een ander.

'De kleine Lara Alliston! En Isabel, natuurlijk.' Met die leuke lach op zijn gezicht bukt Ben zich om ons een zoen op de wang te geven, en mij ook nog een schouderklopje. Hij ruikt lekker naar mannelijke dingen, zoals een ochtend in de herfst, verse aarde, en heel misschien ook een beetje naar Persil ColourCare. 'Allemachtig, hoelang is dat nu al weer geleden?'

'Meer dan tien jaar?' oppert Lara opgewekt. Ze straalt nog helemaal van Matthews complimentjes. 'Op het feest van Carolyn Duffie, toen met Kerstmis! Weet je nog, Isabel?' Opgewonden richt ze zich tot mij, maar als ze de ijzige blik in mijn ogen ziet, zwijgt ze.

Want zeg nou zelf, zou ik haar zoiets aandoen? Als ze onver-

wacht werd herenigd met degene op wie ze als tiener straalverliefd was?

Eh... Wat zeg ik? Ik sta hier naast degene op wie ze als tiener
straalverliefd was. En ik heb me keurig netjes gedragen. Uiterst
discreet. Ik heb niets gezegd over al die keren dat ze zich op
Matthew wilde storten, om vervolgens diep teleurgesteld te
worden omdat hij de hele avond iemand anders aan het zoenen
was. Net zoals Ben op dat feest Carolyn Duffie aan het zoenen
was. Om maar een voorbeeld te geven.

'Jee, Carolyn Duffie! Dat is lang geleden...' Ben grinnikt.
'Wat is er van haar geworden?'

'Volgens mij is ze getrouwd,' zeg ik gauw. 'En ze heeft drie
kinderen.' Ik heb er geen idee van of het waar is, maar in elk
geval gooi ik daarmee vast de dromerige herinneringen in dui-
gen die Ben misschien nog heeft van de sexy blonde Carolyn,
met haar sportieve hockeymeisjesfiguur en haar gewoonte om
met haar pony te spelen en ademloos te giechelen om alles wat
hij zei. 'Bij de konijnen af.'

'Kunnen we dit soort dingen niet in de auto bespreken?'
vraagt Matthew, en hij wijst op zijn horloge.

Lara speelt met haar pony en giechelt ademloos.

We wandelen allemaal naar de auto. Matthew staat erop dat
Lara voorin komt zitten omdat ze last heeft van wagenziekte,
maar eigenlijk is het omdat hij dan schaamteloos met haar kan
flirten. En dus moet ik achterin met Ben.

Dat vind ik helemaal niet erg.

'Je ziet er goed uit, Iz,' zegt hij zacht terwijl Matthew met
hoge snelheid wegrijdt in de richting van Battersea Park Road.
'Zeg, wat doe je tegenwoordig? De laatste keer dat ik je sprak,
wilde je campagne voeren voor burgerrechten, toch?'

'Eh... Nee.' Toen was ik veertien. En als docenten Maatschap-
pijleer *Mississipi Burning* laten zien, wat kun je dan verwachten?

'O nee, ik weet het al: kindercardioloog!'

Toen was ik zestien. En dokter Anna Del Amico maakte er in ER iets heel opwindends en glamoureus van, en ze zag er prachtig uit wanneer ze bezig was. Pas veel later, toen ik erachter was gekomen dat de opleiding wel zeven jaar in beslag zou nemen, zag ik ervan af.

'Nee, dat ook niet.'

Ben fronst zijn voorhoofd. 'In dat geval... Herinner ik het me goed dat je modeontwerper wilde worden?'

'Ja!' Ik kan hem wel zoenen. En niet alleen omdat hij er een beetje uitziet als een jonge Daniel Craig. Maar omdat hij de enige is die zich mijn vurige jeugdambitie nog herinnert. Die zich zelfs een paar vurige jeugdambities herinnert. Misschien heb ik toen meer indruk op hem gemaakt dan ik dacht. 'En dat ben ik nu.'

'Hé!' Hij knijpt in mijn hand. 'Geweldig! Wat ontwerp je?'

'Nou, eh... iets met een gedrapeerd effect...'

'Iz-Wiz is aangenomen op een luxe modeacademie.' Matthew houdt even op Lara complimentjes te geven om zich met ons gesprek te bemoeien. 'St. Martin-in-the-Fields, toch, Wizkins?'

'Bedoel je Saint Martins?' Ben zet grote ogen op. 'Wauw.'

'Eh, ja...' Ik ontwijk Lara's blik, ze heeft zich omgedraaid. 'Maar eigenlijk begin ik volgende week aan een heel belangrijke stage, bij een modeblad van internationale topklasse. Het is heel prestigieus...'

'Ik ben diep onder de indruk. Isabel Bookbinder, een echte fashionista.' Ben trekt een gezicht. 'Veel leuker dan mijn baan.'

Het is niet beleefd, maar ik vraag het toch maar. 'Wat doe je ook alweer?'

'Ben is een professionele Midas,' zegt Matthew terwijl hij een auto inhaalt die heel naïef maar tien kilometer te hard rijdt. 'Alles wat hij aanraakt, verandert in goud.' Hij moet verschrikkelijk lachen, en Lara dus ook.

'Heel grappig.' Ben wrijft vriendschappelijk over Matthews

hoofd. 'Ik ben durfkapitalist,' zegt hij tegen mij. 'Als je weet wat dat inhoudt...'

Dat houdt in dat hij stinkend rijk is. 'Ik dacht dat je jurist was geworden. In New York, bij Randall and Ginsberg...' Net op tijd houd ik mijn mond. Straks beseft hij nog dat ik de beruchte Nirvana-t-shirtdief van Ilkley Close ben.

'Nou, iemand met een beetje karakter blijft dat echt niet lang doen.'

'Pas op, haar vriend is jurist,' reageert Matthew opgewekt. 'Een aardige kerel,' voegt hij er loyaal aan toe. 'Met karakter.'

'O...' Ben kijkt me aan. 'Ik dacht dat je single was.'

Ligt het aan mij, of klonk dat teleurgesteld?

'Weet je, Will is weg. Voor zijn werk. We zijn al acht maanden samen.'

Ben kijkt me doordringend aan. 'Will boft.'

Mijn hart klopt zo hard dat ik blij ben dat Matthew luidruchtig schakelt. Anders zou iedereen het kunnen horen.

'Nou, in elk geval heeft hij jou om zijn leven leuker te maken.' Ben verbreekt het oogcontact en wrijft gemoedelijk over mijn schouder. 'Anders zou hij vast dood neervallen van verveling.'

Ik denk aan Will, die op dit moment waarschijnlijk met Julia Planter's Punch zit te drinken.

Eigenlijk wil ik daar niet aan denken. Daar wil ik helemáál niet aan denken.

Het is al halftwaalf wanneer we eindelijk de oprit van mijn ouders oprijden.

Mijn vader staat buiten met oom Midge zijn Volvo te wassen, alleen maar omdat hij een soort wedstrijdje met zijn zwager heeft wie de nieuwste en glimmendste auto heeft. Mijn vader kennende gaat hij gemakkelijk winnen. Hij geeft Matthew een schouderklopje, schudt Ben de hand, gromt iets als: 'Dag Lara, ik wist niet dat je er ook zou zijn, wat leuk,' en begroet mij nauwelijks. Hij zegt alleen dat mijn moeder wel wat hulp kan gebruiken in de keuken.

Terwijl Matthew en Ben hun mouwen oprollen om mijn vader te helpen met de auto, gaan Lara en ik naar binnen.

'En? Hoe vond jij dat het ging?' vraagt Lara zachtjes terwijl we door de gang naar de keuken lopen.

'O, gewoon.' Ik haal mijn schouders op. 'De dag waarop mijn vader kijkt alsof hij blij is dat hij me ziet, is de dag dat er in de hel sneeuwschuivers nodig zijn.'

Ik vind dit behoorlijk leuk van mezelf, maar Lara kijkt me niet-begrijpend aan. 'Ik had het over Matthew en mij, in de auto.'

'O. Nou, dat ging toch oké?' Meer wil ik er niet over zeggen.

'Oké?' zegt Lara kwaad. 'Vond je dan niet dat hij aardig deed?'

'Hij was heel aardig.'

'Aardiger dan anders?'

'Misschien een beetje.'

'Hoeveel meer?' Die maniakale blik verschijnt weer in haar ogen. 'Twintig procent meer? Dertig?'

'Jezus, Lara, dat weet ik niet.'

'Veertig? Vijftig?'

'Zesentwintig komma vier,' zeg ik, in de hoop dat ze dan zal beseffen dat ze zich verschrikkelijk aanstelt.

'Zesentwintig komma vier...' herhaalt ze. Diep in gedachten verzonken houdt ze haar hoofd schuin. 'Ja, zoiets dacht ik ook... Nou, dat is toch goed?' Opeens grijpt ze me bij de arm. 'En Ben Loxley en jij? Hoe blij was hij dat hij je zag?'

'Zesentwintig komma vier procent,' zeg ik, maar alleen omdat ik niet wil dat Lara erover doorgaat.

'Stel je toch eens voor!' Lara pakt mijn handen, alsof dit iets is uit *Onder moeders vleugels*. 'Stel dat ik Matthew krijg en jij Ben, dan kunnen we samen weekendjes weg. O, naar Cornwall of zo! De jongens kunnen gaan surfen, en jij en ik kunnen wandelen langs de kust, en naar Rick Stein gaan voor een schoonheidsbehandeling.'

Er is een klein probleempje met Lara's toekomstbeeld. En niet alleen omdat ik me over mijn lijk door Matthew met hoge snelheid naar Cornwall laat rijden. 'Heel leuk, Lara, maar je vergeet dat ik met Will ben.'

'O ja...' Lara kijkt alsof ze iets wil zeggen, maar zich dan herinnert dat ze psycholoog is, en me dus niet kan adviseren mijn vriend te dumpen opdat we haar wens kunnen vervullen om als gezellige stelletjes naar Cornwall af te reizen. 'Ik dacht dat je wel blij zou zijn dat Ben het zo leuk vond je te zien. Ik heb toch altijd gezegd dat hij jou net zo leuk vindt als jij hem? Maar dan zonder het jatten en het schrijven van hele boeken vol gedichten.'

'Wizbit!' Matthew roept. 'Kun je nog een paar emmers brengen?'

'Dat doe ík wel!' roept Lara ademloos, en ze duwt me opzij zodat ze bij de kast onder de trap kan, waar de emmers staan.

Voordat ik haar kan tegenhouden, is ze al naar buiten gehold. Ik loop door naar de keuken.

Het eerste wat me opvalt, is dat er overal avocado's liggen. Er liggen avocado's te rijpen in het stukje keuken dat op een serre lijkt. Er liggen avocado's in fruitschalen op de keukentafel. Er liggen avocado's in het vergiet in de gootsteen. – Wat heeft het voor zin om de schil te wassen? – En er zitten ook avocado's in het hangmandje waar mijn moeder anders de uien in bewaart.

Vergeet Delia Smith en de cranberry's. Wanneer mijn moeder een ingrediënt wil monopoliseren, moeten de supermarkten van Shepton Mallet andere klanten op rantsoen zetten. En de ME inschakelen.

Helaas zie ik in de keuken niet alleen avocado's. Tante Clem is er ook. Ze heeft een kort spijkerbroekje aan dat om haar dijen spant, en een T-shirt waarop staat: FRANKIE SAYS RELAX. Ze zit aan de keukentafel met een groot glas Pimm's en babbelt honderduit over haar kleinkind, dat zo geweldig knap is dat het de oogjes kan openen én in- en uitademen, allemaal tegelijk. Of zoiets. Mijn moeder staat bij het aanrecht enorme hoeveelheden avocado te pletten met de pureestamper. Ze heeft haar mooiste barbecuekleren aan: een knalgele driekwartbroek, een knalgeel twinset en spierwitte gympen met een knalgeel biesje.

'Isabel!' Mijn moeder houdt op met pletten en omhelst me, net iets te stevig en langer dan strikt noodzakelijk is. 'Hoe is het met je?'

Even weet ik niet goed wat ze bedoelt. En dan weet ik het weer. De vorige keer dat ik haar sprak, was ze in alle staten omdat ze dacht dat Will me ten huwelijk zou vragen. En nu sta ik hier, niet ten huwelijk gevraagd. En ook zonder Will.

'O, lieverd,' zegt ze terwijl ze een stap naar achteren zet en mijn hoed en zonnebril bekijkt. 'Je hoeft het niet zo zwaar op te nemen. Er is niemand dood.'

'Mam, dit is modieus zwart, niet begrafeniszwart,' leg ik geduldig uit. 'En het gaat prima met me. Dag, tante Clem.'

'Dag, Isabel.' Tante Clem wenkt me naar zich toe, maar staat niet op. 'Leuk dat ik je zie. Je moeder heeft me net over je teleurstelling verteld.'

Ik kijk mijn moeder kwaad aan, en ik ben blij dat ze gegeneerd kijkt.

'Ik ben niet teleurgesteld, hoor,' zeg ik waardig tegen tante Clem. 'Je kunt alleen teleurgesteld worden wanneer je iets verwacht. En ik heb geen man nodig om lekker in mijn vel te zitten,' voeg ik eraan toe, terwijl ik mijn haar naar achteren strijk en me een beetje als Beyoncé voel.

O, misschien had ik dat niet moeten zeggen, want tante Clem trekt haar wenkbrauwen heel hoog op.

'Ik heb namelijk een carrière,' zeg ik gauw, voordat ze me ervan beschuldigt lesbienne te zijn. In de keuken van haar kleine broertje nog wel!

'O ja, je carrière.' Tante Clem maakt nog net niet van die aanhalingstekens in de lucht. 'Moira heeft me over Central Saint Martins verteld. Leuk dat jullie daar nu allebei een opleiding volgen, jij en mijn Portia.'

'Bij wijze van spreken. Want ik heb natuurlijk die zeer prestigieuze stageplaats in de wacht gesleept,' merk ik achteloos op, alsof ik het al heel vaak over die mogelijkheid heb gehad. 'Ik begin maandag. Dus Portia zal me weinig te zien krijgen.'

'Stageplaats?' Mijn moeder kijkt me strak aan. 'Wat voor stageplaats?'

'Bij het blad *Atelier*! Ik ga daar heel prestigieuze dingen doen, zoals kennismaken met ontwerpers van topklasse, en ik krijg contacten binnen de mode-industrie...'

'Dat klinkt goed.' Mijn moeder kijkt bezorgd, en ik vermoed dat ik weet waarom dat is. 'Weet... weet je vader daar al van?'

'Nee, maar zoals ik al zei, mam, het is heel prestigieus.' Ik kijk recht in haar ogen. 'Ik zou niet weten waarom pap er moeite mee zou hebben.'

'Nee... Nou ja...' Ineens klinkt mijn moeder een beetje opgewekter. 'Het is onderdeel van de opleiding, toch? Ik bedoel, je houdt er niet mee op of zo.'

'Welke opleiding volg je eigenlijk?' Tante Clem neemt een grote slok uit haar glas Pimm's en kijkt me dan aan met haar kraaloogjes. 'Handwerken?'

'Modeontwerpen,' antwoord ik getergd.

'O...' Maar tante Clem laat zich niet zo gauw verslaan. Ze is een echte Bookbinder. 'En wat ga je daarmee doen? Het onderwijs in?'

'Kom je me helpen met de guacamole?' vraagt mijn moeder opeens, en ze trekt me naar de geplette avocado's toe voordat ik tante Clem antwoord kan geven. Ze geeft me de pureestamper, maar pakt die dan terug, waarschijnlijk omdat ze beseft dat je met een pureestamper veel schade kunt aanrichten, vooral aan tante Clems hoofd. In plaats daarvan krijg ik een thee-lepeltje. 'Het is een heel werk, al die avocado's,' zegt ze terwijl ze haar bezwete gezicht met de theedoek dept. 'Ik had geen Mexicaanse barbecue moeten willen...'

Opeens klinkt er een hoop lawaai in de gang: harde stemmen, bulderend gelach. Matthew komt uiteraard als eerste de deur door gestampt, hand in hand met zijn vriendin Annie. Blijkbaar is ze net uit de taxi gestapt, want ze stopt haar portemonnee weg in haar 'tas': een oude Kipling-rugzak. Ik denk dat er voor Annie geen hoop meer bestaat. Ook zij is uitgedost voor de barbecue, in hotpants die lijken op een gymbroek van school, en een verschoten tie-dye-topje dat ze waarschijnlijk voor een habbekrats bij een tweedehandswinkeltje heeft aangeschaft. En toch ziet ze er adembenemend mooi uit.

Daarna komt mijn vader, die er heel blij uitziet, en ik zie Ben in de gang, alsof hij niet goed weet of hij er wel bij hoort.

Maar Lara zie ik nergens.

'Luister, iedereen,' zegt Matthew, en hij maant de aanwezigen met handgebaren tot stilte, al zijn Annie en hij de enigen die lawaai maken. 'We wilden wachten totdat iedereen er is, maar iemand...' Hij trekt Annie tegen zich aan en kust haar met een grommend geluidje. 'Iemand heeft het verklapt.'

Met open mond kijken we hem aan. Volgens mij snapt niemand waar hij het over heeft.

En dan slaakt Annie een opgewonden kreetje en steekt haar linkerhand uit.

Allemachtig... Er prijkt een ring met een diamantje aan haar vinger.

Dit verklaart waarom die helderziende Jenni een huwelijk voorzag.

En het verklaart ook waarom er geen spoor van Lara te bekennen valt.

9

Na een poosje kan ik ontsnappen aan al het gegil en de tranen, aan mijn moeder die beweert dat Jenni dus toch gelijk had, en aan tante Clem die luidkeels opmerkt dat mijn tijd ook zal komen, ooit. Ik loop de keuken uit en ga op zoek naar Lara.

Ze staat niet op de oprit. Ik zie wel de Saab van oom Michael de oprit oprijden, dus trek ik me snel in huis terug. Lara is niet in mijn kamer of in de badkamer, en uit het badkamerraampje zie ik niemand in de tuin, afgezien van mijn neef Robert, die stiekem in de struiken verdwijnt.

Ik sluip naar beneden naar de gang, al is er een en al opgetogen lawaai en zou niemand me kunnen horen, en haal mijn mobieltje uit mijn tas.

Ik scrol net door de laatste gesprekken die ik heb gevoerd, op zoek naar Lara's nummer, als ik word gebeld. Op het schermpje staat een mobiel nummer dat ik niet herken. Normaal gesproken neem ik dan niet op, maar ineens word ik bang. Stel dat Lara de rijweg op is gelopen en zich voor een aanstormende vrachtwagen heeft gegooid? En dat dit de vrachtwagenchauffeur is die belt naar het laatste nummer in Lara's mobieltje, om me te vertellen dat ik haar gruwelijk verminkte lijk moet weghalen?

'Hallo?' Ik kan nauwelijks lucht krijgen. 'Met wie?'

'Isabel?' Het is een vrouwenstem.

Een vrouwelijke vrachtwagenchauffeur!

'Met mij, schat, Nancy.'

'O, Nancy!' Ik ben zo opgelucht dat ik me op een traptree laat ploffen. 'Ik dacht dat het... Laat maar. Wat kan ik voor je doen?'

'Het spijt me dat ik je stoor op je familiefeestje. Je hebt het vast geweldig naar je zin.'

'O ja. We gaan zowat uit ons dak.' Gelukkig wordt dat bevestigd door het lawaai in de keuken. Gelach, knallende champagnekurken... Het klinkt echt als een feest op een boerderij waar mede wordt gebrouwen. Maar niemand mag dit gesprek met Nancy horen. 'Wacht, dan zoek ik een rustige eh... wigwam op,' zeg ik, en ik hol de trap op, schiet mijn vroegere kamertje in en doe de deur dicht. 'Wat kan ik voor je doen?'

'Nou, schatterd, het is eigenlijk een noodsituatie.'

Ik vraag me af welke noodsituaties er kunnen zijn in de modekringen van internationale topklasse, maar ze gaat al verder.

'Ik ben op zoek naar een pakje dat laatst zou worden bezorgd.'

O god, die bubbeltjesenvelop vol speed...

'Ik heb net het koeriersbedrijf gesproken,' gaat ze weer verder. 'En ik hoor dat ene Isabel Bookbinder voor het pakje heeft getekend.'

Ontkennen heeft geen zin. 'Ja, dat klopt, ik herinner het me weer.'

'Oké.' Het klinkt een beetje geïrriteerd. 'Ben je altijd zo ijverig, als je de baan nog niet hebt?'

'Het spijt me, Nancy.' Ik zeg maar niet dat ik wilde laten zien dat ik een heel capabele personal assistant zou zijn. 'Maar er was niemand anders om ervoor te tekenen.'

'Nou, in elk geval heb je initiatief getoond. Waar is die envelop nu?'

Goede vraag. Waar is die envelop?

'Zeg nou niet dat je hem kwijt bent.' Het klinkt gespannen.

'Natuurlijk niet!' Dat is helemaal waar. Ik bedoel, die envelop moet toch ergens zijn gebleven. Wist ik maar waar...

Toen ik bij Nancy was, zat de envelop in mijn tas. Dus zal hij nu ook nog wel in mijn tas zitten, lijkt me.

Maar ik heb die tas niet hier.

Dat ga ik Nancy uiteraard niet vertellen. Dan zou ze maar in paniek raken en denken dat ik de envelop ben kwijtgeraakt, en dat zou geen goed begin zijn van mijn carrière als uiterst capabele personal assistant. 'Ik heb hem hier! Ik zit ernaar te kijken,' zeg ik, in de hoop dat zo'n zelfverzekerde opmerking haar gerust zal stellen. 'Ik neem hem maandagochtend mee.'

'Nee, Izzie, ik heb hem eerder nodig. Lucien heeft het verschrikkelijk druk, hij moet hem nu hebben.'

Jezus, is Lucien Black ook al aan de speed? Een ware orgie is het daar, bij de modearistocratie.

'Ik stuur wel een koerier naar je toe, oké?' zegt Nancy. 'Je ouders wonen toch in Somerset?'

Ik kijk in de spiegel op de toilettafel. Alle kleur is uit mijn gezicht verdwenen. 'Een koerier? Naar mijn ouders?'

'Maak je geen zorgen, hij zal niemand storen. Nou, veel langer dan twee uur zal hij er niet over doen,' gaat ze verder. 'Als je de postcode even opgeeft, kan hij die in de navigatieapparatuur invoeren. Boerderijen zijn soms lastig te vinden.'

Ja, de boerderij van mijn ouders zal heel erg lastig te vinden zijn. Vooral omdat die niet bestaat.

'Hoor eens, Nancy, doe alsjeblieft geen moeite. Koeriers zijn heel duur. Ik pak gewoon de auto van mijn broer en kom naar Londen.'

'Nee, geen sprake van.' Nancy klinkt alsof ze geen tegenspraak duldt. 'Je moet van het gezelschap van je familie genieten. Geef me die postcode nu maar even, Isabel.'

Ik durf niets te zeggen.

'Isabel?'

'O ja, de postcode is... Eh, ba4 6pq,' zeg ik. Dat is een combinatie van alle Shepton Mallet postcodes die me te binnen schieten. Alles is beter dan Nancy de echte postcode te geven, die van 16 Ilkley Close.

'Fijn! Bel me maar wanneer de koerier er is. Dag!'

'Nancy, wacht!' roep ik, maar ze heeft de verbinding al verbroken.

Oké. Geen paniek. Waarschijnlijk kan die koerier me toch niet vinden met die malle, samengestelde postcode. En dan krijg ik de kans om vanavond terug te gaan naar Londen en daar Wills appartement overhoop te halen om naar die envelop te zoeken. Dat kan ik gemakkelijk doen. En als ik die envelop niet kan vinden, als die toch is kwijtgeraakt, nou, dan moet ik hem maar vervangen, toch? Dat wordt anders wel lastig, want ik ken geen dealer in speed. Maar als het echt moet, biecht ik alles gewoon op bij Nancy en vergoed ik de schade.

'Isabel?' Ik hoor de stem van mijn moeder, door het openstaande raam. Ik kijk naar buiten en zie haar aan de rommelige kant van het terras staan, opzij van het huis. Met haar armen over elkaar kijkt ze naar me op. 'We gaan naar de tuin. Kom je ook een glaasje champagne drinken op je broer?'

'Ik... Jawel, maar ik ben nu ergens mee bezig...'

'Is dat belangrijker dan het feit dat Matthew zich heeft verloofd?'

'Ik kom zo. Een minuutje, oké?'

'Iz-Wiz, ik snap dat je teleurgesteld bent vanwege... Nou ja, het spijt me, lieverd. Toen Jenni dat over een bruiloft voorspelde, dacht ik dat ze jou bedoelde. Ik bedoel, per slot van rekening ben je ouder dan Matthew. Jij zou moeten trouwen voordat hij dat doet.'

Oké, misschien kom ik wel niet over een minuutje. Misschien kom ik over twee seconden, wanneer ik me uit het raam heb geworpen en op het terras ben neergestort.

'Mam, ik moet even iets regelen...'

'Toe, lieverd, kom ook en hef het glas.' Ze begint ineens heel hard te fluisteren. 'Hoor eens, ze hebben al gemerkt dat je bent verdwenen. Clem vroeg of je sowieso iets had tegen hetero-huwelijken. En je vader...'

'Ja ja, ik kom al!'

Ik loop stampend de trap af en ga door de serre naar de tuin. Toen ik boven was, zijn er meer familieleden van vaderskant gekomen. Iedereen loopt over het gazon, ze klinken en bewonderen Annies verlovingsring. Plotseling ben ik blij dat Lara ertussenuit is geknepen. Ik pak het eerste het beste glas dat ik zie, en om mijn vader en tante Clem een plezier te doen, roep ik luidkeels: 'Proost!' Vervolgens ga ik naar het rustigste gedeelte van de tuin, zodat ik kan gaan zitten nadenken over wat ik nou met Nancy en die envelop moet. Achter de struiken kunnen al die spiedende ogen van de Bookbinders me niet zien, dus verwacht ik hier een beetje privacy. In elk geval verwacht ik hier geen last van familieleden te hebben.

'Fuck!' Er klinkt gesputter achter de struiken, en ik zie net op tijd dat mijn neef Robert iets in het gras gooit en er met zijn voet op trapt terwijl hij een behoorlijk groenige rookwolk weg-wuift.

'Rustig maar, Robert, ik ben het.'

'Isabel... Gelukkig!' Er verschijnt een opgeluchte blik in Roberts ogen met verwijde pupillen, en hij bukt zich om met zijn vrije hand zijn nog smeulende joint op te rapen. In de andere hand heeft hij een halfleeg bakje guacamole. 'Ik dacht dat het mijn moeder was.'

Het feit dat hij me verwart met zijn moeder, tante Clem, zegt meer over zijn geestverruimende gewoonten dan over mij.

'Leuk je weer te zien,' zegt hij. Hij is de manieren die hem op zijn dure kostschool zijn bijgebracht, nog niet vergeten. Vaag lachend steekt hij zijn joint naar me uit. 'Je ziet er goed uit. Ik heb je niet meer gezien sinds... Jezus, toen ik een jaar of tien was of zo?'

'Nee,' zeg ik. 'We hebben elkaar acht maanden geleden gezien, op de bruiloft van Marley.' Het verbaast me dat hij dat is vergeten. Want ik weet nog goed dat hij zich opvallend had gedragen door stiekem het busje van het strijkkwartet te 'lenen' en er een deuk in te rijden. En tijdens de plechtigheid vroeg hij een paar keer luidkeels of je wel met een neef of nicht mocht trouwen, want hij vond het wel iets hebben om te trouwen met een oudere vrouw met wie je nog verwant was ook. En dan denkt mijn vader dat ík het zwarte schaap van de familie ben...

Zo te zien herinnert Robert zich daar niets meer van, niet van Marleys bruiloft en waarschijnlijk niets van de hele Marley. Toch knikt hij met een weemoedige uitdrukking op zijn gezicht. 'Ben je hier om even te chillen?'

'Ja. Ik bedoel, nee. Niet zoals jij het bedoelt.' Ik wuif de slordig gerolde joint weg. 'Ik moet helder kunnen denken. Om heel eerlijk te zijn, heb ik sinds een kwartier mijn buik vol van drugs.'

Roberts mond valt open.

'Zo bedoel ik het niet! Alleen... Zeg, Robert, weet jij misschien de straatwaarde van een pakje, eh...' Ik ga fluisterend verder, ook al zijn we alleen tussen de struiken. 'Een zakje speed? Ongeveer zo groot?'

'Wauw!' Robert kijkt zowaar geschokt. 'Dat is een hoop!'

Ik wil tussen mijn moeders struiken geen discussie à la Tarantino hebben. 'Ja, nou, maar weet je wat zoiets ongeveer kost? Als ik het moest kopen, bedoel ik?'

Robert kijkt me beschuldigend aan, dan blaast hij een beladen rookwolk uit. 'Ik doe niet aan speed. En zeker niet aan hoeveelheden van vijfhonderd pond of zoiets.'

'Vijfhonderd pond? Zou het me zóveel kosten?'

'Hoezo? Heb je problemen met je dealer?'

'Nee! Ik heb helemaal geen dealer! Ik heb iets verpest. Voor mijn baas.' Ik pak het bakje guacamole uit zijn hand en haal er mijn vinger door. 'Ik heb getekend voor de ontvangst van een envelop vol speed. Die was voor mijn baas. En nu weet ik niet zeker waar die envelop is, en zij heeft iemand hiernaartoe gestuurd om die envelop te halen.'

'Bedoel je een zware jongen?'

'Nee, ik bedoel een koerier van DHL.'

'O.' Hij knikt alsof hij er alles vanaf weet. 'Een multinationaal conglomeraat. Die willen altijd de kleintjes pakken.'

Ik geef het op. Ik kom geen steek verder door hier rond te hangen met de in hoger sferen verkerende Robert met zijn dreadlocks. Eerlijk gezegd weet ik niet goed hoe ik wel verder kan komen, want ik heb die envelop voor Nancy niet hier, en ik weet ook niet waar ik nieuwe speed kan kopen. Bovendien heb ik daar het geld niet voor. Ik moet maar hopen dat die kerel van DHL me niet kan vinden, met die niet-bestaande postcode, en dat hij het opgeeft en teruggaat naar Londen.

'Nou, leuk dat ik je even heb gesproken, Robert.' Ik ga me maar in het feestgewoel begeven voordat ze merken dat ik er niet bij ben en ze daar iets afkeurends over zeggen. 'En maak je geen zorgen, ik zal tante Clem niet vertellen dat je hier bent.'

'Dank je wel, Isabel.' En dan geeft hij me een stomp. Dat schijnt hij leuk te vinden. 'Zwarte schapen van de familie, verenigt u! Toch?'

'Ja. Zwarte schapen, verenigt u.'

Ik kan het me verbeelden, maar de familiebarbecue lijkt dit jaar erger dan ooit.

Een van de kinderen maakt met vieze guacamole-handjes vlekken op mijn jurk. Wanneer ik niet lachend net wil doen alsof het een meesterwerk is, keren de leden van tante Clems tak van de familie zich tegen me en behandelen me alsof ik lucht ben.

Een man van DHL die Roland heet, heeft het afgelopen uur vier berichten op mijn voicemail achtergelaten. Hij beweert dat hij rondrijdt bij Leigh Upon Medip maar nergens BA4 6PQ kan vinden, en hij smeekt me terug te bellen.

Oom Michael loopt voortdurend langs met een onheilspellende blik in zijn ogen, en mompelt: 'Over een uurtje begint de quiz... Over een uurtje begint de quiz... Vergeet je niet op te warmen...'

Mijn vader zegt helemaal niets tegen me, afgezien van de keer dat ik een halfverkoold kipvleugeltje à la Mexicaine weiger. Dan snauwt hij: 'Jezus, je bent toch zeker geen vegetariër geworden nu je op de tekenacademie zit, Isabel?'

Het is ook niet fijn dat ik Lara nergens zie. Ik ga ervan uit dat als ze echt hier in de buurt onder een vrachtwagen is gekomen, we de sirenes nu wel zouden hebben gehoord. Maar dat wil nog niet zeggen dat ik het niet naar vind dat ze afwezig is.

Ik bel haar net voor de achttiende keer, wanneer ik achter me een stem hoor.

'Isabel?'

Het is Ben.

Sinds we hier zijn heb ik niet veel kans gehad hem te spreken. Ik had het behoorlijk druk met leugens ophangen bij mijn baas. Maar daar staat hij me aan te kijken met die mooie ogen en die leuke lach, en ik kan mezelf wel sláán dat ik niet meer aandacht aan hem heb besteed.

Ik bedoel, ik ga hem heus niet aan zijn neus hangen dat ik hem geweldig leuk vind. Ik zit in een volwassen relatie, en dan is het ongepast je te storten op een bijzonder aantrekkelijke durfkapitalist. Trouwens, als het wel gepast zou zijn, of als je gebruik kon maken van een maas in de wet omdat je vriend een in bikini gestoken Russin insmeert met kokosolie, dan zou Ben het toch niet willen. Kijk hem toch eens! Met die genen en die bankrekening heeft hij waarschijnlijk de afgelopen jaren de mondaine meiden van Manhattan van zich af moeten slaan. Hij is heus niet in mij geïnteresseerd.

Alleen... Is het normaal dat een kerel op die manier kijkt naar een meisje in wie hij niet geïnteresseerd is? Alsof hij haar wel de rododendrons in zou willen sleuren?

'Ik heb je nauwelijks gesproken,' zegt hij zacht. 'Heb je het zo druk, Izzie?'

Ik lach hartelijk, om hem te laten weten dat ik geen moment aan rododendrons denk. 'Och, weet je...' Ik houd mijn mobieltje omhoog. 'Ze blijven maar bellen. Er is aldoor wel iets te doen.'

'Bel je veel met eh... Hoe heet hij ook weer? O ja, Will.'

'O nee. Met mijn baas.'

Hij fronst zijn wenkbrauwen. 'In het weekend? En ik dacht dat ik idioot veel moest werken...'

'Nou ja, het is een heel belangrijke stageplaats.' Hield hij maar op met op die manier naar me te kijken... Zo kan ik me niet goed concentreren. En ik krijg nauwelijks lucht. 'Je weet wel, een voet tussen de deur... Modearistocratie.'

'Weet je, ik ken wel een paar mensen binnen de modewereld.' Hij komt nog dichter bij me staan. 'Ik ga maandagavond naar een party, een preview in een boetiek in Chelsea. De vrouw van een collega is mede-eigenaar.' Weer kijkt hij me zo doordringend aan. 'Als je wilt, neem ik je mee.'

Wacht eens... Vraagt hij me uit? Is dit een afspraakje?

'Ik bedoel, het zou een goede gelegenheid zijn om contacten te leggen.'

O, oké, hij bewijst me een gunst. In verband met het werk. Dat kun je geen afspraakje noemen.

'Daarna kunnen we een hapje gaan eten,' gaat hij verder. 'Dan kunnen we na al die jaren eindelijk eens bijpraten.'

O... Dat is toch wel een afspraakje?

Eigenlijk weet ik het niet meer. En ik ga mezelf niet voor gek zetten door hem eraan te herinneren dat ik een vriend heb, voor het geval het toch geen afspraakje is.

Mijn god, ik zou nu dolgraag een vlotte meid uit Manhattan willen zijn. Ik bedoel, zij weten precies wat wel of niet een afspraakje is. Daar krijgen ze toch les over op school?

'Isabel, is er iets?'

'O nee... Sorry, Ben. Ik eh...' Een smoesje, Isabel, dat is de enige optie. 'Ik weet het nog niet. Ik bedoel, ik heb het maandag altijd erg druk. Wie weet wat ik die dag allemaal zal moeten doen?'

Ben steekt zijn hand uit. Even denk ik dat hij zijn vinger op mijn mond gaat leggen en zal fluisteren: 'Zeg maar niets, lieveling. Laat geen woord meer over die sensuele lippen komen, anders zal ik er mij niet van kunnen weerhouden ze te kussen.' Maar hij steekt zijn hand uit naar mijn mobieltje.

'Ik zet mijn nummer er even in,' zegt hij terwijl hij zijn vingers over de toetsen laat vliegen. 'Als je dan maandag van gedachten verandert, kun je me bellen.' Hij geeft het mobieltje terug, met alweer die leuke lach. 'Ik wil je niet onder druk zetten, maar ik dacht dat je het wel interessant zou vinden.'

'O ja, vast! Alleen...'

'Iz-Wiz!'

We schrikken allebei van die plotselinge gil. Als ik omkijk, zie ik Ron en Barbara aankomen over het gazon. Ron en Barbara zijn mijn peetouders en tevens heel goede vrienden van mijn moeder. Net als alle anderen zijn ze helemaal gekleed voor de barbecue, met korte broeken die om hun billen spannen en t-shirts, en Barbara met een hoofddoekje van broderie en een enorme witte zonnebril, een beetje zoals Thelma en Louise.

'Dag Ron, hoi Barbara.' Ik geef ze allebei een zoen. Eerlijk gezegd is het fijn om op deze vreselijke bijeenkomst te worden begroet door mensen die het fijn lijken te vinden me te zien. 'Het is alweer veel te lang geleden.'

'Veel te lang!' zegt Barbara, die haar ogen niet van Ben af kan houden. 'Is dit de Will over wie we zoveel hebben gehoord?'

'O nee. Nee, dit is Ben. Weet je nog, Matthews oude vriend? De zoon van Cathy Loxley?'

'O ja!' Barbara bloost ervan. 'Wat leuk om je weer te zien, Ben!'

'Ook leuk om u weer te zien,' zegt Ben beleefd, en dan zegt hij tegen mij: 'Ik ga iets te eten halen, Iz. Moet ik voor jou ook iets meenemen?'

'Nee, dank je, ik heb verder niets nodig.' Door die zwoele blik in zijn ogen is mijn eetlust totaal verdwenen.

'Hij was altijd al een knappe jongen,' zegt Barbara terwijl ze Ben nakijkt op zijn tocht naar de rook uitbrakende barbecue. 'De meisjes zijn vast allemaal weg van hem.'

'Och, je weet hoe die meisjes in Manhattan zijn, hè?' Ik word helemaal koud vanbinnen door die opmerking over meisjes die vast weg van hem zijn.

'Zo!' Ron voelt zich zeker een beetje buitengesloten en geeft me een por in mijn ribben. 'Mogen we "partner" tegen je zeggen?'

'Eh... Als jullie dat graag willen...'

'O Ron, doe niet zo mal! We noemen je gewoon Iz-Wiz, zoals altijd. Maar uiteraard niet in het openbaar,' zegt Barbara ineens ernstig. 'Dan zeggen we mevrouw Bookbinder tegen je.'

Ik begin me af te vragen of Ron en Barbara misschien een van Roberts joints in handen hebben gekregen.

'Wat zie je er mooi uit!' roept Barbara terwijl ze bewonde-rend naar mijn jurk met guacamolevlekken kijkt. 'En wat een schitterende hoed.'

Barbara begrijpt tenminste dat dit modieus zwart is.

'O, misschien kun je voor mij ook eens hoeden ontwerpen,' zegt ze opeens. 'Die zouden het heel goed doen, zo tegen Ascot.'

Niet-begrijpend kijk ik haar aan. 'Pardon?'

'Isabel B voor Underpinnings,' legt ze stralend uit. 'Een eigen label. Er is uiteraard geen haast bij, maar er zijn al een paar dames zeer geïnteresseerd, en ik heb liever niet dat ze naar zo'n snobberige boetiek in Bath gaan. Daar zijn er het afgelopen jaar een paar van geopend, zie je, en die knabbelen aan mijn winstmarge.' Ze slaakt een diepe zucht. 'Ik dacht dat we ons met zoiets goed zouden kunnen onderscheiden.'

'Daarom heeft ze vast een wachtlijst aangelegd,' vertelt Ron er trots bij. 'Dat doen winkels van klasse, heb ik gehoord.'

'Er staan al vijf namen op!' zegt Barbara terwijl ze een notitieboekje uit haar tas haalt. 'En nu Kerstmis eraan komt, met alle feestelijkheden, zullen het er vast gauw meer worden.'

Ik kijk langs haar heen en zie mijn moeder op het terras staan, met een enorme bak guacamole in haar handen. Ze doet alsof ze staat te babbelen met mijn nichtje Felicity, maar eigenlijk kijkt ze naar ons, naar Ron, Barbara en mij, en ze ziet eruit alsof ze zich schaamt.

'Heeft mijn moeder soms gezegd dat ik een collectie voor je zou maken?'

'O...' Barbara schrikt van mijn toon. 'Maar als je het te druk hebt met andere dingen, Iz-Wiz... We willen je niet lastigvallen, hè Ron?'

'O nee!'

Barbara stopt het notitieboekje weer in haar tas en maakt een verontschuldigend gebaar. 'Het was dom van ons om te veronderstellen...'

'Nee, helemaal niet.' Ik gris het notitieboekje uit haar hand voordat het helemaal in Barbara's zeer ruime Jane Shilton-tas is verdwenen. 'Ik zal met het grootste plezier kleding voor je ontwerpen, Barbara.'

'Echt waar?' Haar ogen lichten op. 'Dus je hebt er wel tijd voor?'

'Ja, ik heb er tijd voor.' Ik kan Ron en Barbara toch niet teleurstellen? Niet nu ze hopen dat ik het gevaar van die boetieks in Bath kan bezweren. En het is lief van Barbara dat ze vertrouwen in me stelt. Ik moet echt eens opschieten de grondbeginselen van kleding maken onder de knie te krijgen. Tenzij de dames van Barbara heel modieus zijn en wel iets zien in mijn artistiek gedrapeerde, Griekse toga-jurk...

'Geweldig!' Barbara pakt het notitieboekje terug en slaat het open op de eerste bladzij. 'Mevrouw Stedman, een vaste klant, vroeg zich af of je voor haar...' Ze knijpt haar ogen tot spleetjes terwijl ze haar eigen handschrift ontcijfert. '...iets heel moderns en vrolijks hebt voor de zeventigste verjaardag van haar man. Ze ziet er goed uit in zachte pastelkleuren, Iz-Wiz, dus als je iets kunt bedenken in een tere tint blauw of abrikoos, dan zou dat fijn zijn. En dan hebben we Margaret Huntley-Chambers, die geeft met Kerstmis een bal. Ze is groot fan van die danswedstrijd op tv, dus misschien iets zoals in dat programma? Met een korset erin en mooie ruches. Maar niet te veel glitter, Iz, want ze is niet bepaald slank. En je weet zelf ook dat een kalkoen er veel groter uitziet zodra die in het aluminiumfolie zit.'

Ik ben zo geschokt dat ik geen woord kan uitbrengen. Ik bedoel, dit is niet Isabel B voor Underpinnings, dit is meer iets voor een beroepsnaaister voor bejaarden.

Bejaarden die niet meer zo slank zijn. Die een korset moeten hebben, en ruches. Volgens mij lukt dat allemaal niet met mijn gedrapeerde toga-jurken die één schouder onbedekt laten.

'Zeg, Barbara...'

Ik word onderbroken door lawaai bij de barbecue. Het wordt veroorzaakt door mijn vader, die met een vork tegen een wijnglas tikt en op een tuinstoel klimt. Op zijn gezicht heeft hij de pompeuze uitdrukking die ik zo goed ken van wanneer hij een toespraak gaat houden waarvan hij eigenlijk vindt dat die zou moeten worden vastgelegd voor het nageslacht.

'Stilte, iedereen!' zegt hij. 'Ik hoop dat jullie van deze dag genieten. Vooral degenen die hebben belegd in avocado-aandelen.'

De familieleden van mijn vader barsten in lachen uit. Mijn moeder kijkt blozend naar de grond.

Oké, het maakt niet uit of ik moddervet word, maar ik zal die guacamole naar binnen werken als mijn vader nu van die stoel af komt en zijn mond houdt.

'Het is me een genoegen jullie dit jaar allemaal weer te mogen verwelkomen. Het is me het jaartje wel geweest!' Mijn vader haalt een velletje papier uit zijn zak. 'De bruiloft van Marley en Daria in januari was uiteraard een goed begin.'

Och jezus, mijn vader oefent vast voor de nieuwsbrief met Kerstmis. Een hartverwarmende opsomming van wat Marley en Matthew allemaal hebben bereikt, een uitgebreid verslag van wat er allemaal op de school van mijn vader is gebeurd, een terzijde over de successen van mijn moeder in de keuken en de tuin, en bijna niets over mij. Vorig jaar stond er geloof ik alleen op de kaart dat ik nog in Londen woonde.

Plotseling trilt mijn mobieltje. Er is een sms'je gekomen. Ik hoop dat het van Lara is, maar het is van Nancy.

De koerier kan je niet vinden!!! Bel Roland. Dit is belangrijk, Izzie. Lucien kan niet verder zonder die spoedbestelling kant!

Ik lees het nog eens goed door. Ja, er staat: spoed.

Volgens mij is het geen tikfout. De e en de o staan heel ver uit elkaar.

En op het sfeerbord in Nancy's werkkamer zat kant en tule geprikt.

Mijn hart klopt onplezierig snel. Gauw verwijder ik me een beetje van Ron en Barbara en bel Nancy. 'Nancy?'

'Isabel! Gelukkig! Heeft de koerier je al gevonden?'

'Nee, nog niet.'

'Maar hij belt je voortdurend. Hij heeft het al vier keer geprobeerd!'

'Sorry, het signaal valt hier soms even weg. Hoor eens, Nancy, wat zit er eigenlijk in die envelop?'

'Wat dacht je?' Het klinkt geïrriteerd. Volgens mij heb ik te veel gevraagd. 'Er zit kant voor een jurk in. Lucien is bezig met iets voor Eve Alexander, en dat moet ze over een paar weken dragen. Er moeten nog kanten inzetstukken in, daarom heeft Greta Bonneville van One of a Kind me een prachtig stuk kant gestuurd, afkomstig van een beschadigde Chanel-avondjas.'

'Kant,' herhaal ik zwakjes. 'Voor een jurk.'

'Wat dacht je dan dat het was? Allemachtig, Isabel, dit wordt een beetje te veel voor mijn gevoel voor humor.'

'O, gelukkig!'

'Pardon?'

'Ik bedoel, gelukkig dat je gevoel voor humor hebt. Mijn vorige baas was daar geheel van verstoken. Nou, ik zie je maandag, Nancy. Tot dan!'

Het is niet zo erg als ik dacht. Ik bedoel, het is natuurlijk niet fijn dat Roland van DHL nog steeds naar me op zoek is, en ik kan ook nog steeds alleen maar hopen dat ik die bubbeltjesenvelop kan vinden in Wills appartement. Maar in elk geval weet ik nu dat ik gewoon een stukje kant moet vervangen als ik die envelop niet kan vinden, en geen drugs ter waarde van vijfhonderd pond.

'... binnenkort de komst van mijn eerste kleinkind,' zegt mijn vader op zijn stoel. 'En dan is er natuurlijk nog het goede nieuws dat ik er een schoondochter bij krijg.'

Er klinkt applaus, maar dat sterft gauw weg wanneer iedereen opeens omkijkt naar Ron, Barbara en mij.

Of beter gezegd, naar iets achter Ron, Barbara en mij.

'Is mevrouw Isabel Bookbinder hier aanwezig?'

Ik draai me met een ruk om. Even ben ik bang dat het Roland is, maar dan zie ik dat de man het uniform van een politieagent draagt. Er zijn zelfs drie personen in zo'n uniform.

'O god...' breng ik gesmoord uit. 'Lara...'

'Wie is Lara?' vraagt de agent terwijl hij een rossige wenkbrauw optrekt. 'Een van uw dealers?'

'Pardon?'

Hij zet een stap in mijn richting. 'Isabel Bookbinder, ik arresteer u vanwege het overtreden van de opiumwet.'

Achter me klinken gesmoorde kreten.

'Maar... Ik heb niet...'

'Een jongeman die naar de naam Robert luistert wist ons iets heel anders te vertellen,' zegt de agent op de zelfvoldane manier die agenten eigen is. 'We hebben hem betrapt tijdens de koop van een grote hoeveelheid speed. En die hoeveelheid speed kocht hij voor u, mevrouw Bookbinder. Althans, dat beweert hij. Hij zit vast op het bureau.'

Nou, en dan begint het. Tante Clem staat te gillen dat ik haar Robert op het slechte pad heb gebracht, en mijn moeder roept snikkend dingen over verslavingen en Naomi Campbell. Mijn vader komt bij ons staan en begint me de les te lezen totdat een van de agenten ingrijpt en dreigt hem te arresteren vanwege verstoring van de rechtsgang. En dan komen Ben en Matthew er ook bij en die doen hun best de gemoederen te bedaren. En een kind kotst groene brokken over oom Michaels sportschoenen.

Uiteindelijk word ik naar de patrouillewagen geleid die op de oprit staat, en kijkt de hele familie Bookbinder me na als we wegrijden.

10

Oké, ik zal niet zeggen dat gearresteerd worden een pretje is. Maar het is ook niet zo erg als je zou denken.

Onderweg naar het politiebureau dacht ik dat ik op de plaats van bestemming met een jas over mijn hoofd uit de patrouillewagen zou worden gehaald en dan langs een haag van mensen zou moeten lopen die allemaal om de doodstraf schreeuwden. Vervolgens zou ik twee uur sidderend van angst in een stinkende cel zonder ramen moeten zitten, terwijl wrede agenten met opgerolde mouwen me zouden martelen op een manier die geen sporen zou achterlaten. Voordat ik het wist zou ik hebben bekend dat ik talloze moorden en aanrandingen had gepleegd, en dat ik lid was van een terroristische cel. Ik bedoel, je leest heel vaak over zulke dingen, die schijnen heel gewoon te zijn.

Na het proces krijg je dan een moment van glorie wanneer je met je vuist triomfantelijk in de lucht gestoken op de stoep voor het gerechtsgebouw mag staan en iets mag zeggen over mensenrechten. Uiteraard gekleed in iets sombers maar toch heel chic, misschien Armani of zo. Maar ik vermoed dat je eerst heel veel saais moet doorstaan, zoals lange jaren onterecht in de gevangenis zitten, en het eindeloze gelobby om een nieuw proces te krijgen. Dat zou ik allemaal niet graag willen ervaren.

Maar in het echt gaat het allemaal heel anders.

Er stond geen haag van boze mensen die om de doodstraf schreeuwden. Eerst was dat een hele opluchting, maar na een poosje ga je je afvragen of er wel iemand is die het wat kan schelen dat dit met je gebeurt. Er was ook geen cel zonder ramen, alleen een nogal lelijke verhoorruimte met alweer van die plastic stoeltjes waar ik zweetbillen van krijg. Er werd niet gemarteld. Het ergste wat me overkwam, afgezien van die plastic stoelen, was een oud nummer van *Woman and Home* en een smeltende KitKat.

Om heel eerlijk te zijn, dat blaadje en de KitKat zijn de manier van de politie van Shepton Mallet om aardig tegen me te doen. Want zodra ik werd binnengebracht, keek de dienstdoende brigadier me aan en verbleekte, om vervolgens te zeggen: 'Jij bent toch de dochter van meneer Bookbinder?'

Soms is het best een voordeel om de dochter te zijn van een schoolhoofd. Maar niet toen ik zelf op school zat, o nee.

De agenten gingen op een kluitje staan, en ik hoorde de brigadier vertellen dat hij er alles aan had gedaan om zijn kind op een goede school te krijgen, en dat hij geen zin had straks te horen te krijgen dat zijn kind was afgewezen door de school van zijn keuze alleen maar vanwege de aanklacht tegen de dochter van het schoolhoofd. En die met het rossige haar, degene die me had gearresteerd, zei dat het hem geen moer kon schelen dat ik de dochter van het schoolhoofd was, of de dochter van Nelson Mandela, want het was wel duidelijk dat ik een zeer zware crimineel was, een dealer die de politie al veel te lang had staan uitlachen. En toen zei de brigadier dat ik niet bepaald stond te lachen, maar eerder zat te trillen. Waarop die met het rossige haar weg beende, waarschijnlijk om zijn woede te koelen op Robert en hem te martelen in een stinkende, raamloze cel, zonder sporen na te laten.

In elk geval, zodra de rossige agent weg was om het netwerk van dealers op te rollen, ontspande iedereen een beetje. De brigadier ging opeens heel aardig doen en vertelde me dat hij Martin heette, en toen vroeg hij hoe het kwam dat ik me zo in de nesten had gewerkt. En toen moest ik natuurlijk huilen, want dat krijg je in zo'n belabberde situatie als iemand aardig doet. Ik vertelde hem dat ik het verkeerd had verstaan, dat ik dacht dat het over een bestelling speed ging en dat het eigenlijk een spoedbestelling van zwarte kant was. Ik vertelde ook over het gesprek dat ik in de struiken met Robert had gehad. Ik stond op het punt me aan hun voeten te werpen en om genade te smeken, maar toen kregen ze medelijden met me en zeiden dat ik verder mijn mond moest houden.

Daarna gingen ze weer op een kluitje staan en besloten ze dat ze me het beste in een verhoorkamertje konden opsluiten. We moesten maar wachten op hoofdinspecteur Vernon, omdat die het beste kon beslissen hoe het verder moest.

Toevallig is hoofdinspecteur Vernon voorzitter van het schoolbestuur, en een golfmaatje van mijn vader. Je kon de agenten bijna zien denken dat hij maar moest beslissen of het meisje Bookbinder de cel in moest of niet. Zij trokken hun handen van de zaak af.

Dus daar zit ik nu, in een verhoorkamertje, en ik doe mijn best dit alles cognitief te herstructureren, opdat het allemaal iets minder beschamend zal zijn. Goed, ik ben tijdens de familiebarbecue opgepakt door de politie, onder toeziend oog van alle afkeurende familieleden van mijn vader. Goed, Robert zit ook in de problemen, en dat nadat hij nog maar drie maanden geleden is ontslagen uit die gesloten jeugdinrichting. Dat betekent dat tante Clem haar uiterste best zal doen mij overal de schuld van te geven. Waarschijnlijk vermoordt ze me. Goed, Ben Loxley denkt nu waarschijnlijk dat ik zwaar aan de drugs ben.

De goede kant van dit alles is dat ik niet heb hoeven meedoen aan oom Michaels hindernisquiz.

Voor de tiende keer in een halfuur word ik gebeld, en nu ik eindelijk alleen ben kan ik het toestel uit mijn tas halen en op het schermpje kijken. De politie beschouwt me niet meer als een echte arrestant, dus mag ik mijn spullen houden, al had ik misschien liever gehad dat dat niet zo was. Want nu kan ik zien wie me wil bereiken: Roland van DHL. Hij heeft me zeventien keer gebeld en drieëntwintig keer een sms'je gestuurd. O, en er is ook een sms'je van Nancy.

Ik begin me zorgen te maken, Iz. Lucien moet echt aan de slag, daarom laat ik maar andere stof komen. Roland zegt dat je niets van je laat horen. Is er iets?

Ik moet maar heel gauw iets bedenken.

Het spijt me heel erg, Nancy. Zo begin ik een sms'je terug. *Ik heb het erg druk met*

Met wat?

een ramp.

Nu hoef ik alleen nog maar een aannemelijke ramp te verzinnen, iets wat heel goed zou kunnen gebeuren op een bohemienachtige barbecue op een biologische medebrouwerij.

Ja, hebbes!

Een paar joerten van biologisch katoen zijn per ongeluk in de hens gegaan, het is de schuld van een neef die hasj rookt. De vuurzee is nog maar net onder controle. Fijn dat je iets anders hebt bedacht voor die kant. Het spijt me allemaal heel erg. Ik bied Roland mijn excuses wel aan.

Ik lees het nog eens door en verander 'vuurzee' in brand, voor het geval Nancy het te heftig vindt. Dan zet ik er nog opgewekt onder dat ik haar maandag weer zie, en verstuur het. Lara zegt altijd dat de beste manier om anderen te laten doen wat jij wilt, is net te doen alsof ze het inderdaad gaan doen. Als ik dus net doe alsof er geen enkele kans bestaat dat Nancy me gaat ontslaan, doet ze dat ook niet.

O ja, Lara... Ik scrol door de berichten om te kijken of er iets van haar bij is. En dat is zo. Ze heeft een paar uur nadat ze van de barbecue is verdwenen een sms'je gestuurd.

In trein.

Is dat alles? Ik bedoel, natuurlijk ben ik ontzettend opgelucht dat ze in een trein zit en er niet onder ligt, maar een beetje meer details zou fijn zijn geweest.

Ik stuur een berichtje terug: *Alles oké?*

Ik krijg vrijwel meteen antwoord: *Alles oké. Hoe is het met de hindernisquiz?*

Alles oké? En ze vraagt hoe het met de hindernisquiz is?

Lara, ik vraag niet uit beleefdheid of alles met je in orde is, ik vraag het omdat M, je grote liefde, zich daarnet heeft verloofd en jij opeens verdwenen was!!!

Deze keer duurt het iets langer voordat ze reageert.

Ik zei toch dat alles oké is? En hoe is het met de hindernisquiz?

Geweldig... Ik had het kunnen weten.

Hoewel ze anderen beroepsmatig vertelt dat ze hun gevoelens niet moeten opkroppen en dat je best mag laten merken dat je verdrietig bent, heeft ze besloten haar eigen gevoelens wel op te kroppen en niet te laten merken dat ze verdrietig is. Zo was ze ook toen haar ouders gingen scheiden. De eerste keer, althans. Tegen de tijd dat haar ouders ieder toe waren aan een vierde huwelijk, kon ze er uitstekend mee omgaan, heel professioneel. Ik weet nog van die eerste keer, toen Lara opbelde en klonk alsof ze werd gewurgd. Mijn vader had opgenomen en was zo bezorgd dat hij aanbood me per auto naar haar huis te brengen. Maar na die eerste vreselijke avond kwamen er vele maanden waarin Lara deed alsof er geen wolkje aan de lucht was, totdat ze het tijdens de les Gezondheidsleer niet meer hield en een taart met vanillevla en vruchten in het gezicht van mevrouw Elton gooide.

Nou ja, ik laat haar maar in haar sop gaarkoken. Ik wacht geduldig en speel het spelletje mee dat alles piekfijn in orde is, totdat ik merk dat ze het niet meer uithoudt. In elk geval is het misschien beter om haar uit de buurt te houden van taarten met vanillevla en vruchten.

Ik ben niet gebleven tot de hindernisquiz, sms ik terug. *Ik werd gearresteerd wegens overtreding van de opiumwet.*

Nu komt er weer snel een reactie: *Haha, leuk, hoor!*

Het is geen grap. Ik zit op het bureau.

'Isabel?' Hoofdinspecteur Vernon steekt zijn hoofd om de deur. Als hij me ziet, trekt hij zijn wenkbrauwen op. 'Dus je bent het inderdaad.'

'Dag meneer Vernon,' zeg ik. Ik zwaai gegeneerd naar hem. 'Ja, ik ben het.'

'Martin zei al dat de dochter van John Bookbinder hier zat, maar dat kon ik niet geloven.' Hij stapt verder naar binnen. 'Wat heb je allemaal uitgespookt, Isabel?'

'Echt, meneer Vernon, ik heb niets verkeerds gedaan. Het is misschien een beetje mijn schuld dat Robert is opgepakt, maar ik heb zelf niets gedaan wat niet mag...'

'Ja, ik heb al gehoord van een lap stof voor een jurk.' Hij kijkt me over zijn bril afkeurend aan, maar je kunt zien dat hij het niet echt meent. Hij is altijd al een soort knuffelbeer geweest. 'Echt, Isabel, er is met jou altijd wel iets aan de hand.'

Dat is niet helemaal eerlijk. De laatste keer dat er iets aan de hand was, en waarvan hij wéét, was toen mijn vader mij betrapte met Eddie Vernon; de knapste van de vijf zonen van hoofdinspecteur Vernon, we zaten tijdens de kerstdisco met een fles cider buiten de gymzaal. En dat is al bijna dertien jaar geleden.

'Het spijt me,' zeg ik, net op het moment dat mijn mobieltje aangeeft dat er alweer een sms'je binnenkomt. 'Maar u moet er Robert niet de schuld van geven,' zeg ik iets harder om boven het geluid van mijn mobieltje uit te komen. 'Hij dacht dat hij me een gunst bewees.'

Weer trekt Jack Vernon zijn wenkbrauwen op. 'Een gunst?

En daarvoor moest hij in het bezit zijn van honderdvijftig gram cannabis, een enorme hoeveelheid ecstasy en vijf gestolen pinpassen? Die wilde hij namelijk voor honderd pond per stuk verkopen.'

Shit. 'Daar weet ik niets van. Maar Robert zou niet met al dat spul Shepton Mallet in zijn gegaan als hij me niet had willen helpen.'

'Hij zou sowieso al die dingen niet in zijn bezit moeten hebben omdat hij in zijn proeftijd is. Ik vrees dat we hem gaan vervolgen.'

Ik verberg mijn gezicht in mijn handen. Tante Clem zal me zeker vermoorden.

'Maar in jouw geval lijkt me een waarschuwing wel voldoende.' Weer kijkt hij me afkeurend aan, en weer gaat het niet van harte. 'Je hebt je lesje vast wel geleerd.'

'O ja, absoluut. Maar meneer Vernon, wat Robert betreft...'

'Volgens mij kun je het beste naar huis gaan, Isabel,' valt hij me in de rede. 'Je vader zit hier al lang genoeg te wachten.'

'Mijn vader? Hier?'

'Ja, natuurlijk! Hij gaat heus niet gezellig verder met de barbecue terwijl zijn dochter door ons is opgepakt.' Hij stapt het verhoorkamertje uit en roept over de gang: 'John? Ze kan gaan.'

'Nee, ik kan best een taxi...'

Maar het is al te laat. Achter Jack Vernon verschijnt mijn vader, met zijn armen over elkaar geslagen en een gezicht dat op onweer staat.

In doodse stilte rijden we naar het station.

Ik heb nog nooit zo'n lange rit van tien kilometer meegemaakt.

Mijn vader geeft voortdurend plankgas, en dat doet hij alleen wanneer hij echt ziedend is. En wanneer hij schakelt, lijkt het alsof hij liever had gehad dat de pook mijn hoofd was.

Ik zou niet weten wat ik moest zeggen. Bij ieder ander zou ik me nu uitputten in excuses. Maar ik weet dat als ik ook maar een spoortje van zwakheid laat zien, hij zich op me zal storten als een hond op een bot. En voordat ik het weet begint hij dan te zeuren over elk klein misstapje dat ik ooit heb begaan. Mijn hele leven zal onder de loep worden genomen, alsof alles wat ik ooit heb gedaan een stapje was op de weg die leidde tot mijn arrestatie op de familiebarbecue, gewoon om mijn vader een hak te zetten.

Want laten we wel zijn, hij straalt duidelijk uit dat ik hem te schande heb gemaakt. Alsof de doodse stilte nog niet genoeg is, brengt hij me rechtstreeks naar het station, een overduidelijke aanwijzing dat ik niet langer welkom ben in zijn huis. Ik bedoel, daar ben ik natuurlijk blij om. Ik hoef niet per se naar zijn huis om me de hele avond de les te laten lezen terwijl mijn moeder wenend de overgebleven guacamole in de diepvries probeert te proppen. Maar ik zou het wel fijn vinden mijn moeder nog even te zien, gewoon om te weten dat het goed met haar gaat.

En ik zou het ook fijn vinden als er iemand was die zou willen weten dat het met míj verder wel goed gaat.

Uiteindelijk wordt de doodse stilte verbroken wanneer we op het verlaten parkeerterrein bij het station staan.

'Wanneer je in Londen bent,' zegt mijn vader, zo gespannen dat het lijkt of zijn stembanden uit strakke elastiekjes bestaan, 'moet je een paar mensen bellen.'

'Bellen?'

'Je moet tante Clem bellen en aanbieden Roberts advocaat te betalen.' Mijn vader telt de telefoontjes af op zijn vingers. 'Je moet oom Michael en tante Geri, en oom Midge en tante Aileen bellen om je verontschuldigingen aan te bieden omdat je de barbecue hebt verpest.'

Ik weet niet zeker of ik dat wel goed heb gehoord. Ik heb drie uur op het politiebureau gezeten, en mijn vader maakt zich alleen maar druk om zijn familieleden?

'En je moet Matthew en Annie bellen omdat je een schaduw over hun grote dag hebt geworpen. Ik heb ze al gezegd dat je met alle plezier wilt betalen voor de annonce in de *Telegraph*.'

Oké. Lara heeft het me al wel honderd keer gezegd: ik kan niets doen aan het gedrag van mijn vader, ik ben uitsluitend verantwoordelijk voor het mijne. Dus ga ik niet doen wat ik dolgraag zou willen, namelijk verdwijnen in het nachtelijk duister nadat ik eerst het portier heel hard achter me heb dichtgesmeten. Ik zal heel rustig en kalm blijven, en redelijk. Ik houd me aan de feiten.

'Hoor eens, pap, het spijt me echt van Robert. Maar ik heb hem heus niet gevraagd drugs te gaan kopen. En als hij niet was betrapt met gestolen pinpassen en een halve apotheek in zijn broekzak, zou hij net als ik zijn vrijgelaten.'

Mijn vader kijkt me aan alsof hij een hevige afkeer van me heeft. Na twintig jaar als hoofd van een school – en negenenvijftig als John Anthony Bookbinder – kan hij er niet tegen om zijn ongelijk aangetoond te krijgen. Daarom is het ook goed je aan de feiten te houden, want dan kan hij je er niet van beschuldigen dat je hysterisch of kinderachtig bent, zoals hij graag doet.

Heel rustig en kalm ga ik verder, al gaat mijn hart ook nog zo tekeer. 'Het spijt me als je je voor me hebt geschaamd. Uiteraard is dat nooit mijn bedoeling...'

'Heb ik me voor je geschaamd? En óf ik me voor je heb geschaamd!'

Oké. Ik wist wel dat ik hem geen pink had moeten geven; hij pakt altijd de hele hand.

'Isabel, ik schaam me voor je omdat ik mijn familie elk jaar op de barbecue moet vertellen dat je alweer voor een andere carrière hebt gekozen.' Dat 'carrière' komt er ontzettend spottend uit. 'Ik schaam me voor je omdat er nog steeds mensen zijn die me vragen wanneer je roman in de winkel komt te liggen, en dan moet ik ze vertellen dat je toch maar niet meer schrijft. Deze week ben je alweer aan iets onzinnigs begonnen, en binnenkort heb je daar vast genoeg van omdat je op alle fronten faalt en ga je weer iets anders doen, waarbij je er ook weer niets van bakt.'

'Ik faal nooit...'

Maar mijn vader begint nu op dreef te komen. 'Ik schaam me voor je omdat je bijna achtentwintig bent en nog steeds geen hypotheek hebt, geen spaargeld of andere financiële zekerheid,' gaat hij uiterst ijzig verder. 'Ik schaam me voor je omdat Marley getrouwd is en Matthew verloofd, en jij kunt een vriend nog niet lang genoeg vasthouden om hem mee te nemen naar de familiebarbecue.'

'Will moest weg voor zijn werk,' mompel ik. 'Daar kon ík niets aan doen.'

'Dus Isabel, je ziet dat ik het wel gewend ben me voor je te schamen. Maar wat er vandaag is gebeurd... Ik bedoel, kijk nou eens naar jezelf, Isabel. Ben je trots op jezelf? Ben je trots op wat je met je leven doet?'

'Nou, weet je, pap, mijn carrière in de mode gaat helemaal...'

Opeens, en zonder enige waarschuwing, slaat mijn vader met beide handen op het stuur. 'Zo is het wel welletjes!'

In doodse stilte blijven we een poosje zitten.

Dan maak ik de gordel los. 'Ik moet de trein halen,' zeg ik bibberig.

'Isabel...'

Ik open het portier en stap uit. 'Zeg maar tegen mam dat het me spijt.'

'Isabel!'

Ik draai me om. Ik weet zeker dat hij me nog verder de les wil lezen, en toch draai ik me om.

Hij is zelf ook uitgestapt, maar hij blijft naast de auto staan. 'Ik... Nou ja...' Hij lijkt niet goed te weten wat hij moet zeggen, en dat is niets voor hem. 'Heb je genoeg geld voor de trein?'

Zie je wel, hij denkt dat ik nog niet eens voldoende geld heb voor een ritje met de trein.

Ik draai me weer om. 'Ja, natuurlijk heb ik genoeg geld voor de trein.'

Het is overduidelijk dat hij zo weinig vertrouwen in me heeft dat hij zelfs dat niet gelooft. Want nadat ik een kaartje heb gekocht en naar het perron loop, zie ik zijn stomme, glimmende auto nog op het parkeerterrein staan. Hij zit natuurlijk te wachten totdat ik ook dit verpest.

Ik moet een kwartier wachten op de trein naar Londen. Het had erger kunnen zijn. Ik ga op een bankje zitten met een zacht geworden koek uit een automaat en scrol door de berichten op mijn mobieltje.

Er is antwoord van Nancy: *Bedankt voor je bericht. Zoals ik al zei heb ik iets anders geregeld, maar kun je de envelop maandag toch meenemen? Blij dat het goed met je gaat, ondanks het tragische lot van de joerten.*

Klinkt dat alsof ze me niet gelooft? Dat 'tragische lot van de joerten' klinkt spottend, maar of ze het ook zo bedoelt, kan ik niet zien aan zo'n berichtje. In elk geval verwacht ze dat ik maandag kom werken, dus ook al twijfelt ze aan mijn verhaal, ze ziet zich nog niet gedwongen me te ontslaan. Daar moet ik dan maar dankbaar voor zijn.

Er zijn ook vijftien sms'jes van Lara, in de trant van: *O god, je maakt geen grapje! Bel me!!! Moet ik je uit de cel komen halen? Moet ik contact opnemen met Will?*

Will. O ja, Will.

Het was zo'n drukke en merkwaardige middag dat ik helemaal niet aan hem heb gedacht. En dat was knap stom, want als advocaat had hij me vast binnen de vijf minuten uit dat politiebureau gekregen. Bovendien zou hij me hebben opgevrolijkt. Ik bedoel, het ging de afgelopen weken niet bepaald briljant tussen ons, maar hij zou me uit de put hebben kunnen halen.

Ik kijk op mijn mobieltje hoe laat het is. Halfacht. Op de Kaaimaneilanden is dat midden op de dag. Waarschijnlijk zit Will in een heel belangrijke bespreking. En ik weet dat hij het vervelend vindt om tijdens een heel belangrijke bespreking te worden gestoord. Daar kwam ik meteen de eerste dag achter, toen ik hem op zijn werk op zijn mobieltje belde. Na de derde keer bellen in drie minuten nam hij paniekerig op, en hij werd erg kwaad toen hij merkte dat ik hem belde omdat ik niet wist of ik voor de lunch een stokbroodje Franse kaas moest nemen of de salade met gegrilde kip. Achteraf gezien was die woede misschien terecht, want hij kon niet weten dat mijn vraag voortkwam uit angst dat hij me misschien een beetje te mollig vond.

Maar dit is iets heel anders. Dit gaat niet over broodjes of salades. Dit gaat over het feit dat ik gearresteerd ben geweest. En dat mijn vader denkt dat ik nergens voor deug. Dat ik heb gefaald.

Ik kan me niet herinneren dat mijn vader dat ooit eerder zo expliciet heeft gezegd. Toen hij me bij de gymzaal betrapte met Eddie Vernon en die fles cider, had hij het over een teleurstelling. Toen hij erachter kwam dat Lara en ik een dolle avond in Bristol hadden terwijl mijn moeder en hij dachten dat we bij Carolyn Duffie huiswerk zaten te maken, was hij ziedend omdat ik zo dom en onverantwoordelijk was. En zelfs toen ik een deuk veroorzaakte in de Corsa van mijn moeder nadat ik had gevierd dat ik was afgestudeerd, en hij wel twee weken doorging over die bumper en over mijn lage cijfers, zei hij nooit dat ik had gefaald.

En daarom zou ik zo graag Wills stem even willen horen. Zodat hij kan zeggen dat ik niet heb gefaald.

Ik bel naar zijn mobieltje, en kom meteen terecht op de voicemail. Verdomme, ik wil zijn stem wel horen, maar niet zo.

In mijn tas zoek ik naar mijn agenda, want daarin heb ik het nummer van het hotel op de Kaaimaneilanden genoteerd. Ik moet heel erg veel toetsen indrukken, en dan wacht ik totdat ik de receptie krijg.

'Grand Cayman Courtyard, waarmee kan ik u van dienst zijn?'

'O, zou u me alstublieft willen doorverbinden met de kamer van meneer Madison? Ik weet niet of hij er is... Anders kan ik misschien een boodschap achterlaten.'

'Natuurlijk mevrouw. Momentje graag.'

Er klinkt een klikje, en vervolgens een klassiek muziekje. Dan weer een klikje en een stem: 'Hallo?'

Wacht eens, dat is Will niet. Het is een vrouwenstem.

'O, sorry, dan ben ik zeker met de verkeerde kamer doorverbonden...'

'Met wie ik spreek?' vraagt de vrouw, met een zwaar accent. Is dat een Russisch accent?

'Ik... ik had gevraagd doorverbonden te worden met de kamer van meneer Madison.'

'Ja, dit kamer van Will,' zegt ze. 'Kan ik boodschap aannemen?'

Is dit kamer van Will? Ik bedoel: is dit de kamer van Will? Wat doet een vrouw met een Russisch accent daar?

'Bent u het kamermeisje?'

'Kamermeisje?' Nu klinkt ze zowel beledigd als Russisch. 'Nee, ik niet kamermeisje. Ik Julia Smirnova. Ik collega.'

Oké, misschien is ze in Wills kamer aan het werk of zo. Misschien zitten er enge beestjes in haar eigen kamer. Of misschien heeft ze last van de werklui die naast dit hotel een ander aan het bouwen zijn. Of...

'Will slaap,' gaat ze zacht verder. 'Maar is hier. Als nodig is, ik kan hem wakker maak.'

'Slaapt hij? Nu? Met u bij hem op de kamer?'

Midden op de dag? Will slaapt nooit overdag. Ook niet als ik hem aanmoedig een power nap te doen. De enige keer dat hij overdag wel eens in slaap valt, is na... Nadat we...

Ik krijg het nauwelijks over mijn lippen. Nadat we hebben gevrijd.

'Ja, hij slaap. Ik sliep ook,' zegt Julia, en dat vind ik nogal brutaal. Ik bedoel, dat ze toegeeft dat ze sliep naast de vriend van een ander.

'Dus jullie liggen samen in bed?'

'Natuurlijk!' Ze klinkt nu echt geërgerd. 'Wij werken! Wat wij anders moeten doen in middag?'

Ik weet niet wat ik moet zeggen.

'Als u naam en telefoonnummer geeft, ik vraag Will terug te bellen. Als hij heeft tijd.' Julia praat heel zacht, alsof Will de president van de Verenigde Staten is of zo, en die mag natuurlijk niet worden gestoord.

'Oké.' Ik kan weer wat zeggen. 'Nou, als hij tijd heeft, zeg hem dan maar dat Isabel heeft gebeld.'

'Isabel, oké. En hij weet wie u bent?'

Dat is me te veel. Ik hang op. En ik barst in snikken uit, waardoor mijn koek nog kledderiger wordt.

~~Lieve Will~~
~~Liegende, bedriegende~~

Will,

Wanneer je terugkomt van je zakenreisje naar de Kaaimaneilanden, zal het niet lang duren voordat het je opvalt dat ik niet meer bij je woon. Waarschijnlijk zal het
ook niet lang duren voordat het je opvalt dat ik je lieve-
lingsshirts in het bad heb gegooid en dat ze rijkelijk zijn
besprenkeld met bleekwater met frisse zeegeur. Zie je
wel? Ik wist best waar de schoonmaakmiddelen waren.

Ik weet zeker dat Julia en jij best nieuwe lichtblauwe
shirts kunnen kopen, dus ik zou er maar niet over inzit-
ten. Jullie kunnen een goed glas wijn op elkaar drinken en
blij zijn met jullie enorme salaris en geweldige kennis van
belastingwetten. Dat vind ik allemaal prima. Ik heb echter wel een klein verzoek ~~en als bedrogen vrouw heb ik
daar recht op~~: doe dat allemaal niet met bont aan. Talloze
aanbiddelijke dieren hebben in vreselijke smarten het
leven moeten laten om ~~die brutale slettenbak~~ je nieuwe
vriendin het fijne gevoel te geven dat ze een genie in met
nerts gevoerd ondergoed is. ~~Vergeet niet dat ik zomaar de
antibontmaffia op jullie af kan sturen. En vergeleken met
wat je dan over je heen zou krijgen, betekenen overhemden met bleekvlekken echt niets.~~ Will, alsjeblieft, denk
om de dieren.

Ik logeer bij Lara totdat ik een appartement heb gevonden, dus stuur de post maar door naar haar.

Ik weet dat je denkt dat ik een dom kuiken ben, Will.
Dat denkt iedereen. Maar ik ben geen dom kuiken. En ik
vind het ongelooflijk dat je me als dom kuiken hebt be-
handeld.

~~Je woedende~~

~~Je walgende~~
Niet langer de jouwe,
Isabel

GOEDE TIJDEN, SLECHTE TIJDEN

Deze week vertelt modeontwerper van internationale top-klasse Isabel Bookbinder over de moeilijkste dag van haar leven, en hoe ze daardoor werd aangespoord succesvolle hoogten te bereiken ~~waarvan niemand had gedacht dat ze het zou kunnen~~ waarvan ze niet had durven dromen.

Ik heb wel vaker moeilijke dagen gekend, maar deze zater-dag in september was de moeilijkste. Nadat ik was gearres-teerd voor iets wat ik niet had gedaan, en mijn vader me luid en duidelijk te verstaan had gegeven dat ik nergens voor deugde, kwam ik er ook nog eens achter dat mijn toen-malige vriend Will – de Will Madison van de nu beruchte Kaaimangroep, die op dit moment op de Kaaimaneilanden een gevangenisstraf van tien jaar uitzit vanwege zeer ern-stige belastingfraude – me had bedrogen.

Toen Julia – de Julia Smirnova van de beruchte Kaaiman-groep, die op dit moment op de Kaaimaneilanden een le-venslange gevangenisstraf ~~van tien jaar~~ uitzit wegens zeer ernstige belastingfraude en dierenmishandeling – de tele-foon in Wills hotelkamer opnam, had ik het gevoel dat mijn wereld instortte. Mijn koek viel inderdaad uit elkaar, en daardoor kwamen er chocoladevlekken op mijn jurk, maar dat merkte ik pas later. Op de een of andere manier wist ik het appartement in Battersea te bereiken waar Will en ik woonden, waar ik ~~al mijn aardse bezittingen in vijftien vuil-niszakken propte~~ mijn spullen rustig en waardig inpakte en vervolgens een taxi belde om me te laten vervoeren naar mijn beste vriendin Lara in Westbourne Grove.

Langzamerhand ging de moeilijkste dag over in de moeilijkste nacht. Misschien had dat te maken met de hoeveelheid cognac die we op haar dakterras tot ons hadden genomen. Zelf had ik liever wijn gedronken, maar Lara wilde per se aan de cognac, en omdat zij haar gevoelens altijd opkropt totdat ze met vruchtentaarten gaat gooien, paste ik me maar aan. Hoewel het goed begon, met positieve uitspraken zoals dat mannen echt nergens voor deugen, en we plannen maakten om op zoek te gaan naar een plaatselijke feministische actiegroep om lucht te geven aan onze woede, liep de boel algauw uit de hand. Ik geloof dat het allermoeilijkste moment plaatsvond in de kleine uurtjes. Ik herinner me vagelijk dat ik alleen maar kon huilen en dat ik toen ook nog die chocoladevlek op mijn jurk ontdekte. Ik schaam me er nu voor, maar op dat ogenblik leek het of er nog maar één optie voor me openstond, en dat was er een einde aan maken.

In het kille ochtendlicht, en met een kater en het misselijke gevoel dat alleen wegtrekt als je heel veel geroosterde boterhammen eet, zat ik in Lara's logeerkamer mijn leven te overdenken. Ik was gearresteerd, ik was gekleineerd en ik was bedrogen. Toen besefte ik dat er iets moest veranderen. Op dat moment nam ik geloof ik de beslissing dat ik ze eens iets zou laten zien.

Vol ongekende hartstocht stortte ik me met hart en ziel op mijn werk. Ik begon onder aan de ladder als personal assistant voor de muze van internationale topklasse Nancy Tavistock. Algauw was ik opgeklommen tot haar rechterhand. Daarna was het slechts een kwestie van tijd of ik was ook Lucien Blacks rechterhand geworden. Op een dag bood Lucien me aan zijn andere label te creëren, en die kans greep ik aan. Een paar maanden later, na uitstekende recensies in de modebladen, ook van die enge Anna Wintour ~~en die ene met de kuif~~ vertrok ik bij Lucien Black om met steun van

Nancy en hem een eigen label op te zetten. De rest is nu ge-
schiedenis.

Isabel Bookbinders nieuwste geuren, ~~Dark Day van Isabel
Bookbinder en Dark Day For Men van Isa~~ Jour Noir d'Isabel
Bookbinder en Nuit Noir Pour Hommes d'Isabel Bookbinder
zijn nu verkrijgbaar.

11

Er wordt toch gezegd dat tegenslag je sterker maakt? Nou, misschien was ik daarom voor dag en dauw op. Ik moet alles op alles zetten voor mijn geheel eigen look op mijn eerste dag als meisje van *Atelier* en als fashionista.

Ik bedoel, ik begeef me in heel andere kringen dan ik gewend ben. Deze meisjes... O nee, ik moet vrouwen zeggen, want ik ben nu feministe. Deze vrouwen geven zonder ook maar met hun ogen te knipperen hun salaris van drie maanden uit aan een Zagliani-tas van pythonleer. Deze vrouwen zouden hun eigen oma nog verkopen voor een vintage YSL-smoking. Ik moet toch eens kijken hoe zo'n smoking eruitziet. Deze vrouwen kennen wel tien verschillende uitdrukkingen voor bruin.

Mijn heel eigen look bestaat nu uit:

1. Een indigoblauwe broek met rechte pijpen (géén spijkerbroek!) van Paper Denim & Cloth waarin ik er bijna een maatje kleiner uitzie dan ik ben, en mijn kont lijkt een heel klein beetje op die van Jessica Alba.

2. Een wit shirt, met de knoopjes los tot waar het niet meer fatsoenlijk zou zijn, zodat de aandacht wordt gevestigd op mijn sleutelbeenderen die best oké zijn, en de aandacht wordt afgeleid van het bewijs dat ik deze maand misschien iets te veel heb gegeten.

3. Mijn gloednieuwe zwarte blazer van Reiss waardoor ik in deze nazomerse hitte bijna zal bezwijken, maar waarmee ik

bij mijn nieuwe collega's ook aantoon dat je geen zomer-
kleren hoeft te dragen omdat het zomers lijkt, en dat je je
best aan de seizoenen kunt houden, ook al ga je bijna van
je stokje.

4. Platte instappers van LK Bennett in de kleur bruin. Of moet
ik chocoladebruin zeggen, of mokka, of rauwe omber? In
elk geval ogen ze alsof ik er weinig aandacht aan besteed,
maar ze hebben een plateauzool, zodat ik voldoe aan even-
tuele door Anna Wintour ingestelde eisen aan hakhoogte
op de werkvloer.

5. Mijn smaragdgroene enveloptas van Mikkel Borgessen. Er
is nauwelijks plek voor mijn mobieltje, pinpas en lippenstift, maar ik heb geen andere tas van een ontwerper, en
deze is zo mooi dat zelfs liefhebbers van Zagliani jaloers
zullen zijn.

Ik denk dat het zo goed is. Ik hoop dat het goed is.

Want het is al bijna negen uur en ik moet over tien minuten
op mijn werk zijn. Ik heb geen tijd meer om iets anders aan te
trekken.

Ik sta in de rij bij Starbucks aan High Holborn – sorry, Barney – wanneer mijn mobieltje zich laat horen. Gauw knip ik
mijn tasje open, waarbij ik de vrouw achter me jaloers hoor
zuchten, en kijk wie er belt.

Mijn moeder. Ze heeft me de vorige dag ook een paar keer
gebeld, maar toen nam ik niet op. Toen zei Lara dat mijn moeder misschien bijna een hartverzakking kreeg omdat ik misschien in een kraakpand vol verslaafden was gaan wonen, dus
stuurde ik een sms'je waarin ik vertelde dat alles goed ging en
dat we elkaar de volgende dag zouden spreken.

'Mam?'

'O, Isabel! O, lieverd!'

Ik laat haar een poosje snikken en snuffelen, en terwijl ik met
mijn beker koffie in de hand de straat op stap, zeg ik: 'Mam,

dit is allemaal helemaal niet nodig. Dat met die drugs was een grote vergissing.'

'O, ik ben blij dat je dat beseft, lieverd.'

'Nee, ik bedoel dat het een misverstand was. De politie liet me gewoon gaan, zonder aanklacht.'

'Dat is fijn,' zegt mijn moeder op een toon waardoor ik weet dat ze niet echt luistert. 'Honnepon, je weet toch dat ik niet boos op je ben?'

'Fijn, mam. Maar ik heb een beetje haast...'

'Nou ja, ik ben natuurlijk wel boos, een heel klein beetje,' gaat ze verder. 'Maar dat verandert niets aan het feit dat je de komende moeilijke weken kunt rekenen op mijn... Wacht even... Op mijn volledige en onvoorwaardelijke liefde en steun.'

Waarom zouden de komende weken moeilijk zijn? 'Mam, ik weet niet of pap het je heeft verteld, maar ik heb er niet in toegestemd de kosten van tante Clems advocaat te betalen. Ik wil Matthew en Annie best mijn excuses aanbieden, maar...'

'Daar ben ik blij om, Iz-Wiz. Het is heel belangrijk dat je het goedmaakt.'

'Goedmaken?'

'Ja, schat. Het is een heel belangrijk onderdeel van het proces, heb ik me laten vertellen.'

'Proces?' Ik ben net een papegaai. Maar ik snap dan ook echt niet waar mijn moeder het over heeft.

'Het afkicken, Isabel! Wat dacht je dan? Ik weet niet of je op zoek bent naar iets in Londen, of dat je liever terugkomt naar Somerset... Gisteren heb ik op internet gezocht, en er zijn hier heel goede klinieken. Dat verbaasde me, maar toen herinnerde Barbara me aan al die lui met hun glazige blikken bij Glastonbury. Ik zal je een paar brochures sturen zodra die gekomen zijn, dan kun je zelf je keuze bepalen.'

'Mam, ik hoef helemaal niet naar een afkickkliniek!'

'Weet je dat heel zeker, lieverd? Tegenwoordig kleeft daar

heus geen stigma meer aan. Vooral niet binnen jouw beroep. En in de Priory doen ze aan heel interessant netwerken.'

'Nee, mam, ik wil niet naar de Priory!' Ik ben bij het gebouw van Mediart aangekomen, en anderen die naar binnen gaan, kijken me bevreemd aan. Sommigen lijken heel goed te weten waarover ik het heb. 'Mam, voor de honderdste keer: het was een misverstand. Vandaag is voor mij een grote dag, dus mag ik nu aan het werk zonder dat jij je zorgen om me maakt?'

'Werk?'

'Ja, werk. Mijn stageplaats. Dat heb ik je zaterdag verteld, weet je nog?'

'O ja. Dat was ik vergeten... Zeg Iz-Wiz, heb je dan nog wel tijd om voor Underpinnings te ontwerpen? De collectie die Barbara voorstelde?'

'Die jíj voorstelde, toch zeker?'

'Sorry dat ik je wil helpen in je carrière, hoor!'

'Het gaat prima met mijn carrière, mam. Deze baan... Ik bedoel, deze stageplaats kan grote dingen tot gevolg hebben.'

'O.' Mijn moeder klinkt bezorgd. 'Dus dan heb je geen tijd voor Underpinnings?'

Ik zucht eens diep. 'Ik maak wel tijd, mam. Oké?'

Want hoewel de dames die bij Ron en Barbara komen niet helemaal beantwoorden aan het beeld van de vrouw voor wie ik ontwerp, kan ik hen nu niet meer teleurstellen, toch? Ik moet maar gauw eens iets leren over kleding maken, zodat ik tenminste kan zomen. Maar een heel korset zal lastig zijn...

'Fijn, lieverd. Want... Nou ja, normaal gesproken zou ik zoiets niet tegen je zeggen, maar ik denk dat het erg belangrijk is dat je iets voor Underpinnings doet. Je vader...'

'Ja, mam, ik weet best dat pap denkt dat ik wel weer zal falen. Hij heeft zaterdag gezegd dat ik nergens voor deug.'

'Wat? O, maar lieverd, dat denkt hij niet echt, hoor. Ik wilde alleen maar zeggen dat het fijn zou zijn als je iets kon bewijzen, als je met iets concreets zou komen... Als je iets kon laten zíén.' Ze raakt helemaal in de war. 'Maar ik wil je niet onder druk zetten, honnepon. Niet nu je het toch al zo zwaar hebt met die drugs.'

Ik geef het op. 'Mam, ik moet nu echt hangen. Bel me later maar weer, goed?'

'Goed, kindje. Bij je thuis?'

'Nee! Ik bedoel, niet thuis.' Misschien moet ik haar nog maar niets vertellen over Will. 'Op mijn mobiel. Of weet je wat? Ik bel jou wel. O, en mam? Het was een fijne barbecue, dank je wel. En de guacamole was heerlijk.'

'Ja?'

'Ja, echt waar. Dag mam!'

Het was een van de fijnste ervaringen van mijn leven om door de draaideur van het Mediart-gebouw te lopen. Ik bedoel, ik voelde me net als in een reclame voor douchegel, of voor weg-werpcontactlenzen. Door de lobby liepen allemaal stijlvolle, goed ogende lieden met prachtig geföhnd haar, en heel knappe beveiligers flirtten met me terwijl ze een pasje voor me maak-ten. Het was helemaal top.

Maar dat is al een uur geleden. En sindsdien... Nou, ik zal er niet over liegen, maar het was bepaald niet top.

Ten eerste drong het al na een paar minuten tot me door dat ik de verkeerde outfit had gekozen. Iedereen is al een seizoen verder en draagt voorjaarskleding. Die bestaat blijkbaar uit vintage jurkjes en driekwartbroeken in pastelkleuren. En daar kan ik me best op verheugen. Maar in mijn broek met rechte pijpen en mijn zwarte jasje voel ik me een oen op modegebied. Bovendien is het veel te warm.

Maar dat is niet het enige waarom het allemaal niet zo leuk is als ik had verwacht. Het ligt aan Lilian. Ik had zo'n beetje gehoopt dat ze haar dag niet had toen ik voor dat sollicitatiegesprek kwam. Maar dat is dus niet zo. Terwijl ik anderhalf uur wachtte totdat Nancy zou komen, legde ze me uit hoe alles hier werkt. Ik heb zoiets al eerder meegemaakt, en zulke dingen zijn altijd hopeloos saai, maar Lilian spant de kroon.

Ik bedoel, je zou toch denken dat je bij *Atelier* een kijkje in de garderobekasten krijgt en dat ze je vertellen waar je de beste sushi kunt bestellen. Maar nee. Sinds kwart over negen heb ik allerlei andere dingen ontdekt.

1. Documenten met minder dan twintig pagina's kunnen worden geniet met een nietje uit het zwarte nietapparaatje, en documenten met meer dan twintig pagina's moeten worden geniet met een nietje uit het rode nietapparaat.
2. Telefonische boodschappen die niet erg belangrijk zijn, moeten worden genoteerd op het witte blokje, en telefonische boodschappen die heel erg belangrijk zijn, op het roze.
3. Lilian beheert de sleutel van de kast met kantoorbenodigdheden, en Lilian zou liever onder de vreselijkste martelingen bezwijken dan verklappen waar ze die sleutel bewaart. En dat is maar een klein beetje overdreven. Wie iets uit die kast wil hebben, moet drie uur van tevoren een schriftelijk verzoek indienen, en dat laten tekenen door Nancy.
4. De technische dienst is te bereiken onder nummer 312, de schoonmakers onder nummer 213, en de postkamer onder nummer 123.
5. Als ik per ongeluk het nummer van de ene dienst intoets terwijl ik eigenlijk een andere moet hebben, ontploft mijn telefoontoestel en gaan we allemaal dood. Oké, ik overdrijf weer, maar ik krijg hier echt genoeg van.

Om heel eerlijk te zijn zou ik het liefst mijn oorlelletjes over de gehoorgang van mijn oren nieten, gewoon om Lilian niet meer te hoeven horen.

'Dan zal ik je nu de regels voor het gebruik van het foto-kopieerapparaat uitleggen,' zegt ze terwijl ze me voorgaat naar een soort hok waar een paar grote fotokopieerapparaten staan, en waar het heel hinderlijk zoemt. 'Het kleine apparaat is voor gewone zwart-witkopieën, maar als je iets in kleur wilt, moet je het grote gebruiken. En wanneer je een kleurenkopie wilt, moet je eerst naar mij toe komen en me vragen om de code om het apparaat te kunnen opstarten.'

Oké, ik heb het gehad.

Ik bedoel, als ik fashionista wil zijn moet ik heel veel meer weten dan het gebruik van fotokopieerapparaten. Nancy kan elk moment komen, en ik heb nog niets gehoord over de dingen die ik zou moeten weten.

'Wauw, Lilian, geweldig!' Ik kijk haar stralend aan, want ik wil niet negatief overkomen. 'Maar weet je, ik kan heel goed met fotokopieerapparaten overweg. Waar ik eerst werkte, deed ik er heel veel mee.'

Lilian kijkt me met grote ogen aan. 'Maar deze heb je nog nooit gebruikt.'

'Nee, maar een kopieerapparaat is een kopieerapparaat, niet-waar?' Ik lach een beetje. 'Er zijn vast heel andere dingen die ik hier moet weten en die alleen iemand als jij me kunt vertellen.'

'Zoals wat?' vraagt ze achterdochtig.

'Nou, bijvoorbeeld hoe hoog onze hakken moeten zijn. Ik bedoel, is er een minimumhoogte? Of is alles oké zolang je maar geen ballerina's draagt?'

Lilian fronst haar wenkbrauwen. 'Eh... Volgens mij heeft Claudia nooit iets gezegd over de hoogte van hakken.'

'Nou ja, misschien zijn er geen geschreven regels, maar wel ongeschreven.'

'Zelfs dat niet.'

O. Blijkbaar heeft die arme Lilian het zo druk met de regels over de nietapparaten en het fotokopiëren dat ze sinds de tijd dat ze hier werkt geen kans heeft gezien de echt belangrijke dingen te doorgronden. 'En koolhydraten? Zijn die volstrekt verboden, of is af en toe een boterhammetje in orde?'

'Isabel, ik weet niet waarover je het hebt.' Lilian schuift haar bril hoger op haar neus. 'Waar heb je in godsnaam allemaal gewerkt?'

Ik geef het op. Ik moet dit soort dingen later maar te weten komen van iemand die van wanten weet. 'Och, elke werkplek heeft zo zijn regels, weet je.'

Ze lacht triomfantelijk. 'Dus dan weet je waarschijnlijk níet wat de correcte manier is om dit fotokopieerapparaat te bedienen! Nou, bij ons hangt alles ervan af of iedereen een lege cartridge meldt, dus...'

Gelukkig. Haar mobieltje.

'O, het is Claudia. Ik moet opnemen.'

'Ga je gang, hoor,' zeg ik met een achteloos gebaar.

'Weet je wat? Ga jij vast naar je bureau en kijk of je alles nog weet van wat ik je heb verteld.'

'O ja! Dat nieten gaat vast niet vanzelf!'

12

Terwijl Lilian wegholt, waarschijnlijk naar de kast met kantoor-nodigdheden, ontsnap ik gauw uit het hok met de fotokopieer-apparaten en doe alsof ik naar mijn bureau bij Nancy's werk-kamer ga. Maar dat ben ik helemaal niet van plan. Ik ben hier nog maar net, verdikkie! Ik wil niet de indruk wekken dat ik zo'n zielig figuur ben met een stel nietapparaten en notitie-blokjes in verschillende kleuren, met schoenen met te lage of te hoge hakken aan, en met het verkeerde eten voor de lunch. Als ik op die manier begin, kom ik nooit hogerop.

Ik been zo zelfverzekerd als ik kan naar het open middenge-deelte. Sinds ik hier ben, zijn er meer mensen gekomen. Ze zit-ten achter hun bureau te telefoneren of iets met de computer te doen. Zo op het eerste gezicht ziet het er saai uit. Maar waar-schijnlijk telefoneren ze met Kate Moss, om haar vast te leggen voor een fotoshoot in Mexico. En degenen die bezig zijn met de computer, mailen waarschijnlijk met Stella McCartney om haar te vragen de nieuwste schoenen met ethisch verantwoorde hoge hakken op te sturen, en om te zeggen dat het leuk was haar laatst in Zuma te hebben gesproken.

Er staan een paar meisjes in de buurt. Een draagt een vin-tage jurkje met een verpleegsterscape, een heel eigen stijl, mag ik wel zeggen. Ze pakt een erg grote koffer in. Een ander meisje, met een bleekroze driekwartbroek en een hemdje aan, en met aan haar voeten schoenen met torenhoge plateauzolen

– er bestaat dus inderdaad geen regel wat hakken betreft – vinkt dingen af op een klembord. Wanneer ik dichterbij kom, kijkt ze even op en lacht naar me. 'Hoi. Wauw, mooie tas, zeg!'

Kijk, zo had ik het me dus voorgesteld. Ik lach stralend naar haar. 'Dank je. En ik vind je eh... hemdje geweldig.'

O. Dat klinkt niet echt goed. De volgende keer kan ik beter een complimentje geven over schoenen.

'Eh... Is het vintage?'

'Nee.' Ze kijkt me bevreemd aan. 'Topshop.'

'Aha.' Ik knik alsof ik er alles van weet. 'Topshop. Uiteraard. Daar haal ik ook al mijn hemdjes vandaan.'

'O. Oké.'

O god, heb ik iets gezegd wat een fashionista nooit zou zeggen? Was dit een faux pas? Zullen ze me een halvegare idioot vinden? Of erger nog: burgerlijk?

'Afgezien van de hemdjes die ik bij C&C California koop, natuurlijk,' zeg ik gauw. 'Of eh... bij American Apparel.' Jezus, waar is het cool om je hemdjes vandaan te halen? 'Rick Owens!' roep ik met een piepstemmetje uit. 'Bij Rick Owens hebben ze geweldige hemdjes!'

Ze kijkt me aan of ik niet goed bij mijn hoofd ben. 'Spaar je soms topjes?'

'O nee! Nee, ik ben er alleen in geïnteresseerd. Ik ben in alles geïnteresseerd wat met mode te maken heeft.'

'Dus je hebt werkervaring?' vraagt het meisje. Misschien vraagt ze dat omdat ze niet goed weet of ze de beveiliging moet bellen of niet.

'Ik ben Nancy's nieuwe personal assistant. Ik heet Isabel.'

'O, dus jij komt in de plaats van Ruby?'

'Ja!'

'We hebben al veel over je gehoord,' zegt ze. 'Klopt het dat Bianca Jagger je peetmoeder is?'

Shit.

'Peetmoeder, inspiratie, humanitair...' antwoord ik vagelijk, met een wegwerpgebaar. 'Sorry, hoe heten jullie ook alweer?'

'O... Ik ben Cassie, en dat is Elektra.'

'Cassie en Elektra,' herhaal ik. Dat moet je doen wanneer je wordt voorgesteld, want dan vergeet je de namen niet zo gauw. Hoewel, een naam als Elektra zal me heus wel bijblijven... 'Ik verheug me erop met jullie samen te werken.'

'O, dat zal niet vaak voorkomen,' zegt Cassie. 'Jij zit bij Nancy, en wij zijn modeassistent, dus we zijn hier niet vaak.' Ze gebaart naar de koffer. 'We zijn aan het pakken voor een fotoshoot in de woestijn van Nevada.'

'Wauw, jullie boffen maar!'

'Ja, nou.' Cassie rolt met haar ogen. 'Een reis van achttien uur met vijf zware koffers, en dan twee dagen in de felle zon staan en Eve Alexander in te kleine hotpants hijsen. Goh, wat boffen we weer.'

Eve Alexander? Dus de spoedbestelling met kant is voor een jurk?

'Denken jullie dat Lucien Blacks jurk op tijd klaar is voor de fotoshoot?' vraag ik achteloos.

Cassie fronst haar voorhoofd. 'Volgens mij nemen we niets van Lucien Black mee. Toch, Elektra?'

'Fuck.' Elektra komt overeind en strijkt een vochtige lok zwart haar uit haar ogen. 'Moet er ook nog iets van Lucien Black in de koffer? Heb je bij Tania gecheckt of alles was binnengekomen?'

'Ja, dat heb ik bij Tania gecheckt. Ze zei niets over iets van Lucien Black.' Cassie ziet eruit alsof ze elk moment kan gaan huilen. 'Jezus, dan moet ik Tania weer wakker maken... Hoe laat is het nu in Las Vegas?'

'Nee, wacht! Je hoeft Tania niet te bellen!' Goh, heb ik bijna gezorgd voor een internationaal incident... 'Ik vroeg het omdat

Lucien Black bezig is met iets speciaals voor Eve Alexander. Maar het is vast niet voor deze fotoshoot.'

Cassie kijkt me met grote ogen aan. 'Iets speciaals?'

'Ja. Een cocktailjurkje, geloof ik. Met kanten inzetten.'

'O. Nou, deze fotoshoot heeft als thema Lolita op rolschaatsen.'

'Oké.' Ik knik alsof ik precies weet waar ze het over heeft. 'Lolita op rolschaatsen. Geweldig.'

'Hotpants, zonnebrillen... Een cocktailjurkje klinkt meer naar iets wat Eve zou dragen tijdens een evenement.' Cassie kijkt Elektra om bevestiging vragend aan. 'Toch?'

Elektra knikt. 'Ja, volgens mij wel. Kom op, Cassie, hoe waarschijnlijk is het dat Tania voor deze fotoshoot iets uit Lucien Blacks collectie voor het volgende seizoen zou willen?'

Cassie trekt een gezicht. 'Je hebt gelijk. Dat zou Eve nooit aan willen trekken.'

Dit is merkwaardig. Wat heeft die Tania tegen Lucien Blacks kleding? En waarom zou Eve Alexander die kleding niet willen aantrekken? Eve Alexander is het gezicht van Lucien Black. Ze is al twee jaar de ster van zijn reclamecampagne.

'Is Eve Alexander dan echt zo lastig?' vraag ik in de hoop op een sappige roddel.

'O nee, ze is een echte lieverd,' antwoordt Cassie. 'Veel aardiger dan de meesten. Breek me de bek niet open over...'

'Cassie? Elektra?'

O god, Lilian komt eraan.

'Claudia wil dat de bespreking van vanmorgen een kwartier eerder begint,' zegt Lilian. 'Kunnen jullie daar nu naartoe?'

Weer verschijnt die overspannen uitdrukking op hun gezichten. 'Wil ze de inventaris doornemen?'

'Neem maar mee wat jullie al hebben,' reageert Lilian. 'Maar meisjes, zouden jullie er niet al mee klaar moeten zijn?'

Ik vind het heerlijk om de boze blikken te zien die Cassie en Elektra Lilian toewerpen wanneer ze haastig naar de werk-

kamer van de redacteur gaan, vooral wanneer Lilian mij aankijkt en haar armen over elkaar slaat.

'Isabel, zou jij niet achter je bureau moeten zitten? Er zijn
al twee telefoontjes voor Nancy binnengekomen, en die heb ík
moeten noteren.'

'Het spijt me, Lilian. Ik bel meteen na de bespreking terug.'

'Jij hoeft niet aanwezig te zijn.'

'O. Dat is lief van je, maar ik wil graag zoveel mogelijk doen,
zeker in de eerste dagen...'

Lilian zet haar handen in haar zij. 'Ik bedoel dat jij niet meedoet aan de bespreking. Je bent maar een personal assistant,
Isabel. Personal assistants gaan niet naar besprekingen.'

'O.' Dat is een grote teleurstelling. 'Maar Nancy is er nog
niet. Ik bedoel, moet ik geen aantekeningen maken of zo?'

'Nee.' Lilian geeft me twee papiertjes. Witte, dus niet met
echt belangrijke boodschappen. 'Kun je deze twee telefoontjes
alsjeblieft afhandelen, Isabel?'

'Uiteraard. Het spijt me. Ik handel ze meteen af.'

Eenmaal achter mijn bureau buiten Nancy's werkkamer kijk
ik naar de twee papiertjes. Van wie is de eerste boodschap? Jasmine? O, heette het meisje met wie Ruby toen aan het telefoneren was niet Jasmine? Ruby zou haar geloof ik laten weten
wanneer de spoedbestelling was aangekomen. Nou, omdat volgens wat Lilian heeft genoteerd, Jasmine alleen maar wil dat
Nancy haar zo gauw mogelijk terugbelt, kan ik de boodschap
wel gewoon doorgeven.

Trouwens, de tweede boodschap is een stuk spannender.

Lucien Black. 10.32. Terugbellen naar atelier.

Kijk, nu moet ik natuurlijk meteen terugbellen. Lucien probeert zijn zakenpartner Nancy te pakken te krijgen, en ook al
heeft Lilian een wit papiertje gebruikt, het kan best dringend
zijn. Een noodgeval op muze-gebied of zo.

Ik kijk op de lijst telefoonnummers die op de zijkant van de computer zit geplakt. Ja, daar staat het nummer van Luciens atelier in Spitalfields.

Na acht keer overgaan wordt er aan de andere kant van de lijn opgenomen. 'Nancy?'

'Nee, u spreekt met Nancy's personal assistant, Isabel. Spreek ik met Lucien Black?'

'Jawel, maar... Met wie zegt u?'

Ik heb zijn stem al eens eerder gehoord, toen er op tv iets over de London Fashion Week was. Maar nu de camera's niet draaien, is zijn Ierse accent duidelijk te horen. Eigenlijk best sexy.

'Ik ben Isabel Bookbinder, Nancy's nieuwe personal assistant.'

'Waar is Nancy dan?'

'Nancy is er nog niet, meneer Black. Maar misschien kan ik iets voor u betekenen?'

Er klinkt zo'n geweldig lawaai dat ik heel even denk dat de telefoon gaat ontploffen. 'Waarom is ze er niet?'

'Ik... Eh...'

'Ze is hier een uur geleden al weggegaan!'

Ik zet mijn meest geruststellende stem op. 'Nou, soms duurt het erg lang om door het Londense verkeer te komen, vooral op maandagochtend.'

Een ijzige stilte. 'Ben je soms van de filemeldingen?'

'Nee, ik...'

'Hang je in de lucht? Heb je permanente toegang tot satellietbeelden?'

Oké, ik kan hier best tegen. Hij is nu eenmaal een *enfant terrible*. Al klinkt hij eerder als een verwend rotjoch. Och, hij zal temperamentvol zijn. Dat heb je met creatieve genieën. 'Nee, meneer Black, ik wilde alleen maar zeggen... Kan ik misschien iets voor u doen?'

'Dat betwijfel ik, schat.' Dat 'schat' klinkt niet erg lief. 'Ik moet Nancy hebben.'

Ik probeer het nog maar eens. 'Meneer Black, ik ben Nancy

dan wel niet, maar als u op zoek bent naar eh... inspiratie, kan ik misschien iets voor u doen.'

'Inspiratie?'

'Nou ja, misschien een inspirerend woord voor uw sfeerbord? Ik heb namelijk heel veel van dat soort woorden, en u mag er best een van gebruiken.'

Op dat moment had hij moeten zeggen: echt? Ontwerp je ook? Maar dat doet hij niet. Hij zegt helemaal niets.

'Laatst heb ik bijvoorbeeld het woord "mooi" gebruikt.' Hij kan niet weten wat voor lelijks Diana Pettigrew daarover heeft gezegd. 'Of misschien is "stad" beter? Ik weet niet of u geïnteresseerd bent in t-shirts van microvezelstof, en in combatbroeken... Eh...' Het woord 'soepel' houd ik liever voor mezelf. 'Wacht, ik heb er vast wel meer.'

'Broodrooster.'

'Pardon?'

'Broodrooster,' zegt hij nog eens. 'Ik weet niet waar je het allemaal over hebt, maar het enige woord waarin ík geïnteresseerd ben, is: broodrooster.'

De Broodrooster Collectie? Wat zou dat voor kleding zijn? Dingen waar je warm van wordt? Met zwarte randjes? Nou ja, hij is het creatieve genie.

'Dat zou kunnen werken,' zeg ik.

'Maar het werkt dus niet! Daar draait het verdomme allemaal om!' Hij ontploft weer. 'Daarom probeer ik Nancy te pakken te krijgen, stomme trut! Omdat het broodrooster niet werkt, en omdat er niemand is om iets te eten voor me te gaan halen en ik verdomme omkom van de honger! Er is hier niets dan een godvergeten brood, en ik kan geen geroosterde boterhammen maken, godsamme!'

O... Ik snap het. En ik schaam me diep omdat ik het eerst niet begreep.

Maar híj zou zich dieper moeten schamen. Hij is een volwassen man die over de rooie gaat omdat hij niet weet hoe het broodrooster werkt. En daarom belt hij zijn zakenpartner, om dit probleem op te lossen.

Gelukkig komt Nancy eraan, precies op tijd.

Ze loopt niet bepaald als een topmodel met de heupen naar voren gekanteld en één hand in de zij. Zoals ze er aan komt stappen lijkt op hoe ze waarschijnlijk door de supermarkt beent. Het is een waanzinnig slecht gehumeurde manier van lopen, alsof ze er genoeg van heeft. Ze heeft haar schouders, die breed en knokig zijn – wat goed te zien is door dat jurkje met halterlijn dat ze draagt – zo hoog opgetrokken dat ze bijna tegen haar op kroonluchters lijkende oorbellen aan komen. En ook al heeft ze een enorme zonnebril van Oliver People op, toch is de frons op haar gezicht duidelijk waarneembaar. Ze heeft niet alleen een pauwblauwe Tavistock-tas, maar over haar schouder heeft ze ook nog een kledingzak hangen alsof het iets smerigs is dat ze bij de vuilnis wil zetten.

Ze ziet eruit als een Amazone, prachtig en angstaanjagend.

O god, ze zal toch niet net zo blijken te zijn als mijn vorige werkgever Katriona de Montfort? Eerst een en al liefheid en zonnestraaltjes, om dan zodra je echt voor haar werkt te veranderen in een soort vuurspuwende draak? Was dat sms'je dat ze me zaterdag stuurde bedoeld om me naar de werkplek te lokken zodat ze me toch verschrikkelijk op mijn kop kan geven over dat misverstand met de spoedbestelling?

Met een misselijk gevoel spring ik op. 'Nancy! Ik heb net Lucien aan de lijn...'

'O god.' Met een ruk zet ze de zonnebril af en kijkt me aan met ogen met donkere kringen eronder. Zo te zien heeft ze het hele weekend geen oog dichtgedaan. 'Weet hij het al?'

'Volgens mij eh... weet hij van niets. Hij belt vanwege een broodrooster.'

Nancy knippert met haar ogen. 'Een wat?'

'Nou ja, ik geloof dat hij wil ontbijten, maar...'

Plotseling brengt Nancy haar mond heel dicht bij mijn oor. 'Is hij soms dronken?' fluistert ze.

'Dat weet ik niet,' fluister ik terug. Ik voel me net alsof ik in een oorlogsfilm met spionnen ben beland, en niet op de redactieburelen van een modetijdschrift. 'Hij klinkt niet dronken.'

'Slikt hij klanken in?' vraagt Nancy. Ze vergeet zeker dat ik de hoorn in mijn hand heb, en maar een klein eindje bij haar mond vandaan. 'Slaat hij wartaal uit?'

'Nee, hij...' Ik ga over op fluisteren. 'Hij snauwt. En hij is ongeduldig.'

'O, gelukkig.' Nancy beent langs me heen haar kantoor in. 'Dan is hij nuchter. Verbind hem maar door.'

Moet ik hem doorverbinden? Ik kijk naar de telefoon met al die knopjes en doe mijn best me te herinneren wat Lilian heeft gezegd over doorverbinden. Als ze daar al iets over heeft gezegd. 'Nancy is net binnengekomen, meneer Black,' zeg ik in de hoorn, en ik druk hoopvol op een knopje waar een 2 bij staat. 'Ik verbind u door.'

Nou ja, ik verbreek de verbinding.

'Waar is hij?' Nancy kijkt me aan door de openstaande deur en zwaait met haar telefoon.

'Het spijt me... Mijn schuld...'

'Geeft niet.' Nancy slaakt een diepe zucht, maar toetst zelf al het nummer in. 'Ik bel wel terug. Kun je even hier komen en dit ophangen?' Ze houdt de kledingzak omhoog.

'Natuurlijk!' Meteen spring ik op. 'Waar moet het?'

'Achter deze deur... Lucien?' zegt ze in de telefoon. 'Hoi, met mij... Jezus, Lucien, mag ik onderweg niet eens koffie gaan halen? ... Kom op, zeg, dit is haar eerste dag... Nee, ze is niet gestoord...'

Gauw draai ik me om en hang de kledingzak aan de kastdeur, zodat ze me niet kan zien blozen.

'Bel je dáárvoor? Godallemachtig, Lucien, alsof we niets belangrijkers dan jouw ontbijt hebben om ons druk over te maken... Ja, oké.' Ze klinkt geduldig, maar ondertussen verraadt ze zich door op het bureaublad te roffelen. 'Zit de stekker in het stopcontact? Staat hij wel aan? ... Aha.'

Na mijn slechte start wil ik er graag nuttig uitzien, dus maak ik allerlei gebaren naar Nancy, zo van of ik koffie voor haar zal halen. Maar ze schudt haar hoofd en maakt zelf een gebaar dat ik interpreteer als dat ik op de bank moet gaan zitten.

'Zeg, Lucien, we moeten het ook over iets anders hebben,' zegt Nancy. Ze bijt op haar lip. 'Deb heeft me gebeld toen ik net bij jou weg was... Nee, geen goed nieuws. Selfridges wil niets, dat staat nu vast... Nee, echt helemaal niets. Zelfs het jasje niet.'

Ik pak het nieuwste nummer van *Atelier* van de glazen salontafel en blader het door, om Nancy de indruk te geven dat ik niet zit af te luisteren.

Maar heb ik het nou goed begrepen? Wil Selfridges de nieuwe collectie van Lucien Black niet?

Maar ze hebben een heel gedeelte speciaal voor de collectie van Lucien Black! Vlak naast het gedeelte van Alexander McQueen. Lucien Black heeft veel vloeroppervlak. Dat weet ik omdat je je achter de kledingrekken kunt verbergen om te voorkomen dat de verkoopster je ziet en je niet cool genoeg vindt om daar te mogen snuffelen en je naar de roltrap brengt, naar een afdeling waar je thuishoort: die met de koopjes en de restanten.

'Ja, Lucien, ik weet dat je trouw bent aan wat je voor ogen hebt... Nou ja, ik vind dat je er tijdens de bespreking vandaag wel iets over moet zeggen... Zou jíj op dit moment in ons investeren?' Ze zucht heel diep. 'Nee, het is in orde, ik bedenk wel iets waardoor het beter klinkt dan het is... Ga jij nu maar boterhammen roosteren... Ik spreek je nog.' Ze hangt op.

En dan pakt ze haar Tavistock-tas en smijt die tegen de muur. Ik heb geen idee wat ik moet zeggen. Wat zou een goede personal assistant doen? Een heerlijk kopje warme thee voorstellen? Geruststellende woorden mompelen en over Nancy's rug wrijven? De tas van negenhonderd pond oprapen en alles erin stoppen wat eruit is gevallen?

Ja, dat laatste lijkt me wel gepast. Ik bedoel, zo'n Tavistocktas is bijna een kunstwerk. Die kun je niet op de vloer laten slingeren.

Ik sta op van de bank en kniel neer bij de tas. Dan raap ik alles op, de lippenstiften, de pepermuntjes, een mobieltje van Vertu, een friemelarmbandje...

'Nee, Izzie, dat doe ik wel,' zegt Nancy ineens, en ze komt me helpen. 'Sorry. Wat moet je wel niet van me denken? En dat allemaal op je eerste dag hier!'

'O, dat geeft niet, hoor. Ik heb je toch verteld dat ik voor Katriona de Montfort heb gewerkt? Zij deed nog veel gekkere dingen dan...' Net op tijd houd ik mijn mond. 'Ik bedoel... Ik bedoelde niet...'

'Laat maar.' Gelukkig kan Nancy erom lachen. 'Ik doe ook gek. Ik heb mijn dag niet.' Ze staat op en gooit de tas met een boogje op de bank. 'Waarschijnlijk heb je gehoord dat Selfridges de nieuwe collectie heeft geweigerd. Ik bedoel, het is momenteel de ene ramp na de andere.' Ze gooit haar hoofd in haar nek, waardoor haar indrukwekkende zwarte lokken over haar rug vallen, en masseert haar slapen. 'De Fashion Week, de afterparty, cliënten die zich terugtrekken...'

Ik vind dat ik maar iets opwekkends moet zeggen en mijn steun betuigen. 'Het komt binnenkort vast allemaal goed.'

'Ja, maar zal dat snel genoeg zijn?' Ze slaakt een vermoeide zucht. 'Izzie, even onder vier ogen, nu je voor me werkt zou ik je eigenlijk moeten vertellen over de deal waar ik mee bezig ben. Het is vertrouwelijke informatie.'

'Deal?' O ja, nu herinner ik het me weer. Ruby had aan de telefoon iets gezegd over iets groots, toen ze met haar moeder sprak. Blijkbaar hechtte zij er niet veel belang aan om dingen vertrouwelijk houden.

Nancy pakt een sigaret. 'We zijn bezig met onderhandelingen over de verkoop van onze aandelen.' Ze steekt op en biedt mij ook een sigaret aan. Ik sla het aanbod af. 'Ja, ik weet het, binnen mag niet worden gerookt, maar het helpt tegen de stress. Doe jij de deur even dicht, schat, dan blijft het ons geheimpje.'

'Er komt vast heel veel stress bij kijken,' zeg ik terwijl ik de deur dichtdoe. Wat heeft ze toch? Ze heeft de leukste baan die je je maar kunt indenken, waarom moet ze dan ook nog met aandelen rommelen? Dat klinkt al net zo saai als fiscale wetten.

'Dat kun je wel zeggen.' Ze blaast een grote rookwolk uit. 'Bijna een jaar geleden nam Redwood contact met ons op met het aanbod in ons te investeren, en sindsdien is het een grote ellende. Echt, alsof we het ons zouden kunnen veroorloven zo'n enorm bedrag te weigeren... En de uitbreidingsmogelijkheden die daardoor voor ons openstaan... Ik bedoel, we kunnen een eigen geur van Lucien Black lanceren! We kunnen winkels in Amerika openen!'

'O!' Nu snap ik het. 'Dat lijkt me een briljant idee!'

'Ja, dat zou je denken...' Ze trekt haar wenkbrauwen op. 'Helaas denkt Lucien er nu heel anders over.'

'Is hij van gedachten veranderd? Wat dat geurtje betreft? Maar is zoiets juist niet het hoogste wat een modeontwerper kan bereiken?'

Nancy kijkt me bevreemd aan. 'Nou ja, er zou goed geld aan te verdienen zijn. Ik heb Lucien al zó vaak verteld dat als we verdomme geld tot onze beschikking hebben, hij zijn creatieve visie overal op kan loslaten.' Haar stem klinkt schril. 'Jezus, ik wou dat alles weer gewoon was... Weet je, de afgelopen drie weken heeft er niks goed voor ons uitgepakt.'

Ik ruik mijn kans. 'Nancy, ik wil graag nogmaals zeggen dat het me spijt van wat er zaterdag is gebeurd. Ik heb de stof veilig thuis.' Nou ja, in een van de vuilniszakken. 'Dus als je wilt, kan ik die naar Lucien brengen.'

'Wat?' Met grote ogen kijkt ze me aan. 'O, de spoedbestelling!'

'Ja.' Waarom noemen ze het verdorie niet gewoon de stof of de kant?

'Hoe is het trouwens op de boerderij? Is er veel schade?'

'Nee, we wisten het in de hand te houden.' Ik wil liever niet praten over de brand die er niet was op de boerderij die niet bestaat. 'In elk geval, het spijt me dat ik je heb teleurgesteld. Heeft Lucien de jurk nog afgekregen?'

'O ja. Hij heeft de kant van een oude avondjurk van mij gebruikt. Volgens mij werkt dat goed.' Ze loopt naar de kledingzak, ritst die open en haalt er een zwarte jurk uit. 'Wat vind je ervan?'

Op het eerste gezicht is het een eenvoudig Lucien Black-jurkje. Maar eigenlijk is het een meesterwerk. Het is gemaakt van heel tere chiffon, waar met de hand allemaal zwarte pareltjes op zijn genaaid. Aan de zijkanten van het korte rokje zitten inzetten van heel fijne zwarte kant, waardoor alles welhaast doorzichtig lijkt. Het is een sexy jurkje. Van voren is het hooggesloten, maar de rug is heel laag en eindigt in een scherpe punt. In de plooi onder die v zit een strook felroze zijde, en wanneer de draagster van de jurk beweegt, wordt die zichtbaar en richt het de aandacht op een fraai gevormd achterwerk.

'Wauw! Geweldig!'

Nancy draait de jurk bewonderend om en om. 'Godsamme, ik wilde dat hij zoiets had laten zien tijdens de Fashion Week. Misschien zaten we dan niet zo in de ellende.'

Ik knik meelevend, hoewel ik geen flauw benul heb van wat er dan voor vreselijks is gebeurd tijdens die Fashion Week. Maar goed, het klopt met wat Cassie en Elektra zeiden. Over

Tania, die op de fotoshoot in Nevada niets van Lucien Blacks nieuwe collectie zou willen. En Eve Alexander, die niets ervan zou willen aantrekken. Ik zou dolgraag willen vragen wat er mis is met de nieuwe collectie, maar ik wil ook niet dat Nancy denkt dat ik nergens van weet.

Nancy stopt de jurk weer in de kledingzak. 'Wil je dit voor me naar Eves styliste brengen? Eve gaat deze jurk over een paar weken tijdens de *MiMi* Style Awards dragen, dus we moeten weten of hij goed past en of er iets moet worden veranderd. De styliste komt hem over een halfuur in de winkel ophalen.'

'De winkel?'

'Van Lucien. Aan Conduit Street. Je weet toch waar die is, hè?'

Natuurlijk weet ik waar die is. Ik ben er talloze keren kwijlend langsgelopen, maar ik durfde er nooit binnen te stappen. Ik bedoel, dat stuk vloeroppervlak in Selfridges is al intimiderend genoeg, maar de boetiek aan Conduit Street is regelrecht angstaanjagend. Toen die een paar jaar geleden werd geopend, stond er een heel artikel over in de stijlbijlage van de *Sunday Times,* en daarin werd gezegd dat het niet zozeer een winkel was als wel een concept. Niet zozeer een winkel om kleding te kopen, als wel een zintuiglijke ervaring.

'Isabel? Weet je waar je moet zijn?'

'O ja, natuurlijk.'

'Neem maar een taxi.' Nancy legt de kledingzak over mijn arm, en geeft me dan een biljet van twintig pond. 'Die jurk is een fortuin waard. Ik bedoel, één goede foto van Eve Alexander in die jurk en alles kan voor ons nog helemaal goed worden.'

Ik houd de kledingzak stevig vast. 'O. Nou, dan moet ik maar heel, heel voorzichtig zijn.'

'Dank je wel, schat. Ik waardeer het. En nu moet ik naar een bespreking met Redwood op het advocatenkantoor.' Ze trekt de deur open en beent de gang in. Ze zet de zonnebril weer op haar neus. 'Het wordt tijd om hun eens te vertellen waarom het fijn zou zijn als ze zich niet op dit moment zouden terugtrekken.'

13

Net wanneer ik in de taxi stap en de kostbare jurk voorzichtig op de achterbank leg, gaat mijn mobieltje.

Het is Will.

Eerst wil ik niet opnemen, maar dan verander ik van gedachten. Ik bedoel, als ik hem nu niet wil spreken, terwijl ik met een waanzinnig mooie jurk voor een uiterst beroemde cliënt onderweg ben naar een styliste van topklasse in de elegantste boetiek van Mayfair, wanneer dan wel?

Ik neem op. 'Will.'

'Isabel!' Hij klinkt verbaasd. 'Ik... Ik dacht dat je niet zou opnemen.'

'Dan heb je mijn mailtje zeker ontvangen.'

'Klopt. Het spijt me, Iz. Het spijt me echt heel erg.'

Ik kijk naar de taxivloer. 'Het spijt je?'

'Ja! Weet je, het was maar één keertje. Echt waar, Iz. Het is nooit eerder gebeurd en het gaat ook nooit meer gebeuren.'

Dit klinkt niet best. Ik bedoel, ik weet niet goed wat ik verwachtte. Ook al zou ik het nooit willen toegeven aan Lara – of zelfs aan mezelf – toch had ik aldoor een beetje gehoopt dat Will zou bellen en zeggen dat hij er niets van begreep. Omdat er niets aan de hand was tussen Julia en hem.

Maar een spijtbetuiging? En de verzekering dat het niet nog eens zal gebeuren? Dat is niet best. Dat is helemaal niet best.

'We hebben hier heel hard moeten werken,' vertelt Will verder. 'De cliënten doen erg moeilijk, we lopen voortdurend tegen problemen aan. Hoor eens, Julia is gewoon een collega. Dat is uiteraard geen excuus, en het spijt me dat je er op deze manier achter bent gekomen.'

'En als ik er nou eens niet achter was gekomen? Zou je het me dan hebben verteld?'

'Eh... Waarschijnlijk niet. Omdat ik het niet belangrijk zou vinden.'

'Niet belangrijk?' krijs ik. De taxichauffeur kijkt me via de achteruitkijkspiegel geschrokken aan.

'Luister nou, Isabel. Je hebt geen idee van de stress hier! Echt, ik kan er er niet veel bij hebben, helemaal niet dat je al je spullen in vuilniszakken stopt en dreigt te verhuizen.'

'Ik dreig niet, ik heb het al gedaan. Ik woon nu bij Lara.' Met een beverig stemmetje voeg ik eraan toe: 'En ik heb geen vuilniszak nodig gehad.'

'Dat geloof ik niet.'

'En toch is het waar. Ik heb alles in keurige, grote koffers gepakt,' lieg ik.

'Ik had het niet over die vuilniszakken. Zeg, ik wist niet eens dat je grote koffers had... Ik bedoelde dat ik niet echt geloofde dat je was verhuisd. Eén klein beoordelingsfoutje en je neemt al de benen?'

Ik vind het grappig dat hij het doet klinken alsof het meer mijn schuld is dan de zijne. Dat is de objectieve houding die hem tot een geweldige advocaat maakt. En een abominabele vriend. Die denkt dat met een collega wippen een 'beoordelingsfoutje' is.

'Ik ben dit weekend gearresteerd, Will. Mijn vader zei dat ik in alles faal, en daar kon ik het niet met jou over hebben omdat jij met Julia tussen de lakens lag. Zoiets kan ik echt geen foutje noemen.'

Nu kijkt de taxichauffeur pas echt geschokt.

'Isabel, ik heb toch mijn best gedaan het uit te leggen...' Opeens zwijgt hij. 'Je bent gearresteerd? Waarvoor?'

Waarvoor? Alsof het een gewoonte is om gearresteerd te worden. Alsof ik een hopeloos geval ben.

'Will, ik heb geen zin om met je te praten.' Mijn stem wordt steeds beveriger. 'Ik wil dat je me met rust laat.'

'Zeg, wees nou een beetje redelijk. Het lukt me niet deze week al naar huis te komen, maar...'

'Ik zei toch dat ik niet wil praten?'

'Isabel, toe nou...'

Ik verbreek de verbinding en prop mijn mobieltje in mijn Mikkel Borgessen-tas. Mijn handen trillen zo erg dat ik met mijn vingers tussen de sluiting kom. Ik slaak een kreet van pijn.

'Gaat het, moppie?'

'Ja hoor.' Het klinkt niet echt alsof het goed gaat. 'Ik heb mijn vingers bezeerd.'

Met tranen in mijn ogen kijk ik door het raampje naar Regent Street, waar we doorheen rijden. Dit is nog erger dan zaterdag, toen Julia de telefoon opnam. Omdat het nu bevestigd is. Het is echt. Hij heeft het bed gedeeld met een ander. Een collega, een gelijke.

Ik zou ervan moeten walgen. Maar waar ik eigenlijk van walg, is van mezelf. Ik ben te klein en te dik, te lelijk en te stom. En vooral te goedgelovig.

Met mijn pijnlijke vingers maak ik mijn tas open en haal mijn mobieltje eruit. Als Will belt... Misschien belt hij weer. Ik geef hem een paar minuten. Of hij zou ook een sms'je kunnen sturen.

Ik weet niet wat het is met de radiostiltes van Wills kant, maar ik kan er niet meer tegen. Ik scrol door de nummers in mijn mobieltje totdat ik dat van Ben Loxley heb gevonden.

Hoi Ben, toets ik in, en dat is knap lastig met trillende vingers. *Als je vanavond nog alleen bent, wil ik graag met je mee.*
Er komt bijna meteen een sms'je terug, en dat is fijn.
Kom je om 8 uur halen. Wat is je adres? B xx

Nou, hier sta ik dus in het concept van Lucien Black.
Maar wat dat concept nou precies is, weet ik ook niet.
Het is een grote ruimte en alles is wit. De vloer is wit geverfd, het plafond is wit, en aan de witte muren hangen enorme witte kunstwerken. Als het concept *Leven in een gigantische suikerklont* is, dan hebben ze het goed getroffen. Afgezien van al dat wit, dat niet erg flatterend is als je geen volmaakte teint hebt, zijn er ook nog heel felle lampen van het soort dat je in supermarkten aantreft en waar je hoofdpijn van krijgt als je te lang over je boodschappen doet. Misschien bedoelden ze dat in de stijlbijlage van de *Sunday Times* met die zintuiglijke ervaring. De kleding hangt niet gewoon in rekken zoals bij normale winkels, maar ligt over perspex oppervlakken geslingerd, alsof een ontsnapte waanzinnige zich heel erg snel heeft uitgekleed.
Ik bedoel, het is niet echt chic.
Maar toch is het geweldig om hier met een doel binnen te stappen, gestuurd door Luciens muze. Ik vind het zelfs een beetje jammer dat er geen getuigen zijn van deze persoonlijke doorbraak. De winkel is namelijk verlaten. Er zijn geen klanten, maar dat verbaast me niet, want deze winkel is heel eng. Het is wel merkwaardig dat er geen personeel is. Ik bedoel, wat moet ik nou? Moet ik een peperduur jurkje zomaar ergens neerleggen, en hopen dat iemand het na de koffiepauze zal vinden?
O, wacht. Er is wel iemand. Eerst zag ik dat niet omdat alles verborgen is achter een perspex scherm waarover een jasje en een T-shirt hangen, maar nu zie ik iets bewegen. Ik zie twee ge-

stalten. Terwijl ik doorloop om achter dat scherm van perspex te kunnen kijken, zie ik dat het een man en een vrouw zijn. De vrouw heeft een hele bos honingblond haar, en ze is zo mager dat je bijna dwars door haar heen kunt kijken. Maar dat weerhoudt de man er niet van haar te betasten op de plek waar haar billen zouden moeten zitten.

Wacht eens, die man heb ik eerder gezien. Hij is heel erg lang, en er is iets aan hem... Dat roze shirt, het zorgvuldig gekapte grijzende haar, die grote hand die bezitterig op de billen van het blondje ligt... Hij ziet er best gedistingeerd uit. Nee, niet gedistingeerd, maar zelfvoldaan.

En dan weet ik het. Het is Hugo Tavistock, Nancy's echtgenoot. Ik herken hem van de foto bij dat artikel over de mode-aristocratie in de *Grazia*.

Wat doet hij hier met die billen in zijn handen? Allemachtig, mannen zijn echt zwijnen! Het is al erg genoeg dat mijn vriend met een ander ligt te wippen. In elk geval was het geen overspel, want Will en ik zijn nooit getrouwd.

Ik schraap mijn keel. 'Hallo?'

Ze springen razendsnel bij elkaar vandaan. Hugo Tavistock doet net alsof hij vreselijk geïnteresseerd is in een gigantisch wit schilderij aan de muur, en het graatmagere meisje loopt om het scherm heen naar mijn kant. Ze strijkt haar strakke rokje glad alsof ze de vingerafdrukken eraf wil poetsen.

'Kan ik u misschien helpen?' vraagt ze. Het klinkt heel onoprecht; ze wil me helemaal nergens mee helpen, zo te horen.

'Ik kom voor de styliste van Eve Alexander.'

Ze knippert met haar ogen. 'U bent hier voor Eves styliste?'

'Ja, ik kom een jurk brengen. In opdracht van Nancy.'

'O!' Even kijkt ze nerveus achterom. 'U werkt voor Náncy!'

Hugo had zeker zijn oren gespitst, want zodra hij dit hoort, verliest hij zijn interesse in het abstracte schilderij en drentelt naar ons toe. Hij zal wel beseffen dat hij iets moet doen aan schadebeperking, al is dat niet aan zijn gezicht te zien. Hij lacht zelfvoldaan en steekt de hand uit waarmee hij daarnet nog aan de billen van het blondje zat.

'Dag,' zegt hij. 'Jij bent zeker Nancy's nieuwe assistente. Isabella, toch?'

'Isabel.'

'O ja. Ze heeft me veel over je verteld. Ik ben Hugo, Nancy's echtgenoot.' Hij legt de nadruk op 'echtgenoot', en dat is behoorlijk ironisch na wat ik heb gezien. 'Ik ben hier om even met Marina te overleggen over andere kunst voor de muur. Kunst is helemaal mijn ding, weet je.'

'Wat leuk,' zeg ik. Ik zeg maar niet dat dat blonde gratenpakhuis ook helemaal zijn ding lijkt te zijn.

Hij lacht nog breder. 'Het zou natuurlijk *une petite surprise* voor Nancy zijn als we nieuwe kunstwerken aan de muur hangen, dus je moet haar maar niet vertellen dat je me hier bent tegengekomen.'

Ik kijk hem recht in zijn ogen. 'Uiteraard.'

'Fijn. Ik ben blij dat we dat konden regelen.' Hij werpt een blik op Marina, die druk bezig is met het schikken van de plooien van een rok. 'Marina, ik bel je nog. Om het over die Rothko te hebben.'

'Rot... Wat?' Marina staart hem aan totdat het kwartje valt. 'O! Ja, ik snap het.'

'Nou, dan ga ik maar. Het was leuk om je te leren kennen, Isabel. Binnenkort zullen we dat *plaisir* vast wel weer hebben.'

Ik heb helemaal geen zin in nog zo'n *plaisir* met deze slijmbal van een versierder. Nu niet en nooit.

'Dag dames.' Hugo beent naar de deur. 'Dan laat ik jullie maar samen doen wat mijn echtgenote heeft opgedragen.'

Marina draait zich naar me om. Ze bloost een beetje, maar lijkt vastberaden te doen alsof er niks is gebeurd. 'En, wat kan ik voor je doen?'

'Is Eves styliste er al?'

'Nee, het spijt me, ze is er nog niet,' zegt Marina op een aanstellerig toontje. 'Ze moet nog een Tavistock-tas afleveren die ze bij een shoot heeft gebruikt, en dat zal ze zeker niet vergeten.' Ze legt haar hand op mijn arm. 'Zeg, hoe is het vandaag met Nancy? Ik heb het net van Debs zelf gehoord. Verschrikkelijk, hè, van Selfridges?'

Dat Marina zulke meelevende woorden overheeft voor de vrouw met wie haar minnaar is getrouwd, vind ik lichtelijk hypocriet. 'Verschrikkelijk.'

'Ik bedoel, straks gaat het ook zo met Harvey Nichols en Harrods.'

Ik kijk haar met grote ogen aan. 'Bedoel je dat die ook niets van Lucien Blacks nieuwe collectie zullen willen?'

Marina slaat theatraal haar ogen ten hemel. Volgens mij geniet ze van dit drama. 'Nou ja, wie zou er nou zo stom zijn om zeshonderd pond uit te geven aan een doorzichtige broek of een pervers ogend, doorschijnend t-shirt?'

Doorzichtige broeken? Pervers ogende, doorschijnende t-shirts?

Wacht eens... Waren die van Lucien Black? Die afzichtelijke dingen van iets wat op vershoudfolie leek die ik toen in de wachtkamer van Central Saint Martins in *AnOther Magazine* heb gezien?

Ik dacht dat die waren ontworpen door een of andere idioot die de aandacht wilde trekken. Iemand die net van een modeopleiding kwam of zo. Of dat het een soort modegrap was die ik nog niet begreep.

Geen wonder dat Nancy moppert dat tijdens de Fashion Week alles uit de hand is gelopen. Ik bedoel, hoe komt Lucien Black van 'doorschijnend' en 'luchtig' uit op 'pervers' en 'vershoudfolie'? Ik snap best dat Selfridges daar niets van heeft besteld. De foto in *AnOther Magazine* toont duidelijk aan dat een graatmager persoon er in vershoudfolie misschien redelijk uitziet – hoewel? – maar dat het effect bij iemand met een normaal postuur misselijkmakend zou zijn. Ook al wil je nog zo graag alles laten zien wat je hebt.

'Och jee, hij heeft toch niets doorzichtigs voor Eve Alexander gemaakt, hè?' vraagt Marina plotseling geschrokken. Ze klampt zich aan mijn arm vast, zoals mensen die op kostschool zijn opgegroeid vaak doen. Familiair. Ze hebben daar zeker nooit geleerd waar je de grens moet trekken.

'Nee, het is een zwart jurkje. Met een paar stroken vrijwel doorschijnende kant.'

'O, gelukkig!' Met gedempte stem gaat ze verder, hoewel er niemand anders in de winkel is. Sorry, in het concept. 'Ik bedoel, ze is niet zo mollig als die lui die Lucien in de show had, maar echt slank zou ik haar niet willen noemen.'

Op momenten als deze vraag ik me af of ik wel in de mode-industrie werkzaam wil blijven. Ik bedoel, Eve Alexander is beeldschoon, en deze gemene feeks haalt haar naar beneden omdat Eve een klein beetje vlees aan haar botten heeft. Zodra ik over een positie met autoriteit beschik, wil ik daar iets aan doen. Ik... Ha, ik weet het al: bij mij niet van die magere scharminkels op de catwalk. Ik wil dat vrouwen blij kunnen zijn met hun lichaam. En het zou ook fijn zijn voor mezelf, als ik aan het eind van de show gearmd met twee modellen over de catwalk moet schrijden. Hoe molliger het model, des te beter. Dan lijk ik lekker slank.

Ordinary Bodies, de nieuwe geur van Isabel Bookbinder.

Maar ik ga Keira Knightley en Daniel Craig nog wel voor de campagne vragen. Zo ver gaat de revolutie niet.

'O, kijk eens wie we daar hebben!' Met die uitroep onderbreekt Marina mijn gedachtegang. Opeens huppelt ze naar de schuifdeuren bij de ingang.

Er komt een uitgemergelde vrouw binnen. Ze heeft heel kortgeknipt blond haar en draagt een strakke krijtstreep rok met een verhoogde taille, met een Clash-T-shirt en rode bretels. Aan haar voeten heeft ze glimmend zwarte sandaaltjes zoals in *Gladiator*, met extreem hoge hakken. Haar lippen zijn donkerpaars, en ze heeft een Celine Boogie-tas om van te kwijlen, plus een lichtbruine – camel? karamel? – Tavistock-tas. Dat zal de tas zijn die ze terug komt brengen.

En dan moet zij dus Eve Alexanders styliste zijn.

'Hoi!' Marina buigt zich naar haar toe om haar luchtzoenen te geven. 'We hadden het net over je. Dit meisje...' Het valt me op dat ze geen moeite heeft gedaan zich mijn naam in te prenten. 'Dit meisje heeft een jurk bij zich, voor Eve.'

De styliste staart me aan. 'Wat?'

'Hoi.' Ik lach vriendelijk naar haar, maar ze lacht niet terug. 'Ik ben Isabel.'

'Jasmine,' snauwt ze terug.

Dus Jasmine is Eves styliste. Aha. Daarom wilde ze de spoedbestelling natuurlijk zien voordat Lucien de kant in een jurk voor haar cliënt verwerkte.

'Godallemachtig!' Jasmine zet haar hand in haar zij en kantelt haar bekken zodat haar schonkige heupen naar voren steken. Een echte pose. 'Daar wilde ik Nancy vanmorgen dus over spreken. Jezus, ik wist wel dat Lilian er een zootje van zou maken. Toen Ruby er nog was, werd ik altijd teruggebeld.'

Ik zou eigenlijk voor Lillian moeten opkomen. Want het is niet haar schuld dat Nancy de boodschap niet heeft gekregen, maar de mijne. Bovendien lijkt dit meisje als enige te denken dat die vreselijke Ruby een groot organisatorisch talent was, vergeleken bij Lilian.

'Volgens mij had Lilian het vanochtend ontzettend druk,' zeg ik.

'Nou ja, het maakt me niet uit. Het is spijtig voor jou, want jij bent helemaal voor niks gekomen.' Jasmine strijkt door haar stekeltjeshaar. 'Eve hoeft die jurk niet meer. Ze is van plan Marchesa te dragen naar de Style Awards.'

Ik zet grote ogen op. 'Maar je had Lucien toch speciaal om een jurk gevraagd?'

'Nee, dat heeft Eve hem gevraagd. Voordat hij krankzinnig werd en modellen in enorme condooms de catwalk op stuurde. En vervolgens op de afterparty verscheen alsof hij niet goed bij zijn hoofd was, gehuld in zo'n vreselijke, doorschijnende broek. Hij gooide nog een glas champagne over Anna Wintour heen.'

Wát?

'Nou ja, wie doet nou nooit zoiets?' Ik maak een relativerend gebaar. 'Ik vind dat geen goede reden om een jurk te weigeren. Zeker niet als die speciaal voor jou gemaakt is.'

Jasmine snuift. 'Je denkt toch zeker niet dat ik al die lui wegstuur die me smeken ze een jurk voor Eve te laten maken? Meneer Armani heeft een jurk aangeboden voor de Golden Globes, Carolina Herrera hangt voortdurend aan de lijn, John Galliano heeft schetsen gestuurd voor een jurk voor de Oscars...'

'O, John Galliano!' roept Marina ademloos uit. 'Die is geweldig!'

'Geloof me,' gaat Jasmine verder, 'Eves agent wil niet meer dat ze met Lucien in verband wordt gebracht. Hij is degene die haar wist te overreden Lucien op te geven. Haar carrière zit nog steeds in de lift. Ze moet nu niet worden gezien in kleding van iemand die uit de tijd is. Dat zou beschamend zijn.'

'Nou!' Marina knikt heftig. 'Ik bedoel, Lucien Black, tja, dat is verleden tijd.'

Er valt een pijnlijke stilte terwijl we overpeinzen wat Marina, de manager van Lucien Blacks winkel – sorry, concept – daarnet heeft gezegd.

'Zeg maar tegen Nancy dat ik haar nog zal bellen,' zegt Jasmine.

Dit mag ik niet laten gebeuren! Nancy heeft het hele jaar hard aan die deal gewerkt. 'Maar je hebt Luciens jurk nog helemaal niet gezien! Die is niet doorzichtig of zo, hij is juist schitterend...'

Met een frons kijkt Jasmine me aan. 'Kan me niet schelen, we zijn niet geïnteresseerd.'

'Maar Eve Alexander draagt altijd Lucien Black... Is het niet vals om hem nu als een baksteen te laten vallen omdat hij het momenteel een beetje moeilijk heeft?'

'Weet je, ik ben geen voorzitter van een liefdadigheidsstichting voor modeontwerpers die het hebben gehad.' Jasmine overhandigt Marina de Tavistock-tas en zoent haar dan op beide wangen. 'Dank je wel, schat. Binnenkort moeten we maar eens gaan lunchen. Een hapje bij Zuma of zo? Ik hoor dat ze bij Dior op Sloane Street op zoek zijn naar een nieuwe manager.'

'O, echt?'

Ik wil hier niet langer blijven. Ik hang de kledingzak over mijn arm en been het concept uit.

14

Op de werkplek is het die middag knap saai. Ik zeg het niet graag, maar bij *Atelier* hebben ze per ongeluk heel veel workaholics in dienst genomen. Als je niet overduidelijk kon zien dat ze bij een modeblad werken – opgeföhnd haar, schitterende accessoires, et cetera – zou je kunnen denken dat je bent beland bij een effectenmakelaar of zoiets. Niemand staat om de watercooler geschaard om eens lekker te kletsen over wat Gwyneth de vorige avond bij Locanda Locatelli droeg, en of Sarah Jessica Parker haar haren wel zo strak naar achteren had moeten doen voor de foto's in de *Grazia* van deze week. Niemand gaat even sushi eten of een cappuccino drinken, gevolgd door een uitstapje naar Marylebone High Street om te kijken of ze bij Matches nog iets leuks hebben binnengekregen van Day Birger en Mikkelsen. Niemand hangt rond bij de kast met kleding om schoenen te passen voor het geval je wordt uitgenodigd voor een filmpremière, of voor het Met Costume Institute Gala, of voor een etentje met oesters bij Scott's in Mayfair, in gezelschap van Daniel Craig.

In elk geval, als Lilian me voor de derde keer bij de kast betrapt met satijnen Brian Atwood-schoenen aan met kristallen erop, dringt het besef tot me door dat ik beter achter mijn bureau kan blijven zitten en me koest kan houden. En dat ik een betere indruk zou maken als ik net doe of ik ook hard aan het werk ben.

Het probleem is echter dat ik geen werk heb. De hele middag geen enkel telefoontje voor Nancy. Zelfs niet van Lucien Black met een voortgangsverslag over de broodrooster. Ik niet een paar dingen aan elkaar, en dat houdt me een poosje bezig. En dan kijk ik een hele tijd op internet naar Net-a-Porter, want dat is research. Ik heb net mijn sfeerboekje gepakt om een paar aantekeningen te maken wanneer Nancy terugkomt. Het is dan even over vijven.

Deze keer ziet ze er niet slecht gehumeurd uit, maar volslagen uitgeput.

'Hoi,' zegt ze terwijl ze zich op de stoel aan de andere kant van mijn bureau neer laat ploffen. 'Heb je de jurk afgeleverd?'

'Nou, daar was iets mee.'

'Hoe bedoel je dat? Wat was er dan mee?'

'Nou, Eve heeft besloten toch maar geen Lucien Black naar de Style Awards te dragen.'

'Wat? Dat meen je niet!'

'Jawel, Jasmine zei...'

'Wat? Wat zei die omhooggevallen personal shopper? Wat zei ze? Ik wil het precies weten!'

Dus vertel ik het haar. Nou ja, ik zeg maar niet dat Jasmine Lucien een beschamend overblijfsel uit het verleden vindt. Ik weet heel goed hoe kwetsend dat soort uitspraken kan zijn.

'John Galliano? John Galliano?' krijst Nancy wanneer ik kom bij het gedeelte over... Nou ja, bij John Galliano. 'Eve Alexander zou nooit John Galliano kunnen dragen als ze mij en Lucien niet had gehad! Niemand zou hebben geweten wie ze was als wij haar drie jaar geleden in Cannes niet een rugloos, metallic jurkje hadden aangetrokken! En nu een beetje tegenslag, en ze keert ons de rug toe. Terwijl wij haar zo trouw zijn geweest...' Ze zwijgt even om tot zichzelf te komen. 'Nou ja... Is er vandaag verder nog iets gebeurd wat ik zou moeten weten?'

Volgens mij hoeft ze niet te weten dat haar echtgenoot de manager van de winkel – het concept – aan het betasten was. 'Nee.'

'Belangrijke telefoontjes?'

'Eh... nee.'

'Niet een?'

'Het spijt me.'

Ze slaakt een zucht. 'Geweldig. Ze ontlopen me. Waarschijnlijk denken ze dat falen besmettelijk is.'

'O, maar niemand denkt toch zeker dat jij hebt gefaald?'

'Dat zou je niet zeggen als je bij de bespreking aanwezig was geweest.'

'Ging die dan zo slecht?'

Nancy laat een honende lach horen. 'Eens kijken... Sinds mijn zakenpartner er behoorlijk naast zat tijdens de London Fashion Week, is Lucien Black Associates blijkbaar een riskante investering geworden.'

Ik kijk haar met grote ogen aan. 'Betekent dat dat jullie geen geld krijgen?'

'Ja. Nee. Zoiets.' Nancy knijpt in de rug van haar neus. 'Het betekent dat ze bang zijn geworden. Mijn advocaten denken dat ze het bedrag willen verlagen. Dat ze ons zover willen krijgen onze aandelen in het bedrijf te verkopen voor de helft van de waarde van een maand geleden.'

Ik weet niet wat ik daarop moet zeggen. 'Goh, wat vervelend.'

'Ze beseffen donders goed dat wij niet meer terug kunnen,' gaat ze kwaad verder. 'Godsamme, als ik niet beter zou weten, zou ik zeggen dat ze het wísten...' Even zwijgt ze. 'Nou ja, Izzie, toch bedankt omdat je die verschrikkelijke bitch Jasmine te woord hebt gestaan. Ze heeft vast een heleboel lelijks over Lucien gezegd, van die geniepige steken onder water.'

Niet op mijn gemak verschuif ik op mijn stoel. 'Och, eh... Ze zei iets over een afterparty... En dat Lucien een glas champagne naar Anna Wintour had gegooid.'

'O, dat!' Nancy barst in lachen uit. Het klinkt lichtelijk hysterisch. 'Het was geen glas, maar een fles. Een ongeopende fles. Met de champagne er nog in.'

'O.'

'En die fles gooide hij niet naar Anna Wintour, hij gooide die in de buurt van Anna Wintour. Hij kon er ook niks aan doen dat iedereen plotseling wegrende en zij ineens in de weg stond.'

Jezus, hij klinkt nog gekker dan vanochtend aan de telefoon.

'Het is gedeeltelijk mijn schuld,' voegt ze eraan toe. De lach is van haar gezicht verdwenen. 'Ik had moeten weten dat hij eraan onderdoor ging. Ik zou ervoor hebben moeten zorgen dat hij niet naar de afterparty ging. Het had tot me door moeten dringen wat er na de show over hem zou worden gezegd.' Ze kijkt naar de grond, en opeens ziet ze er tien jaar ouder uit. Plotseling staat ze op. 'Nou ja, ik wil je niet lastigvallen met mijn problemen. Ga maar naar huis, Izzie, naar je verloofde.'

'O, hij is mijn verloofde niet.'

'Sorry, schat. Je vriend dan.'

'Nou,' zeg ik met een lachje, 'dat is hij ook niet meer.'

'Dat spijt me dan echt voor je.'

'Hoeft niet, hoor.' Ik ga haar geen huilverhaal vertellen over dat ik hem met een ander heb betrapt. Niet nu ik weet wat haar echtgenoot allemaal uitspookt. 'Ik heb vanavond een afspraakje.'

'O ja? Wauw.' Ze spert haar ogen wijd open. 'Dat is dan heel plotseling, toch?'

'Och, het is geen echt afspraakje...' zeg ik gauw. 'Het is met iemand die ik van vroeger ken.'

Nancy loopt haar kantoor in. 'Nou ja, hoe dan ook, ik hoop dat je het leuk hebt.' Ze gebaart naar de kasten. 'Zeg, je weet toch dat je spullen kunt lenen? Voor vanavond, bedoel ik. Als je op je mooist wilt zijn.'

'O, Nancy, wat lief van je!' En dat meen ik echt. 'Maar misschien zijn jouw kleren te klein voor me...'

Ze bekijkt me van top tot teen, met een professionele blik, alsof ze haar best doet zich mij voor te stellen in iets in haar minieme maatje. 'Neem dan die met de kant. Eve heeft ongeveer jouw maat. Dat jurkje zou je moeten passen.'

'Echt?' Vol ongeloof staar ik haar aan.

'Maar misschien moet je vanavond dan maar niets eten.'

'Ik bedoel: mag ik dat echt lenen?'

'Waarom niet?' Ze haalt haar schouders op. 'Eve wil het niet dragen. En voor mij is het te groot. Als je het in de kast laat hangen, legt een van de andere meisjes hier er haar smerige klauwen op. Als je wilt, mag je ook best een paar van mijn schoenen lenen.'

Ik word er zweverig van. 'Bedoel je... Van Christian Louboutin?'

Nancy gebaart naar haar verzameling schoenen. 'Neem maar, als ze in de goede maat zijn.'

Eigenlijk zijn de schoenen een maat te groot, maar ik zou nog schoenen van drie maten te groot aandoen als ze van Louboutin zijn. 'Dank je wel, Nancy!'

'Graag gedaan, schat.' Ze neemt achter haar bureau plaats en haalt een hele stapel officieel ogende paperassen uit haar Tavistock-tas. Volgens mij maakt ze zich klaar voor een lange avond. 'Als iemand die voor een beroemd persoon als ik werkt niet af en toe ergens van kan profiteren, wat heeft het dan voor zin?'

Isabel Bookbinder
Atelier
High Holborn
Londen

John Galliano
Een ruime Parijse studio
Parijs
Frankrijk

18 september

Beste meneer Galliano,

U hoeft zich niet schuldig te voelen dat u mijn vorige brief niet hebt beantwoord. U zult het wel te druk hebben gehad. Omdat ik geen reactie van u kreeg, ben ik doorgegaan met mijn sfeerboekje, en ik vind het heel effectief voor het creatieve proces.

~~John, tenzij je al een hele poos als een kluizenaar in een grot zit of zo~~ Ik vermoed dat u wel op de hoogte bent van de problemen waarvoor een medelid van de mode-industrie zich geplaatst ziet. Ik heb het uiteraard over Lucien Black. De laatste tijd is hij een beetje excentriek bezig geweest, en dat heeft in de modewereld voor enige deining gezorgd. Maar laten we wel wezen, John, wie verschijnt er nou nooit op een party gehuld in een doorzichtige broek? En wie stuurt er nooit eens modellen in vershoudfolie de catwalk op?

Helaas vertonen de cliënten van de heer Black weinig begrip voor dit alles. Ze laten hem in de steek voor andere ontwerpers die minder ~~overduidelijk waanzinnig~~ risico durven nemen. Eve Alexander is zo'n cliënt, en kennelijk zou ze graag iets van u willen dragen. Ik weet niet of er een erecode bestaat onder modeontwerpers van internationale topklasse, maar ik weet wel dat iedereen bij Lucien Black het erg op prijs zou stellen als u geen interesse in deze actrice zou willen tonen. Als ik u was, zou ik me richten op Nicole en Charlize. In tegenstelling tot mevrouw Alexander zullen zij u trouw blijven, en niet naar een andere ontwerper gaan als u ze ineens niet meer allemaal op een rijtje hebt.

Verder vroeg ik me af of u misschien níét ~~die brutale snotneus van een~~ Marina zou willen inhuren als manager van Dior aan Sloane Street. Dat zou niet alleen een messteek in de rug betekenen voor mijn baas Nancy Tavistock, die het toch al zo moeilijk heeft, maar die Marina zou ook totaal niet deugen voor die baan. Ze zou er niets van bakken. Tenzij u natuurlijk graag hebt dat de klanten niet eens een voet over de drempel durven te zetten, maar dat zijn uw zaken.

Met bewonderende groet,

Isabel Bookbinder

PS Voor de duidelijkheid: ik bedoel echt niet dat u in doorzichtige broeken op party's verschijnt, of dat u in vershoudfolie gewikkelde modellen de catwalk op stuurt!!!

PPS Ik ook niet, hoor. Dat wilde ik nog even zeggen.

IB x

VOORBEREIDINGEN VOOR EEN HOT DATE
(MET UITERST AANTREKKELIJKE DURFKAPITALIST)

17.45 – Nancy Tavistocks verzameling Christian Louboutin-schoenen bekijken en een selectie maken

17.55 – Selectie maken

18.08 – Selectie maken

18.10 – Geen tijd voor de metro. Met taxi naar huis

18.16 – In taxi plannen maken om de zenuwen te bedwingen: glaasje gekoelde champagne, een warm gezichtsmasker, een bad met aromatherapie, en ondertussen luisteren naar cd met inspirerende muziek – aria's van Mozart? Gregoriaans gezang? Take That? – gevolgd door rustig aankleden

18.46 – In de taxi in paniek raken

18.56 – In de taxi nog erger in paniek raken

19.07 – Binnensmonds vloeken op de burgemeester van Londen die overal in de stad waterleidingbuizen laat opgraven, zodat er een verkeerschaos ontstaat. Doet hij dat expres om te voorkomen dat inwoners zich kunnen ontspannen voor een hot date?

19.14 – Uit taxi stappen en het laatste stukje naar huis rennen. Een goede oefening, en het zorgt voor blosjes op de wangen (cognitieve herstructurering)

19.29 – Water! Water!

19.31 – Geen tijd voor gezichtsmasker, maar wangen zijn toch al blozend. Douchen zonder aromatherapie, luisterend naar angstaanjagend snel kloppend hart. Vuilniszakken overhoop halen, op zoek naar een nette panty en accessoires voor geheel eigen look

19.43 – Jankend op bed liggen

19.44 – Mezelf ernstig toespreken, tranen drogen

19.49 – Mezelf in jurk hijsen, make-up aanbrengen, gevecht aangaan met haar

19.59 – Diep ademhalen alsof je yoga doet. Geen aandacht besteden aan vuilniszakken op de grond, en wachten op de bel

15

Zodra ik eindelijk ben aangekleed, loop ik gauw naar de keuken om naar Lara's mening te vragen. 'Tada!'

Ze kijkt op van de pan met kip en boontjes. Typisch Lara. Twee dagen nadat haar hart werd gebroken komt ze terug van een dag hard werken met gestoorde lieden, en dan gaat ze een voedzame maaltijd voor zichzelf roerbakken waar ze een glaasje wijn bij gaat drinken. Ze verstopt zich niet drie dagen met een grote rol koekjes onder de dekens zonder één keertje te douchen, zoals een normaal persoon zou doen. Of gaat uit met een uiterst aantrekkelijke durfkapitalist. Nee, Lara is opgewekt. Een tikkende tijdbom. Binnenkort zal ze vast met taarten gaan gooien.

'O,' zegt ze als ze me eens goed heeft bekeken. 'Heel feministisch.'

'Hoe bedoel je dat?'

'Nou, ik dacht dat we laatst hadden besloten een beetje feministischer te zijn. Dus geen dingen meer doen om kerels te plezieren.'

'Ja, en?'

Ze kijkt me met grote ogen aan. 'Je gaat uit in een kort, doorschijnend jurkje en roze schoenen met open tenen.'

'Het is niet doorschijnend! Nou ja, niet op belangrijke plekken. Trouwens, wat moeten feministes dan aan? Te grote tuinbroeken met Doc Martens eronder?'

'Ja, Isabel.'

Ik sla mijn ogen ten hemel. 'Dan is het geen wonder dat ze de pest aan mannen hebben. Als je eruitziet als een bouwvakker, behandelen mannen je als bouwvakker.'

Lara roert weer in haar pannetje.

'Dat ik er leuk uit wil zien, betekent nog niet dat ik geen feministe ben.' Ik probeer me artikelen over feminisme voor de geest te halen. Die heb ik vast wel eens gelezen. 'Binnen het feminisme is veel veranderd, hoor. We ketenen ons nergens meer aan vast, en we storten ons ook niet meer onder galopperende renpaarden.'

'Dat vastketenen en zich onder renpaarden storten deden suffragettes, dat waren geen feministes.'

'Wat is het verschil?'

Lara zucht heel diep. 'Ongeveer zeventig jaar.'

Zie je nou wel? Dat zei ik toch? 'Precies, dingen veranderen. Eerst was het allemaal geweld en zo, en zeventig jaar later was het een beetje protesteren en beha's in brand steken. Tegenwoordig is het juist goed om doorschijnende jurkjes en roze schoenen met open tenen te dragen. Zolang je het maar op de goede manier doet. Zolang je maar op eigen benen kunt staan.'

En op je eigen benen staan zouden de meeste feministes vast veel leuker vinden met roze Christian Louboutin-schoenen met open tenen aan hun voeten.

'Dus daarom ga je met Ben Loxley uit, twee dagen nadat het uit is met Will?'

Ik kijk Lara niet aan. 'Het is geen echt afspraakje.'

'Je hebt Wild Fig and Cassis op.'

'Ik wil gewoon lekker ruiken!'

'Dat geurtje doe je op als je iemand wilt strikken.'

Ik word knalrood. 'Goed dan, ik wil graag dat hij me leuk vindt.'

'Isabel...'

'Dat kan toch geen kwaad?'

'Natuurlijk niet. En ik snap best dat je troost zoekt na wat Will heeft uitgevreten, maar...'

'Lara, het is een avondje uit. Ik ben niet een van je patiënten.'

'Cliënten,' verbetert ze me automatisch. 'Dat weet ik wel, Iz, maar...' Een poosje kijkt ze zwijgend naar de grond. 'Och, laat ook maar. Ik stel me aan. Alleen, ik had me verheugd op een avondje met jou, met iets leuks op tv en een glaasje wijn.'

Meteen voel ik me schuldig. Ik bedoel, het is heel ongevoelig om helemaal opgetut uit te gaan, terwijl zij de hele avond in haar uppie moet zitten met visioenen van Matthew en Annie die naar het altaar schrijden. 'Ik bel Ben meteen af!'

'Nee! Zo bedoelde ik het niet!'

'Lara, ik laat je hier niet alleen met alleen maar sombere gedachten aan Matthew en Annie.'

'Isabel!'

Oei, dat klonk schril.

'Ik denk helemaal niet aan Matthew en Annie! Als je een beetje naar me had geluisterd, zou je weten dat ik van plan ben een heel aangename avond te hebben met roergebakken kip met boontjes en een leuk programma op tv. Het is absoluut niet nodig dat je Ben afzegt. Dat hoeft niet, en ik wil ook niet dat je dat doet.'

Daar gaat de bel.

Lara loopt langs me heen naar de voordeur. 'Je verdient een gezellig avondje uit. Ik red me wel, heus! En je ziet er trouwens heel mooi uit.'

'Echt?' Ik bedoel of ze zich echt wel zal redden, of het dus goed met haar zal gaan. Maar ze begrijpt me niet goed, of ze wil de vraag niet beantwoorden.

'O ja, echt geweldig. Die jurk is helemaal top. Straks kan Ben zijn handen niet van je af houden.'

Dat is wat ik graag wil horen, maar als echte feministe moet ik net doen of ik het afkeur. Volgens mij laat Lara zich niet echt overtuigen. Ik laat haar beloven dat ze me zal bellen wanneer ze het toch niet redt, en dan kijkt ze me aan alsof ze die schrille stem weer gaat opzetten. Dus pak ik gauw mijn tasje en doe de voordeur open.

'Wauw!' Ben kijkt me grijnzend aan. 'Wat zie je er goed uit!'

'Jij ook.' Inderdaad ziet hij er goed uit. Ik bedoel, in vrijetijdskleding oogt hij ook heel leuk, maar in pak is hij oogverblindend. Ben is een man die een pak weet te dragen. En dit is niet zomaar een pak. Volgens mij is het een Brioni, en die kosten net zoveel als een kleine auto. Het is gemaakt van een grijze stof met een heel fijn krijtstreepje, en het jasje is een beetje getailleerd waardoor zijn brede schouders goed uitkomen. Onder het jasje draagt hij een lichtblauw shirt en een stropdas met blauwe en grijze streepjes. Dat zou een klein beetje saai zijn – en bovendien doet het me aan Will denken – als hij niet ook manchetknopen van Georg Jensen had gehad. Will doet niet aan manchetknopen, die krijgt hij niet makkelijk op hun plek. En die das zit een beetje los bij de hals. Will draagt altijd een stropdas of goed vast, of niet, zoals het hóórt. Maar zo'n beetje losse das is erg sexy, moet ik zeggen.

In elk geval hebben die losse stropdas en de brede schouders in een mooi Italiaans pak tot gevolg dat mijn hart sneller gaat kloppen. Alsof ik weer achttien ben en niets beters weet te zeggen dan: 'Goh... geweldig.'

Ben lacht zo leuk naar me als hij zich vooroverbuigt om me een zoen op mijn de wang te geven. Hij ruikt lekker. Persil ColourCare? 'Absoluut. Ik ben blij dat je niet hebt geleden onder je verblijf in de nor.'

Even snap ik niet wat hij bedoelt, maar dan zie ik het licht. 'Maar Ben, dat was een misverstand!'

'Ja?' Hij gaat me voor over de stoep. 'Ik verheugde me al op een avondje met een sexy ontsnapte gevangene.'

'O... Sorry dat ik je moet teleurstellen.'

Hij draait zich om en kijkt me aan met een blik waar de Noordpool van zou smelten. 'Ik ben niet teleurgesteld. Je bent nog steeds sexy.'

Jezus, wat doet hij dat gladjes. En ik moet zeggen: het werkt.

'Zo,' zegt hij, 'dan wordt het nu tijd dat ik je voorstel aan de andere dame in mijn leven.'

Andere dame? Wat bedoelt hij daarmee?

'Ik verheug me er al op jullie allebei om me heen te hebben.'

Godallemachtig, wat ís dit? Verwacht hij dat ik toestem in een triootje? Op ons eerste afspraakje? Is hij soms niet goed bij zijn hoofd of zo?

Daar voel ik weinig voor. Een triootje is echt niets voor mij. Ik bedoel, het klinkt als extra werk, en veel minder lol. Bovendien ben ik er vast niet goed in.

Oké, ik wil niet preuts lijken. Misschien is het in Manhattan heel normaal en deed hij dit vaak met van die *Sex and the City*-types. Londen is ook een wereldstad, ik moet nu niet ineens verschrikt gaan doen.

Maar wat ik wel kan doen, is een smoes bedenken en de benen nemen.

'Ben, weet je, ik heb een erg vermoeiende dag gehad... De man met de hamer komt ineens langs...'

Tot mijn verbazing barst hij in lachen uit. 'Sorry, Iz, ik had je niet moeten plagen.'

'Geeft niet, hoor.' Ik doe mijn best heel gewoon te klinken, als iemand die nergens van opkijkt. 'Je mag best toegeven aan je neigingen. Iedereen is volwassen.' Maar ik doe niet mee!

'Kijk!' Ben wijst naar een glimmende donkergroene sportauto die een eindje verderop staat geparkeerd. 'Dat is mijn andere dame.'

O... Dat is een hele opluchting.

Het is een beetje flauw van Ben dat hij me zo voor de gek heeft gehouden, en het is ook een beetje vervelend dat hij zo'n kerel blijkt te zijn die over zijn auto spreekt alsof het een vrouw is. Maar daar kan ik overheen komen, want het is echt een beeldschone auto.

'Het is een E-type uit 1972.' Ben opent het portier voor me. 'Een cadeautje van mezelf toen ik naar Londen terugkeerde.'

'Mooi,' zeg ik. Ik doe mijn best te klinken als een meisje dat eraan is gewend in dure vintage sportauto's door de stad te worden gereden. 'E-type maakt erg goede auto's,' zeg ik ook nog. 'Die gaan nooit kapot!'

Met een frons op zijn gezicht stapt hij in. 'Isabel, E-type is een model van Jaguar. Dat weet je toch wel?'

Verdorie. Ik had beter moeten opletten toen Will naar *Top Gear* keek. Ik had altijd het idee dat het programma er vooral was om Jeremy Clarkson de gelegenheid te geven botte opmerkingen over Fransen en Duitsers te maken. 'Natuurlijk weet ik dat het een Jaguar is! Jaguar is de allerbeste, toch? Niet zo'n stomme Franse of Duitse auto.'

Zo te zien snapt Ben niets meer van mijn gebrabbel. Hij start de motor, die heel prettig snort, en dan rijden we in de richting van King's Road.

Ik moet zeggen, als je nooit in een vintage E-type door de stad bent gereden met een durfkapitalist achter het stuur, op een zwoele avond vlak voor de herfst, en gehuld in een op maat gemaakt jurkje van een topontwerper, dan heb je iets gemist. Het is echt een aanrader. Je voelt je alsof je meespeelt in een autoreclame. Het enige wat ontbreekt is de achtergrondmuziek en een zware mannenstem die dingen zegt over probleemloos schakelen en soepele besturing.

'Zo,' zegt Ben wanneer we over Kensington Church Street gescheurd zijn en in de richting van het park gaan. 'Mag ik vragen waarom je bij Lara bent ingetrokken?'

Wanneer ik niets zeg, zegt hij gauw: 'Sorry, het zijn mijn zaken natuurlijk niet.'

'Geeft niet, hoor. Je mag het best vragen. Alleen... Het was nogal onverwacht.'

Ben werpt een snelle blik op me. 'Nou ja, ik ken je vriend dus niet...'

'Ex,' zeg ik zacht.

'Aha. Oké.' Hij knikt. 'Wat ik net wilde zeggen, is dat hij je duidelijk niet verdient. Maar dat had je zelf ook al beseft, want je hebt hem dus gedumpt.'

Ik vertel er maar niet bij dat ik dan wel bij Will ben vertrokken, maar dat hij het dumpen eigenlijk heeft gedaan. Ben moet niet denken dat ik het soort vrouw ben dat voortdurend wordt bedrogen.

'Om heel eerlijk te zijn,' zegt Ben terwijl hij probleemloos schakelt, 'vond ik hem al niks voordat je hem dumpte.'

Verrast kijk ik op. Ik bedoel, weet hij dan niet dat ík kritiek over Will mag spuien, maar dat hij daar geen recht op heeft?

'Hij vindt het goed dat zijn vriendin met een ander naar een party gaat.' Hij trekt zijn wenkbrauwen op. 'Dan heeft hij of te veel vertrouwen in je, of hij is een ontzettend rund.'

'Kom op, zeg!' Ik schiet zomaar in de lach. 'Daar heb ik zijn toestemming toch niet voor nodig?'

Er volgt een stilte, en daardoor dringt het tot me door dat Ben geen grapje maakte.

O. Dus hij is niet alleen zo'n kerel die het over zijn auto heeft alsof het een vrouw is, maar ook nog zo een die ervan uitgaat dat iedereen met een y-chromosoom in zijn lijf uit is op zijn vriendin, en dat hij die vriendin dus voortdurend in de gaten moet houden.

Nou ja, na Wills bepaald niet ridderlijke gedrag is het fijn om op waarde te worden geschat.

Misschien moet ik dat later ook maar aan Lara vertellen, wanneer ik verslag uitbreng.

'Weet je...' Hij haalt zijn hand van de pook en legt hem op

mijn knie. 'Het kan me niet schelen of hij te veel vertrouwen in je had of gewoon een stom rund is. Of allebei. Ik ben alleen maar blij dat hij uit je leven is.'

Ik zou graag nog veel langer in de auto blijven zitten, met zijn hand op mijn knie, maar hij heeft een parkeerplek gevonden in een zijstraat van King's Road.

16

Ben heeft ouderwets goede manieren, merk ik, want hij loopt om de auto heen om het portier voor me te openen. En terwijl we langs de Bluebird naar de hoofdstraat lopen, pakt hij mijn hand.

'Jeetje!' Ik zie de lichtjes al, en de glamoureuze mensen die met glazen bellini-cocktails in hun hand naar buiten komen. 'Ik wist niet dat de party in Anais was!'

'Vind je dat een fijne winkel?'

'Ik ben er dol op!'

Nou ja, als ik zo dapper zou zijn er vaker naar binnen te stappen. Anais is zo'n winkel waar ze van alles en nog wat verkopen: bijzondere T-shirts, luxe lingerie, de nieuwste spijkerbroeken uit Amerika, speciaal geïmporteerd. Het is zo'n winkel waar je een leuk kralenarmbandje ziet dat net iets mooier oogt dan een dergelijk armbandje bij een gewoon warenhuis, en bij de kassa blijkt dan dat je er tweehonderdvijftig pond voor moet neertellen. En dan moet je doen alsof je dringend de parkeermeter moet bijvullen, om zonder het schaamrood op de kaken onder de koop uit te komen. Het is een winkel voor fashionista's met een vette bankrekening. En nu ga ik er naar een party vol glamour, na sluitingstijd! Helemaal top!

Goh, hoe zou het zijn als ze daar Isabel B hadden hangen? Naast William Rast-jeans en truitjes van Milly, en de minikaftans van QFW. Ik bedoel, stel dat het niet lukt met Lucien Black

– en daar heb ik na vandaag grote twijfels over – dan zijn er nog andere manieren om mijn carrière vleugels te geven. Goed, Anais is maar een klein winkeltje, maar zodra Kate Moss en Keira Knightley hier worden gespot, staan je spullen binnen de kortste keren in de *Grazia*...

'Dus je koopt hier vaak?' Ben opent de winkeldeur voor me. Binnen is het heel lawaaiig. Er staan allemaal mooie mensen met glazen bellini in de hand te proeven van de tonijntartaar die wordt opgediend op porseleinen lepeltjes.

'O ja, ik ben hier kind aan huis,' lieg ik.

Dat lijkt Ben plezier te doen. 'Dat zou je Queenie moeten vertellen. Ze kan vast korting voor je regelen.'

'Queenie?'

'Queenie Forbes-Wilkinson.' Ben neemt twee glazen bellini aan van een ober en maakt een gebaar met zijn hoofd in de richting van een ijzig kijkend meisje in een wikkeljurkje van DvF. Ze heeft knalrood haar dat ouderwets gegolfd is. 'Ze is mede-eigenaar.'

'Och ja, natuurlijk! Queenie Forbes-Wilkinson!' Ook al herken ik Queenie slechts vagelijk van de foto's in de societyrubriek van ES, de naam komt me zeer bekend voor. Vroeger was ze een It-girl. Later is ze gaan ontwerpen en haar QFW-minikaftans hangen hier aan het rek. Hoewel ze beeldschoon zijn, heb ik er nooit een willen kopen. Ze zijn meer voor meisjes die de hele dag in Antibes bewegingloos op een zonnebed liggen zonder ooit te verbranden, zich te vervelen of caipirinha-cocktails over hun sarong te knoeien. Zo'n meisje heeft niet eens een sarong nodig, ze loopt gewoon met zo'n minikaftan over haar bikini zonder zich zorgen te maken over wat anderen van haar dijen zullen vinden. 'Is zij met je collega getrouwd?' vraag ik Ben.

'Klopt. O, als je het over de duivel hebt...' Er verschijnt een brede grijns op Bens gezicht wanneer er een kleine, pezige man door het gedrang naar ons toe komt. 'Isabel, dit is Queenies echtgenoot Callum. Callum, Isabel.'

Met zijn ogen op mijn boezem gericht schudt Callum me de hand. 'Leuk je te leren kennen,' zegt hij tegen mijn decolleté.

Geweldig. Zo iemand die meer tegen je tieten praat dan tegen jou. 'Insgelijks,' zeg ik, met mijn blik op zijn ogen gericht.

Nog steeds naar mijn boezem kijkend vraagt hij: 'Vind je het erg als ik Ben even meeneem?'

'Ging de bespreking niet goed?' vraagt Ben nog voordat ik iets kan zeggen.

'Helemaal shit,' grauwt Callum. Zijn accent doet me denken aan oom Midge, die uit Glasgow komt. 'Ik weet niet wat Fred zich verdomme allemaal in zijn hoofd haalt, maar...' Opeens zwijgt hij. 'Ik vertel het je buiten wel, daar is het rustiger. Neem je glas mee.'

'Oké, maar eerst wil ik Isabel graag even voorstellen aan Queenie, als je het niet erg vindt.'

Ik wring me achter Ben aan door de mensenmassa totdat we onze gastvrouw hebben bereikt: QFW in levenden lijve. Ze staat naast een grote ronde tafel die bedekt is met mooie lingerie in pastelkleuren, en ze babbelt met twee keurig geklede en gekapte dames met losvallende Marni-jurkjes boven blote, pezige benen.

'Queenie.' Ben zoent haar op haar wangen.

'O, hoi, Ben, dat is lang geleden.' In tegenstelling tot haar echtgenoot heeft Queenie geen Schotse tongval. Ze is een echte It-girl.

'Zou jij Isabel even onder je hoede willen nemen terwijl ik met Cal praat?'

'Hè? Wie?'

'Ik ben Isabel.' Ik lach naar haar.

Ze lacht niet terug. 'O, hoi.'

'Jullie hebben vast veel te bespreken. Isabel zit ook in de mode,' zegt Ben.

Ligt het aan mij, of klonk dat spottend, dat ik ook in de mode zit? Ik bedoel, hij weet niet dat ik nog niet aan het echte ontwerpen ben toegekomen. Misschien staan de inkopers van Harvey Nichols wel bij me op de stoep, belt dat mens van Browns me vijf keer op een dag, en smeekt Debenhams me om een nieuwe collectie, speciaal voor hen. Weet hij veel.

Wanneer Ben naar buiten loopt om zich bij Callum te voegen, kijkt Queenie me aan. Van dichtbij zie ik de dikke laag make-up. Die is uiteraard goed aangebracht, maar het lijkt toch op een masker. Waarschijnlijk ziet ze er daarom zo ijzig uit. 'Wat doe je dan? Werk je soms in een winkel?'

'Volgens mij heb ik haar ooit bij Agnes B aan Fulham Road gezien,' zegt een van de keurig geklede en gekapte dames. Tegen mij zegt ze: 'Van de week heb ik daar een stapel t-shirts gekocht, weet je nog wel?'

'Eh... Nee.'

'Natuurlijk weet je dat nog! Je overreedde me t-shirts met ronde hals te nemen in plaats van met v-hals.'

'Nee, dat was ik niet, ik...'

'Dan was het bij Joseph,' zegt de vrouw. 'Dan heb je me daar gisteren geholpen toen ik wollen truitjes insloeg.'

Jezus, wat koopt dat mens allemaal? Beschouwt ze het inslaan van t-shirts van zestig pond per stuk bij Agnes B, of truitjes bij Joseph als iets doodgewoons, zoals normale mensen boodschappen doen in de supermarkt?

Geen wonder dat ze me aanzien voor een winkelmeisje...

Ik vind het wel een beetje vernederend. Zien ze mijn op maat gemaakte jurk van Lucien Black dan niet? Straalt die niet uit dat ik, hoewel ik niet superslank ben of niet opgemaakt genoeg, hier ook thuishoor? En hebben ze de Christian Louboutins aan mijn voeten niet gezien? Hoe moet ik daar de aandacht op vestigen zonder ook meteen de aandacht te vestigen op mijn benen, die niet zo pezig zijn als die van hen?

'Ik werk niet in een winkel.' Ik neem een slokje van mijn bellini en doe erg mijn best eruit te zien alsof ik erbij hoor. 'Ik, eh... Ik heb een eigen label.'

'O ja?' vraagt Queenie verveeld. 'Nou, als je daarom naar de party bent gekomen, heb je pech. Vanavond maak ik plezier en doe ik niet aan netwerken. Trouwens, we verkopen hier niet zomaar iedereen.'

Ik voel me krimpen. 'Ik ben hier niet om te netwerken,' zeg ik, om mijn waardigheid toch een beetje te behouden. 'Dat hoeft ook niet, weet je. Ik bedoel, de inkopers van Harvey Nichols en... en dat mens van Browns bellen me vijf keer per dag.'

Queenie knijpt haar ogen tot spleetjes. Is ze achterdochtig geworden? 'Sorry. Hoe zei je dat je label heette?'

'Dat heb ik niet gezegd. Maar het is Isabel B.'

'Nooit van gehoord,' merkt Queenie triomfantelijk op.

'Och, de kleding blijft dan ook nooit lang op de plank liggen,' reageer ik. 'Mijn vorige collectie bij Harvey Nichols was binnen twee uur uitverkocht. Je moet echt een, eh... insider zijn om iets te pakken te krijgen.'

'O, Isabel B!' roept de jongste van de twee keurig geklede en gekapte dames uit. 'Dat koop ik heel vaak!'

Ik knipper met mijn ogen. 'Echt?'

'Natúúrlijk! Ik heb een aantal kledingstukken van je,' gaat ze verder, terwijl ze de anderen een beetje uit de hoogte aankijkt. 'Die eh...' Ze zwijgt even onzeker. 'Die kasjmier truien zijn geweldig!'

Geweldig! Ik krijg steun! 'Kasjmier, ja, dat klopt.'

'Maar ik zou toch echt zweren dat ik haar bij Joseph heb gezien,' mompelt de oudere dame gepikeerd.

'Nou, leuk jullie te hebben leren kennen,' zeg ik. Ik moet echt bij hen weg voordat het nog ingewikkelder wordt. Bovendien heb ik lekkere hapjes voorbij zien komen, en die zou ik goed kunnen gebruiken om op krachten te komen. 'Als jullie het niet erg vinden, ga ik even rondlopen om de nieuwe collectie te bekijken.'

Niemand doet een poging me tegen te houden.

Ik hang een poosje rond, werk zonder achterdocht te wekken zoveel mogelijk tonijntartaar naar binnen, en pak vast twee van de goodiebags die op een grote tafel midden in de winkel staan. Een voor Lara en een voor mij. Ik moet zeggen dat het een hele opluchting is wanneer Ben opeens weer verschijnt. Zodra hij me ziet, komt hij snel naar me toe, met een bezorgde uitdrukking op zijn gezicht.

'Iz? Niet meer aan het babbelen?'

'Nee, maar ik amuseer me best, hoor.' Ik lach stralend naar hem om aan te tonen dat ik zo'n zelfverzekerd meisje ben dat je op een party prima een poosje alleen kunt laten. 'Even tijd voor mezelf.'

'Op een party?' Hij fronst zijn wenkbrauwen.

'Nou ja, je weet hoe druk het leven kan zijn. Dus moet je tijd voor jezelf vrijmaken wanneer het maar kan.'

'Maar ik had je bij Queenie achtergelaten.'

'Jawel, maar...' Zachtjes ga ik verder. 'Volgens mij mocht Queenie me niet zo.'

'Hè nee!' Hij legt zijn hand op mijn schouder. 'Deed ze vals tegen je?'

'Niet echt vals,' lieg ik. 'Een beetje vijandig.'

Hij slaakt een diepe zucht. 'Ik vrees dat dat mijn schuld is. Ik had eraan moeten denken dat Queenie dat altijd doet tegen de meisjes met wie ik om ga.'

'Met wie je om gaat?' flap ik eruit. Gauw vraag ik: 'Ik bedoel... Eh, waarom doet Queenie zo tegen meisjes met wie je om gaat?'

Ben buigt zich naar me toe zodat hij in mijn oor kan fluisteren. 'Nou, dit moet tussen ons blijven, Iz, maar toen Queenie en Callum een paar jaar geleden in New York woonden, was ze zeer in me geïnteresseerd. Het leek wel een obsessie.'

'Jemig!' zeg ik. Ik hoop dat hij mijn hart niet kan horen kloppen. Want het is een zeer aangename ervaring, hem zo dicht bij me te hebben, heerlijk ruikend naar ColourCare. 'Wat gênant.'

Ben knikt. 'Jezus, het is al jaren geleden! Je zou toch denken dat ze over die verliefdheid heen zou zijn.'

'Dat zou je zeggen!'

'In elk geval, het spijt me dat ze onaardig tegen je was, Iz-Wiz. Ik had eraan moeten denken.' Opeens lijkt hem iets te binnen te schieten. 'Zeg, waarom gaan we hier niet weg?'

'Ja?' Ik wil niet al te gretig klinken.

'Ja. Ik bedoel, we hebben nog niet echt goed kunnen bijpraten.' Hij haalt zijn mobieltje uit zijn zak. 'Ik reserveer wel een tafel voor ons bij Zuma.'

'O god, bij Zuma?' Kom op, Isabel, een beetje minder enthousiast graag. 'Ik bedoel, ja, leuk. Ik ben dol op Zuma.'

Grijnzend pakt hij mijn hand. 'Dat dacht ik al, Isabel. Dat dacht ik al.'

Isabel Bookbinder
West-Londen

Germaine Greer
Greenham Common?

19 september

Beste ~~juffrouw~~ mevrouw Germaine Greer,
Ik wil eerst graag even zeggen dat ik een groot bewonderaar van u ben. Uw boek uit de jaren zeventig, *De vrouw als eunuch,* was al even oorspronkelijk als uw latere werk bij diverse televisieprogramma's zoals *Celebrity Big Brother.* Ik heb vooral genoten van uw optreden in *Grumpy Old Women,* waar u hebt aangetoond dat u zowel gevat bent als wijs.

Ik vroeg me daarom af of u ~~tussen uw optredens op tv door~~ misschien tijd hebt om mij en mijn vriendin Lara te helpen bij een meningsverschil. Hoewel we allebei overtuigd feministe zijn en van alles overhebben voor het goede doel, kunnen we het niet eens worden over de gepaste kledij waarin we ons moeten kleden als we ons inzetten voor die goede doelen. Lara houdt vol dat tuinbroeken en Doc Martens gebruikelijk zijn, terwijl ik ~~bijna over mijn nek ga bij het idee alleen al~~ de voorkeur geef aan een minder extreme benadering.

Germaine, je bent het toch zeker wel met me eens dat je heel goed feministe kunt zijn in een doorschijnend jurkje en roze schoenen met open tenen? En dat een dergelijke dracht juist kracht uitstraalt? Belangrijker nog, zou het niet zelfs meer vrouwen kunnen aantrekken wanneer ze weten dat ze in iets moois kunnen rondstappen en niet per se in een afzichtelijke, oude overall? Ik ben sterk de mening toegedaan dat het tegenwoordig niet meer noodzakelijk is te kiezen tussen de strijd voor gerechtigheid en er smaakvol uitzien. Kijk maar naar Bianca Jagger, die haar humanitaire werk uitstekend weet te combineren met schitterende witte broekpakken. Een rolmodel voor ons allen.

We zouden graag uw mening hierover willen weten. Ondertussen kunnen we u geruststellen met de mededeling dat Lara en ik ons blijven inzetten voor het feministische gedachtegoed. We blijven de pest hebben aan kerels, we blijven trouw aan onze zusters, ~~en als het echt niet anders kan, zijn we bereid ons vast te ketenen~~ et cetera.

Solidaire groet,

Isabel Bookbinder

PS Is het in orde om afspraakjes te maken met een man die het niet goed vindt dat je als vrouw zelf dingen doet, en als dat niet zo is, kan er dan een uitzondering worden gemaakt voor uiterst aantrekkelijke mannen?

PPS Kent u Bianca Jagger persoonlijk? In dat geval zou ik het erg op prijs stellen als u me aan haar zou kunnen voorstellen.

17

Ik ben blij dat mijn eerste week bij *Atelier* er bijna op zit.

Niet dat het nou zo slecht ging, maar werken voor Nancy is minder nuttig dan ik had verwacht. Ik weet niet of dat komt omdat ze zo onder stress gebukt gaat. Ze rent van hot naar her in een poging inkopers en de pers ervan te overtuigen dat Lucien Black nog steeds een belangrijk ontwerper is, en om de paar tellen gaat ze naar crisisbesprekingen met haar advocaten vanwege de deal die op springen staat. En dan moet ze hier ook nog vergaderen met de redactie van *Atelier*, om te beslissen welke beroemdheid er op de cover van het decembernummer moet, en of er op de shoot in New York voor de feestelijke jurkjes een lachend blondje moet worden gebruikt – niets voor *Atelier* – of een meisje met anorexia en een sombere blik in haar ogen – typisch *Atelier*. Er is al een hele week voorbijgegaan en hoewel ik in de modearistocratie verkeer, heeft mijn carrière nog geen vlucht genomen.

Daarom heb ik vanochtend besloten om terug te gaan naar de basis. Ik kan er niet op vertrouwen dat Lucien Black ontdekt dat ik talentvol ben, omdat hij hartstikke gek lijkt te zijn geworden. Maar bij *Atelier* zit ik midden in de mode-industrie. Ik bedoel, de kansen om te netwerken liggen voor het oprapen. Misschien moet ik me inlikken bij die stylistes. Cassie leek me best aardig, en Elektra... Nou ja, die leek menselijk.

Dit is mijn plan: volgende week ga ik naar mijn werk met iets aan wat ik zelf heb ontworpen. Ik zal heel achteloos doen over mijn in Griekse stijl gedrapeerde toga-jurk. Als ik daar dapper genoeg voor ben. Als ik daar niet dapper genoeg voor ben, ga ik in een T-shirt met een heel gevatte kreet erop. Gisteravond ben ik onderweg naar huis bij John Lewis binnengestapt en heb daar alles gekocht wat ik nodig zou kunnen hebben, van soepele zwarte zijde die perfect gedrapeerd kan worden tot textielverf die me moet helpen voorkomen dat er 'ebaB' op mijn T-shirts komt te staan. In elk geval, wat ik ook ga maken, het plan bestaat eruit dat Cassie en Elektra helemaal uit hun dak gaan en hun baas Tania smeken mijn kleding te gebruiken bij de volgende shoot met Kate Moss. En dan valt Kate Moss ervoor en smeekt Tania of ze alles mag houden. Maar eigenlijk weet ik niet goed of Kate Moss ooit om iets hoeft te vragen. Hoe dan ook, ze gaat in mijn kleding naar Glastonbury, op rubberlaarzen, en de lezeressen van *heat* bellen het tijdschrift plat omdat ze willen weten hoe Kate aan zoiets komt. En dan zegt Kates agent: 'O, Kate is nu eenmaal dol op het niet algemeen bekende label Isabel B.'

O jee, de telefoon. Mijn mobieltje. De vaste telefoon hier gaat niet vaak. Nancy lijkt gelijk te hebben dat niemand meer iets met het zinkende schip te maken wil hebben. In elk geval, ik neem niet op, want het is toch maar mijn moeder en ik weet al wat ze wil zeggen.

Ik bedoel, de wereld is tegenwoordig maar klein, en het nieuws dat ik ben uitgeweest met Ben heeft Shepton Mallet angstaanjagend snel bereikt. Mijn moeder heeft er al sinds dinsdagmiddag berichtjes over op mijn voicemail achtergelaten. En niet zomaar berichtjes, maar hele redevoeringen van wel vijf minuten. Mijn moeder vindt het maar niks dat ik met iemand anders uitga terwijl ik haar nog niet eens had verteld dat het officieel uit is met Will, en ze vindt het ook niks dat ik bij Lara ben ingetrokken zonder haar dat te vertellen. Ze vraagt zich af waarom ik met zulke veranderingen bezig ben terwijl ik nog niet echt afgekickt ben. Maar volgens mij is ze vooral boos omdat mijn sociale leven beschamend is voor háár sociale leven.

'Ik bedoel, ik heb Cathy Loxley niet meer gezien sinds we twee jaar geleden met Kerstmis naar een feestje zijn geweest,' zegt ze na anderhalve minuut in zo'n bericht. 'Ik zou haar samen met Bens stiefvader al anderhalf jaar geleden te eten moeten hebben gevraagd, maar het kwam er steeds niet van. En nu ga jij uit met Ben, en Isabel, dat maakt het allemaal erg ingewikkeld. Ik bedoel, wat vind je dat ik het beste kan doen? Moet ik bij haar langsgaan met een potplant? Moet ik haar op de koffie vragen? Denk je dat ze weet dat jullie iets hebben, of kan ik net doen of ik nergens van op de hoogte ben, zodat ze niet gaat denken dat ik alleen daarom contact maak? Echt, Isabel, het is jammer dat je niet eerst een beetje nadenkt. Uiteraard vind ik het fijn dat je gelukkig bent, maar...'

Dat ben ik trouwens. Ik ben heel erg gelukkig. Ik bedoel, het gaat heel goed tussen Ben en mij. Het was helemaal top bij Zuma. Ze hadden heerlijke cocktails, en Ben bestelde gerechten waarvan ik nog nooit had gehoord, zoals ponzu en ume bashi. Zoals Ben zelf zei, was het maar goed dat hij er in New York aan gewend was Japans te eten, anders zou hij niet hebben geweten wat hij moest bestellen. Maar dan hadden we het uiteraard aan de ober kunnen vragen. Omdat Ben zich zo amuseerde, zei ik dat maar niet. In elk geval, we hebben heel veel gepraat, over van alles en nog wat, zoals Bens carrière, en wat hij in zijn vrije tijd doet, en hij had allemaal grappige verhalen over New York. En over de verbouwing van zijn appartement in Holland Park. En over zijn maffe ex, Gekke Saskia. Zo noemde hij haar trouwens, dat heb ik niet verzonnen.

Ik bedoel, ik had het natuurlijk over Will kunnen hebben, maar dat is nog te vers. En Ben leek het geen prettig onderwerp te vinden toen ik het heel even over Will had, dus toen heb ik het er maar bij gelaten.

Het enige teleurstellende was dat er geen zoenen of zoiets aan te pas kwam. Alleen een vluchtig kusje op mijn mond toen hij me na het eten bij Lara afzette. En hij kwam niet eens binnen voor een kopje koffie. Want, zoals hij zei, hij moest de volgende ochtend om zeven uur op zijn werk zijn.

'Hoi, Isabel.'

Ik was zo diep in gedachten verzonken dat ik helemaal niet heb gemerkt dat er iemand zijn hoofd om de hoek steekt. Wanneer ik opkijk, zie ik dat het Cassie is. Ze ziet er erg vermoeid uit, maar toch als een echte fashionista in een houthakkershemd dat ze in een uiterst strakke spijkerbroek met verhoogde taille heeft gepropt. De look voor het volgende seizoen.

'Ha, Cassie.' Ik lach naar haar. 'Weer terug uit Nevada?' Ik weet niet waarom ik dat vraag. Het is immers overduidelijk dat ze terug is uit Nevada.

'We zijn vanochtend geland.' Ze geeuwt overdreven. 'Jetlag is niet leuk.'

'Dan moet je vanavond maar heel vroeg naar bed.'

'Nou, ik wilde je eigenlijk even spreken over vanavond. Heb je zin om iets te gaan drinken? Het is niks bijzonders, hoor, gewoon een paar cocktails om het weekend in te luiden, met Elektra en mij, en nog een paar.'

Niks bijzonders? Gewoon een paar cocktails met de meisjes van *Atelier*, de meest extreme fashionista's van heel Londen? Jezus, het is net iets uit *Sex and the City*. Maar dan met betere accessoires.

'Je hoeft niet mee, hoor.' Cassie interpreteert mijn stilte overduidelijk als een aarzeling. 'Het is echt niks bijzonders...'

'O nee, ik wil graag mee. Fijn, Cassie.'

'Oké, leuk. Meestal gaan we naar de Aura, of de Light Bar, of de Glass Bar in de Paper Club. We zien wel.'

'Top. Ik ben op allemaal even dol.' Ik heb er eerlijk gezegd nog nooit van gehoord. 'Ik vind alles best.'

'Leuk,' zegt Cassie nogmaals. 'Misschien kunnen we na het werk met z'n allen een taxi nemen.'

Het is een heel verleidelijke gedachte om met een stel *Atelier*-meisjes in een taxi door de stad te zoeven, maar toch doe ik aan dit onderdeel liever niet mee. Ik bedoel, ik ben niet zoals zij. Ik kan geen grappig speldje in mijn haar steken en een beetje mascara opbrengen en vervolgens naar de hipste plekken van Londen gaan. Nee, ik moet naar Lara's appartement om me erop te kleden, want daar kan ik alles passen wat ik heb totdat ik er acceptabel uitzie.

'Nou, ik moet na het werk nog iets doen... Maar als je me je mobiele nummer geeft, bel ik je zodra ik klaar ben, en dan weet ik waar jullie uithangen.'

'Goed, hoor.' Ze schrijft haar nummer op mijn blokje, en zet er een smiley onder. Dat is niet erg cool. 'Zeg, is Nancy daar?'

'Nee.'

'O, nou, ik stuur haar toch maar. Ze kan haar boodschap bij jou achterlaten.'

'Wie kan een boodschap bij mij achterlaten?' vraag ik, maar Cassie is alweer de hoek om, op weg naar de modeafdeling. Na een paar tellen hoor ik voetstapjes en verschijnt er een ander meisje op de plek waar Cassie daarnet stond.

'Dag,' zegt ze zachtjes. 'Is Nancy er niet?'

'Het spijt me, maar vandaag werkt ze thuis.' Ik lach naar haar, en doe mijn best me te herinneren waar ik haar eerder heb gezien. 'Kan ik een boodschap doorgeven?'

'Eh...' Ze friemelt zenuwachtig met de pony die voor haar ogen hangt. 'Ja... Wil je haar zeggen... Nou, zeg maar dat ik er was, en dat het me heel, heel erg spijt.'

'Doe ik.' Het is een beetje een ongebruikelijke boodschap, maar ik schrijf het toch maar op. 'En wie kan ik zeggen...'

Ze kijkt verbaasd op. 'Eh... Eve. Eve Alexander.'

Is dit Eve Alexander? Dit slordig ogende meisje met een afzakbroek en een slobbertrui, met ongekamd haar en een puistje op haar kin?

'Je herkent me niet,' merkt ze spijtig op. 'Geweldig. Ik wist
wel dat ik er vandaag niet uitzag.'

'O nee, dat is niet waar.' En dat klopt. Ik bedoel, nu ik haar
beter bekijk, zie ik dat ze beeldschoon is. Goed, die pony mag
wel eens worden bijgeknipt, maar ze heeft ogen met ongelooflijk lange wimpers. Die herken ik van de mascarareclame. En
haar lippen zijn net zo vol als op tv. 'Ik herkende je niet zo
gauw zonder korset en hoepelrok.'

'En zonder vier uur in de make-up,' reageert ze met een lachje. 'Maar goed, zou je de boodschap door willen geven aan
Nancy? En wil je haar vragen... Nee, ze zal me wel niet willen
bellen.' Niet op haar gemak ratelt ze maar door. 'Ik bedoel, ze
heeft nu vast vreselijk de pest aan me.'

Ik wil haar net geruststellen en zeggen dat Nancy het helemaal niet erg vindt dat Eve haar in de steek laat, maar dan
dringt het ineens tot me door dat ik trouw moet zijn aan Nancy.
Ik bedoel, Eve staat aan de top, ze is hartstikke beroemd, dus ik
zou nooit zo stom zijn om haar de les te lezen omdat ze Lucien
Black in de steek laat net nu hij het zo moeilijk heeft. Maar ze
lijkt me een lieve meid, het lijkt me onvoorstelbaar dat ze niet
een klein beetje tegen de waarheid zou kunnen.

Ik haal diep adem. 'Weet je, ze vindt het bepaald niet fijn.
Ze zal je excuses op prijs stellen, maar ze is behoorlijk van
slag.'

'Ik wist het wel. Ik wist het gewoon! Ik zei nog tegen Jasmine
dat Nancy vooral kwaad op míj zou zijn...'

'O, maar ze is ook goed kwaad op Jasmine, hoor,' zeg ik om
haar op te vrolijken.

Maar Eve luistert niet. 'Ik wist wel dat ik me niet moest laten ompraten, maar ja...' Ze zucht eens heel diep. 'Zo gaat het nou altijd...'

Interessant. Ik bedoel, ik kan heel goed het zuchten herkennen van mensen die het moe zijn altijd maar te doen wat anderen willen.

Zou Eve eraan toe zijn zelf eens een beslissing te nemen, gewoon voor de verandering?

'Weet je,' zeg ik, 'je hoeft niet altijd te doen wat anderen zeggen. Ik bedoel, als jij Lucien Black wilt dragen, dan draag je Lucien Black.'

'Zo eenvoudig ligt het niet. Jasmine heeft al overeenstemming bereikt met die lui van Marchesa.'

Ik negeer het geluid van mijn mobieltje. Ik heb het gevoel dat we op het punt staan een doorbraak te bereiken. 'Maar eerst was je overeengekomen Lucien Black te dragen, en toen ben je ook van gedachten veranderd.'

Eve kijkt me onder haar pony door aan. 'Ik ben niet van gedachten veranderd. Mijn styliste en mijn agent zijn van gedachten veranderd. Om heel eerlijk te zijn snap ik dat ook wel. Ik bedoel, iedereen loopt met een boog om Lucien heen na die afzichtelijke collectie van laatst.'

'Maar Eve... Ik bedoel, mevrouw Alexander, de jurk die Lucien voor u heeft gemaakt is schitterend. Echt waar! Het is een jurk voor een prinses!' Ik zeg maar niet dat ik me er als een prinses in heb gevoeld. Ik bedoel, ze zal hem vast niet willen dragen als een onbetekenend iemand als ik hem al heeft gedragen.

Ze lijkt te aarzelen. 'Wat voor kleur?'

'Zwart. Maar geen saai zwart,' zeg ik er gauw bij. 'Er zijn allerlei details...'

'Zwart is prima. Marchesa wil me in het lila hebben.' Afwezig pulkt ze aan haar arm. 'Iedereen maakt zich er zorgen over dat ik er heel dik in uit zal zien, daarom eet ik de komende twee weken maar niets.'

Dit is om mistroostig van te worden. Ik kon mezelf maar net in het jurkje persen dat voor Eve was gemaakt, en dan is het niet fijn om te horen dat ze wordt beschouwd als een soort walvis. Maar misschien leggen de lui van Marchesa een andere standaard aan. Ik vind dat Eve een prima figuur heeft, zelfs al gaat dat grotendeels schuil onder die slobbertrui.

'Lucien kan altijd heel goed dingen ontwerpen die bij mijn lichaamsbouw passen,' zegt ze mismoedig.

'Precies!' Ik buig me naar haar toe en negeer mijn mobieltje dat alweer geluid maakt. 'Het zal een hele opluchting voor je zijn Luciens zwarte jurkje te kunnen dragen, en niet dat lila geval van Marchesa.' Ik doe mijn best misprijzend te klinken, al is de lila jurk van Marchesa waarschijnlijk beeldschoon. 'Ik bedoel, dan kun je je twee weken volproppen in plaats van te overleven op slablaadjes...'

'Isabel?' Ik word in de rede gevallen door de schrille stem van Lillian. Ze beent met een boze frons door de gang op me af. Van de uitdrukking op haar gezicht zou melk meteen zuur worden. 'Waarom neem je niet op... O, mevrouw Alexander!' roept ze gesmoord uit wanneer ze Eve ziet. 'Sorry, ik wist niet dat u bij Isabel was.'

'Nou ja, ik moet nu weg.' Eve draait zich om. 'Het was een lange vlucht. En volgens mij staat er buiten een auto op me te wachten. Dat zou Cassie regelen.'

'Eve...'

'Het spijt me,' zegt ze. 'Het is onmogelijk. Maar zoals ik al zei... Zeg alsjeblieft tegen Nancy dat het me heel erg spijt.'

18

Ik kijk Lilian net zo kwaad aan als zij mij. 'Ik was net bezig iets voor Nancy te doen!'

'Je doet ook iets voor haar als je opneemt wanneer ze je belt.'

'Was dat dan Nancy?'

'Ja. Je moet iets bij haar thuis ophalen.'

Shit. Net wanneer het eindelijk een beetje lukt met mijn T-shirtcollectie.

'Bij haar thuis? In Mount Street?' Nancy woont niet boven de winkel – pardon, het concept – maar een paar straten verderop.

'Ja, Isabel, in Mount Street. O, en er staat iemand voor je bij de receptie,' gaat Lilian verder terwijl ik opsta en mijn tas pak. Je ziet aan haar gezicht dat ze een persoonlijk bezoek nog veel erger vindt dan persoonlijke telefoontjes. 'Je schoonzusje of zoiets.'

Mijn hart staat even stil. 'Daria? O god, er is toch niets met de baby?'

'Volgens mij heet ze Annie. En ze ziet er niet bepaald zwanger uit.' Ze slaat haar armen over elkaar. 'Kun je nu meekomen en het afwikkelen?'

Annie zit bij de receptie, en ze ziet er nog oogverblindender uit dan anders. Voor de verandering is ze netjes gekleed, met een zwart jasje en bijna bijpassende broek. Ze heeft zelfs echte schoenen aan haar voeten in plaats van de gebruikelijke gym-

214

pen. Het is echter maar een dun laagje beschaving, want ze probeert mensen tot een gesprek te verleiden door dingen te zeggen als: 'Goedemorgen!' en: 'Koud, hè?' Bij *Atelier,* nota bene! Ik bedoel, waarom kauwt ze niet gewoon op een strootje, leunt over een hek en zegt: 'N'avond, luitjes'?

'Iz-Wiz!' Ze springt op wanneer ze me ziet en sluit me in haar armen. Maar ze knijpt me deze keer niet fijn, nee, ik krijg heel beschaafd twee zoenen op mijn wangen. Misschien is het laagje beschaving dikker dan ik dacht. 'Sorry dat ik je op je werk stoor. Maar weet je, dit is de enige vrije dag die ik van de week heb, dus moest ik wel nu naar je toe komen om je te spreken...'

'Annie, het spijt me, maar ik heb haast. Ik moet ergens heen.'

'Ik ga wel met je mee.' Annie laat zich door niets weerhouden. Ze is niet voor niets gymjuf. Haar werk bestaat voor een groot gedeelte uit het doorzien van smoezen, zoals keelpijn, menstruatiepijn en gebroken enkels. En ze moet anderen laten doen wat zij wil. 'Heerlijke dag, een wandelingetje zal me goed doen.'

'Ik wilde net een taxi bellen...'

'O, nog beter!' Ze trekt me naar de liften. 'Ik ben gek op Londense taxi's!'

Zodra we in de taxi zitten, draait Annie zich naar me toe. 'En, Wizbit, we hebben elkaar veel te vertellen. Neem je Ben mee?'

'Wát?'

'Je mag toch iemand meenemen?' Ze zoekt in haar tas naar een blocnote en slaat een paar bladzijden om. 'Naar de bruiloft. We zijn bezig de definitieve gastenlijst op te stellen.' Ze draait de blocnote om en laat me mijn naam zien, ongeveer halverwege de lijst. Halverwege! Zeg eens, ik ben het zusje van de bruidegom! Ernaast staat een plusje en een vraagteken. 'Uiteraard wordt Ben sowieso uitgenodigd, maar als hij met jou meekomt, dan...'

'Annie, we zijn één keertje uitgeweest!' Ik kijk haar strak aan. 'Hoe weet je trouwens dat ik met Ben had afgesproken?'

'O, hij had Matthew gebeld en verteld dat jullie uitgingen. Hij zei dat hij zich netjes zou gedragen. Lief, hè?'

Nu weet ik van wie mijn moeder het heeft gehoord.

Raar van Ben dat hij eerst Matthew belde. Wilde hij soms Matthews toestemming? Alsof het Matthew ook maar iets kan schelen of Ben zich netjes gedraagt of niet.

'Dan kan er namelijk nog iemand komen,' gaat Annie verder. 'Er zijn er nog zoveel die ik wil uitnodigen, van St. Dominic, en van de nieuwe yogales...'

Ik kan het allemaal niet meer bijhouden. Doet Annie, het joviale hockeymeisje, ineens aan yoga?

'En dan kan Lara er nog bij,' zegt Annie. 'Matthew wil haar er graag bij hebben als er plaats is.'

'O ja, Lara,' zeg ik gauw om dit in de kiem te smoren. 'Volgens mij gaat ze veel weg van de zomer.'

'Maar het wordt geen zomerbruiloft. We mikken op de tweede helft van februari, de zeventiende of de vierentwintigste. Dat hangt af van waar we de receptie willen. Matthew wil die graag op de rugbyclub, maar ik... Nou ja, ik heb het hem nog niet met zoveel woorden gezegd, Wiz, maar over mijn lijk!' Ze lacht joviaal. 'Een vriendin van mij, Amanda, die ik van de yoga ken, had het over een mooi hotel, Babington House. Het is maar vijftien kilometer van waar mijn ouders wonen, en ook niet ver van de jouwe.'

'Babington House? Weet je dat zeker?'

'Ja, ik weet dat het duur is. Maar mijn ouders betalen het grootste gedeelte.'

'Dat bedoelde ik niet. Alleen... Nou ja, Babington House is heel erg trendy, Annie. Weet je zeker dat Matthew en jij... Nou, je vrienden en vriendinnen... Dat die zich daar op hun gemak zullen voelen?'

Ze kijkt me geërgerd aan. 'We wonen nu in Londen, hoor. Jij bent niet de enige met trendy vrienden en vriendinnen. Helaas hebben ze weinig plek, daarom willen we graag gauw weten of je met Ben komt of niet.'

Plotseling krijg ik visioenen van de bruiloft van Matthew en Annie. Ben zal er knap uitzien in jacquet. Ik zie hem daarin in ons appartement in Holland Park heen-en-weer lopen – pardon, zíjn appartement in Holland Park – terwijl hij zijn briljante toespraak oefent. Ondertussen trek ik iets aan uit mijn nieuwe collectie en zet mijn Cozmo Jenks-hoedje koket op mijn losvallende, kroesvrije lokken.

'En ik moet het telefoonnummer hebben van je vriend Barney.' Annie verstoort mijn visioen. 'Denk je dat hij nog tijd heeft om hapjes te maken voor het verlovingsfeest van morgen?'

'De housewarming, bedoel je?'

'Nou, het is nu allebei. We hebben nog veel meer mensen uitgenodigd, Wizbit. Mijn ouders, jouw ouders...'

Geweldig. Ik had me nog wel verheugd op het feest. Een kans om Ben weer te zien, iets met hem te drinken... En nu zal mijn moeder er zijn, en die denkt vast dat ik high ben en gaat me vast weer vragen stellen over hoe dat nu moet met Cathy Loxley. En mijn vader zal laten merken dat ik een schandvlek voor de familie ben en zal geen woord met me willen wisselen.

'Bovendien vind ik een housewarming een beetje studentikoos. Vind je niet? Ik bedoel, we wonen nu in Londen, Iz,' zegt Annie. Volgens mij heeft ze dat al gezegd. 'Daarom wil ik graag dat Barney de hapjes verzorgt. Maar daarvoor kwam ik niet, Wiz. Hoor eens, ik beloof je dat ik niet in zo'n verschrikkelijke bruid zal veranderen, maar...'

Ik weet precies wat ze me gaat vragen, en ik word helemaal koud vanbinnen. Ze wil dat ik bruidsmeisje word. En dat vind ik niet leuk.

Ik bedoel, hoe loyaal is dat tegenover Lara? Want ik ken haar goed genoeg om te weten dat ze, ook als ze niet wordt uitgenodigd, dagenlang – nee, wekenlang – alle foto's zal bestuderen die ze te pakken kan krijgen. Ze zal Matthews gezichtsuit-drukking analyseren om te zien of het echt de gelukkigste dag van zijn leven was, of dat er binnenkort een scheiding aan zit te komen. Als ze de groepsfoto's ziet zal ze me zeker een echte judas vinden, maar dan een judas gehuld in citroengeel satijn met ruches.

Ik weet zeker dat het citroengeel satijn met ruches wordt. Ik bedoel, we hebben hier met Annie te maken. Ik zou boffen als ik geen haarband met gele roosjes hoef, en een bijpassende parasol.

'O Annie, lief dat je het vraagt, maar ik weet niet of ik die verantwoordelijkheid wel op me moet nemen.'

'Veel verantwoordelijkheid komt er niet bij kijken, hoor.' Ze pakt mijn hand. 'Ik maak er geen grote bedoening van.'

Dat is gelogen. 'Weet je, de taak van een bruidsmeisje is veel zwaarder dan je zou denken...'

Waarom schiet ze opeens in de lach?

'Ik wil helemaal niet vragen of je mijn bruidsmeisje wordt,' brengt ze hikkend uit. 'Neem het me alsjeblieft niet kwalijk, maar jíj, als bruidsmeisje?'

Wacht eens... 'Wat zou daar zo erg aan zijn?'

'Isabel! Ik moet mensen met organisatorisch talent om me heen hebben! Als jij mijn bruidsmeisje was, zou ik nooit op tijd in de kerk aankomen. Of als ik wel op tijd zou zijn, was dat vast in de verkeerde kerk, ergens ver weg.'

Ik kijk haar verontwaardigd aan.

'Op de verkeerde dag,' gaat ze verder, 'van de verkeerde maand.'

'Ja, ja,' zeg ik. 'Ik snap het al, hoor.'

'In elk geval, ik heb Ginny, Fiona, Eleanor en Camilla ge-vraagd bruidsmeisje te zijn, want dat was ik ook bij hen. Wizzy, ik wil graag dat jij je over de bejaarde familieleden ontfermt.'

'Pardon?'

'Ik verleg de verantwoordelijkheid. Amanda vertelde me dat dat haar bruiloft heeft gered, en haar geestelijke gezondheid. Je geeft iedereen van de familie een taak, en dat betekent dat iedereen zich betrokken voelt, en dat de toch al gespannen bruid minder aan haar hoofd heeft. En dat geldt uiteraard ook voor de bruidegom,' voegt ze er gauw aan toe.

'Dus ik mag voor de bejaarden zorgen?'

'Ja. Dat is echt een heel belangrijke taak,' zegt Annie op de toon die ze vast ook gebruikt voor het meisje dat bij netbal altijd als laatste wordt gekozen. 'Je moet zorgen dat ze aldoor thee hebben, en aan het eind van de avond moet je een taxi voor hen regelen. Misschien zou je ook voor oordopjes kunnen zorgen voor de momenten waarop er live muziek is, dat zou heel zorgzaam zijn. Maar je hebt helemaal de vrije hand, hoor,' zegt ze nog. 'Ik wil niet bazig doen en alles zelf in de hand houden.'

Ik kan mijn oren niet geloven. 'En wat krijgen de anderen te doen?'

'Mijn moeder zorgt natuurlijk voor de taart. En jouw moeder doet de bloemen, want ze weet alles van bloemen, nietwaar?' Ze loopt een lijst langs. 'Ik ga Marley en Daria vragen de tafelschikking te doen, want zij hebben vast een handig computerprogramma...'

Dus iedereen krijgt een taak die iets met hun vaardigheden te maken heeft, en ik krijg de demente bejaarden. Heeft ze mijn hulp dan niet nodig bij het uitzoeken van de bruidsjurk, wil ze geen professioneel advies over de schoenen? Mag ik de make-up niet regelen?

'Tante Vicky regelt iemand voor de video-opnamen, Penny doet de doosjes met gesuikerde amandelen...'

Dus ik ben zelfs niet goed genoeg voor de kleine cadeautjes?

Gaat dit straks zo door, wanneer Annie officieel is toegetreden tot de Bookbindertjes? Zal ze dan net zo weinig vertrouwen in me tonen als alle anderen aan wie ik verwant ben?

Gelukkig, we rijden Mount Street in, dus hoeft ze niet te zien dat ik bloos. Ik stap gauw uit. 'Nou, Annie, het was leuk je te hebben gesproken...'

'O ja! Nou, ik noteer je dus voor de bejaarden,' zegt Annie op een toon die geen tegenspraak duldt. Ze slaat de blocnote dicht. 'En vergeet niet me straks een sms'je te sturen met Barneys telefoonnummer!'

Plotseling hoor ik een mannenstem achter me. 'Maar... Isabella?'

Het is Hugo Tavistock.

'Wat een verrassing!' Hij loopt naar een gebouw met een houder met bekers koffie erin. Hij ziet er goed uit in een roze shirt en een vrijetijdsbroek. En net zoals de laatste keer dat ik hem zag, zit zijn haar abnormaal goed, alsof hij net van de kapper komt of minstens een uur voor de badkamerspiegel heeft gestaan met een föhn en een voordeelbus Elnett. 'Ik heb net koffie gehaald. Dat was wel nodig na een laat avondje. Bij Annabel's,' voegt hij eraan toe, alsof ik nog niet doorheb dat hij een man is die weet waar je moet worden gezien. 'En, waar hebben we dit genoegen aan te danken? Ben je hier voor zaken of voor plezier?'

Laat hem alsjeblieft niet zeggen dat ik alleen maar personal assistant ben. In Shepton Mallet wisten ze ook bijna meteen dat ik was uitgeweest met Ben. Als uitkomt dat ik over mijn baan heb gelogen, zal dat daar als een lopend vuurtje de ronde doen.

'Ik kom voor Nancy,' zeg ik. 'Om het over iets heel belangrijks te hebben. Het heeft te maken met Lucien Blacks nieuwe collectie.'

'En je hebt iemand meegenomen!' Ja hoor, hij heeft gezien dat er een blondje bij is. '*Enchanté*,' zegt hij terwijl hij Annies hand tussen de zijne houdt. Het ziet er even naar uit dat hij haar hand naar zijn lippen zal brengen voor een handkus. 'Hugo Tavistock.'

'Annie Sinclair.'

'Annie!' herhaalt hij jubelend. 'Werk je ook voor *ma femme?*'

'Nee,' zeg ik, met mijn blik betekenisvol op haar hand gericht, die hij nog steeds vasthoudt. 'Ze is de verloofde van mijn broer. Zijn *fiancée.*' Hij is zo dol op zijn Franse woordenschat dat ik er ook maar een Frans woordje tussendoor werp.

'O.' Hij lacht naar Annie. 'Ik dacht al dat een meisje als jij niet voor Nancy zou werken.'

Wat bedoelt hij daar nou weer mee?

'Ik dacht dat je model was,' gaat hij verder.

Annie werpt giechelend haar haren op haar rug. 'O nee, ik ben gewoon maar sportleraar.'

'Aha.' Hij doet nauwelijks moeite te verbergen dat hij met zijn ranzige geest beelden voor zich ziet van Annie in een kort plooirokje terwijl ze met een hockeystick ballen over het veld slaat. 'Waar geef je les?'

'Op het St. Dominic.'

'Het is niet waar! Mijn dochter zit op het St. Dominic! Ken je Polly Tavistock-Wells?'

'Die zit in het lacrosseteam voor onder de vijftien jaar.'

'Nou, dan moet ik toch eens komen kijken wanneer ze speelt. Mijn ex zit me voortdurend op te jutten dat ik dat moet doen, maar ik heb er nog geen tijd voor gehad.' Hij lacht stralend naar Annie. 'Nu ik weet dat jij er bent, zal ik *un peu plus d'effort* maken.'

'Zeg Annie, je moet nu echt gaan hoor,' zeg ik. 'Ik weet dat je het verschrikkelijk druk hebt.'

'Maar dit is mijn vrije dag...'

Ik kijk haar kwaad aan. 'Nou, ik heb het wél verschrikkelijk druk. Wilt u me binnenlaten, meneer Tavistock? Volgens mij zit Nancy op me te wachten.'

Hugo kijkt geërgerd, alsof ik een soort preutse chaperonne ben. 'Nou, het was leuk je te leren kennen,' zegt hij tegen Annie.

'Misschien zie ik je binnenkort op het St. Dominic.' Annie werpt hem een zwoele blik toe. Zo heb ik haar nooit eerder zien kijken. 'Jouw Polly heeft een uitstekende sprint.'

'Een sportieve meid kan ik altijd waarderen,' zegt Hugo met al net zo'n zwoele blik.

'Dag Annie!' Ik zwaai joviaal naar haar. 'Ik moet nu echt verder.'

Gelukkig begrijpen ze de hint. Hugo steekt de sleutel in het voordeurslot, en Annie beent weg over Mount Street.

Het appartement van de Tavistocks bevindt zich op de vijfde verdieping. Ik storm zo snel als ik kan de trap op, om Hugo niet het genoegen te geven mijn achterwerk al te lang te kunnen bewonderen. Ik klop op de deur, en even later doet Nancy open.

Ze ziet eruit alsof ze niet heeft geslapen, en er zit een puistje op haar kin. Maar als echte fashionista ziet ze er toch geweldig uit, in een huiselijke broek van een zacht stofje, een topje met spaghettibandjes, een Missoni-vest dat bijna tot de grond komt, teenslippers van Christian Louboutin en uiteraard oorbellen die op kroonluchters lijken.

'Hoi, Izzie. O, dag schat,' voegt ze eraan toe wanneer ze Hugo ziet aankomen met de houder met koffiebekers. 'Breng je die even naar Magnus en Charlotte?'

Geërgerd wringt hij zich langs ons heen. 'Ik dacht dat ik ze al genoeg betaalde,' moppert hij hijgend. 'Ik vind dat ze best voor hun eigen koffie kunnen zorgen.'

Het valt me op dat hij niet zegt: *le café*.

'Ze zitten hier al uren en uren,' reageert Nancy venijnig. 'Een beetje koffie is wel het minste wat we voor hen kunnen doen.' Zodra hij weg is, zegt ze tegen mij: 'Kom binnen, dan kun je hier wachten. Mijn advocaat en accountant komen zo.'

De zitkamer waar ze me naartoe brengt, is een verrassing. Begrijp me niet verkeerd, hij is beeldschoon ingericht, met een mooie houten vloer, zachtgroene muren en banken met een pastelkleurige bekleding. Maar hij is erg klein, veel kleiner dan ik had verwacht bij iemand als Nancy, en heel spartaans. Er hangt bijvoorbeeld niets aan de muur, en het voelt alsof de verwarming al in geen dagen aan heeft gestaan.

'Dank je dat je bent gekomen, Iz,' zegt Nancy terwijl ze zich in een stoel laat ploffen. 'Je moet een memo voor me bezorgen bij de advocaten van Redwood.'

'Gaat het wel goed?'

Ze strijkt door haar haren. 'Redwood heeft gisteren een ander bod uitgebracht. Precies zoals ik had verwacht.'

'Een lager bod?'

Ze knikt. 'Veel en veel lager.'

'Jezus... Moeten jullie dan toch een geurtje lanceren?'

Ze kijkt me bevreemd aan. 'Daar gaat het nu niet om, Izzie. We hebben hun veranderde bod goed bekeken en proberen het in te passen in de uitbreidingsplannen die we eerst hadden.'

'Eh... Ik ben geen expert of zo,' zeg ik. 'Maar... Ik weet niet hoe het heet, maar kunnen jullie het niet hard spelen? Dreigen dat jullie weglopen uit het overleg als ze niet meer bieden?'

'Als het zo gemakkelijk was, zouden we dat allang hebben gedaan.' Ze leunt vermoeid naar achteren. 'Maar onze positie is niet erg sterk. Niemand koopt meer iets van ons. Iedereen lacht zich suf om ons, en we weten niet wanneer Lucien weer tot zichzelf zal zijn gekomen. Het is verbazend dat er überhaupt een bod is uitgebracht. Er zal zeker geen beter bod komen.'

'Waarom trekken jullie je dan niet terug?' Misschien zorgt mijn frisse inbreng voor een enorme doorbraak. 'Dan wachten jullie totdat het beter gaat en kunnen jullie op zoek naar een andere investeerder. Het heeft immers geen zin om nu te verkopen, wanneer het slecht gaat.'

'Misschien heb je wel gelijk. Alleen, we zijn zowat failliet.' Nancy klinkt ineens heel fel.

'Failliet?'

Ze gebaart naar de kale wanden van de kille kamer. 'Zie je dan niet dat er al is ingepakt? We kunnen ons dit kippenhok niet meer veroorloven. We moeten omkijken naar iets goedkopers, ergens in een buitenwijk. Als we ons dat kunnen veroorloven met het schijntje dat Redwood biedt.'

'Maar jullie zijn eigenaars van een toplabel!' flap ik eruit. 'Ik bedoel... Ik bedoel...'

'Ik begrijp wat je bedoelt. En ik vind het ook verschrikkelijk. Niet dat het eerst zo geweldig ging. Ik bedoel, we maakten kosten, er was de winkelhuur, er ging geld zitten in de shows...' Ze zucht eens diep. 'Maar het bedrijf is nog steeds waard wat Redwood eerst bood. Alleen zijn Lucien en ik persoonlijk bijna failliet.'

'O.' Ik weet niet goed wat ik moet zeggen. 'Wat verschrikkelijk. Ik had beter mijn mond kunnen houden.'

'Je wist het niet. Ik hang het niet aan de grote klok.' Ze leunt naar voren en verbergt haar gezicht in haar handen. 'Het is allemaal mijn schuld. Ik had twee jaar geleden bij Lucien moeten weggaan. Toen was hij de enige met schulden.' Ze kijkt op. 'Je mag dit aan niemand vertellen, oké? Maar door zijn slechte gewoontes is er te veel geld doorheen gegaan. Het is allemaal niet erg verheffend.'

'Drugs,' zeg ik zacht, en ik ben blij dat mijn moeder hier niet is.

'En drank. En wedden op paarden. Snap je nu waarom ik hem niet in de steek kon laten, Izzie? Ik heb de helft van het bedrijf gekocht om de schuldeisers bij hem weg te houden, en toen heb ik betaald voor de afkickkliniek, en dat was een heel bedrag... Daarom moet ik aan Redwood verkopen,' voegt ze eraan toe. 'Het is alles wat ik nog heb. Ik heb het geld nodig, ook al is het nog zo weinig.'

'Ik vind het echt rot voor je,' zeg ik, en net op dat moment wordt er op de deur geklopt en steekt een zeer vermoeid ogende man zijn hoofd om de hoek.

'Magnus!' Nancy staat op. 'Zijn we klaar?'

Blijkbaar is Magnus te moe om nog een woord uit te brengen en kan hij alleen nog met een plastic mapje wapperen.

'Geweldig.' Nancy geeft het mapje aan mij. 'Nu is het jouw beurt, Izzie.'

'Moet ik dit naar Redwood brengen? In Bond Street?'

'Nee, ze hebben vanochtend een bespreking met hun advocaten, daar moet het naartoe, naar Great Portland Street.'

Geweldig! Dan kom ik langs Coffee Messiah en kan ik meteen Barney even spreken.

O, dan kan ik ook met hem brainstormen over wat ik vanavond met de meisjes van *Atelier* moet drinken. Hij weet niet veel van mode, maar als er een nieuwe cocktail is die je gedronken móét hebben, dan is Barney ervan op de hoogte.

'Je kunt het gewoon bij de receptie afgeven,' zegt Nancy terwijl ze de gegevens van het advocatenkantoor op een papiertje schrijft. 'Zeg maar dat het voor meneer Carmichael is, van Redwood Capital, dan zorgen zij er wel voor dat hij het krijgt.'

'Carmichael. Oké.'

'O, en nog iets...' zegt Nancy als we de gang in lopen. 'Eh... Ik denk niet dat je iemand van Redwood te zien zult krijgen, maar voor het geval dat wel zo is, kun je beter weten dat ik hun heb verteld dat Lucien een poosje weggaat. Naar een rustige plek, om aan zijn nieuwe collectie te werken.' Ze zwijgt even. 'Maar eigenlijk... Eigenlijk gaat hij zich laten behandelen.'

'Nou, dat is dan toch goed nieuws?' Ik lach Nancy geruststellend toe.

'Goed nieuws? Dat mijn beste vriend moet afkicken? Alweer?' Het klinkt zuur.

'Goed nieuws dat hij daartoe bereid is. Dat hij niet meer in de ontkenningsfase zit, bedoel ik.' Jezus, ik klink net als mijn moeder.

Nancy snuift. 'Geloof me, Izzie, hij zit in de ontkenningsfase. Maar ik houd mijn poot stijf. Ik bedoel, als ik hem op het rechte pad kan brengen, zouden we misschien kunnen voorkomen dat Redwood hem opzijschuift zodra we tot overeenstemming zijn gekomen.'

'Hem opzijschuiven?' Ik sta versteld. 'Maar... Lucien Black is Lucien Black! Ze kunnen het toch niet maken het bedrijf met zijn naam te kopen en zich dan van hem te ontdoen?'

Nancy haalt haar schouders op. 'Dat gebeurt wel vaker. Ze behouden de naam en huren iemand in voor het label. Iemand die prettige, veilige, commerciële kleding ontwerpt. Iemand die niet acht jaar van hard werken verpest door briljante ideeën als plastic tassen de catwalk op te sturen, of gevaarlijke projectielen naar redactrices van modebladen te gooien.'

Voordat ze helemaal over de rooie gaat, zeg ik gauw: 'Een tijdje in een afkickkliniek zal hem goed doen!'

'Dat hoop ik dan maar.' Ze zet de voordeur voor me open. 'Dank je wel, schatterd. Het was fijn er even met jou over te praten.'

19

Het adres dat Nancy me heeft opgegeven, is niet ver van Barneys karretje, en dat is fijn. Zo kan ik niet alleen even bijpraten met Barney, maar ik kan ook promotie voor hem doen. Ik zal een cappuccino van Coffee Messiah mee naar de receptie nemen, er daar genietend van nippen, en vervolgens heel hard zeggen dat ze toch maar boffen met zulke heerlijke koffie op de stoep. Iedereen weet dat advocaten er liters koffie doorheen spoelen omdat hun werk zo ontzettend saai is. En als er iemand is die al die regeltjes van Barney zou moeten snappen, dan is het wel een advocaat.

Wanneer ik op Great Portland Street uit de taxi stap, is het duidelijk dat Barney wel een beetje hulp kan gebruiken. Ik zie veel mensen over straat lopen met enorme bekers van Starbucks en Pret A Manger, maar er staan geen rijen bij het knalrode karretje. Barney staat daar met een schort voor en een honkbalpet op, de toch al glimmende Faema op te poetsen.

Eigenlijk best zielig.

'Iz!' Hij heeft me in de spiegelende Faema gezien en wenkt me naar zich toe. 'Wat doe jij nou hier?'

Wanneer ik hem omhels, valt het me op dat hij is uitgedijd. Al die taartjes waren dus niet verspild. 'Ik moet iets afgeven bij dat kantoor daar.'

'Pritchard and Haynes?'

Ik tuur naar de belettering op het metalen bord. 'Ja.'

'Een paar van die lui zijn hier geweest.'

'Het zijn dus goede klanten?'

'Nou, nee.' Barney loopt rood aan van woede, en dat past goed bij zijn uniform. 'Weet je, Iz, misschien heb je wel gelijk met die antioxidanten in koffie. Ik bedoel, die zwangere vrouw leek het wel prettig te vinden. Dus heb ik dit neergezet.' Hij wijst naar een bordje op de toonbank. Daar staat op: KOFFIE IS GEZOND. MEER INFORMATIE BIJ DE BARISTA (uitleg kost 10 minuten).

'Eh... Ziet er goed uit, Barn.'

'Niet wanneer je opeens wordt overspoeld door kantoorlui die vragen of je er guarano-shots doorheen kunt doen. Of die biologische sojamelk willen. Wat denken ze wel!'

'Eh... Dat je een zaakje runt?'

'En moet ik mijn principes dan maar opzijschuiven?' vraagt hij kwaad, alsof ik hem heb gevraagd kinderarbeid in Maleisië te stimuleren. 'Moet ik buigen voor de klant? Voor lieden die denken dat je guarana-shots in koffie kunt doen?'

Misschien moet ik hem toch maar niet vragen wat de nieuwste cocktail is. 'Ik wil graag een koffie,' zeg ik.

'Oké. Espresso, een kleine?'

'Nou, eigenlijk...' Maar dan zie ik de uitdrukking op zijn gezicht. 'Ja, een kleine espresso graag.'

Barney maalt de koffie. 'En, hoe is het ermee?'

'Och, het is best leuk om voor *Atelier* te werken. Ik bedoel, eigenlijk heb ik niet veel te doen, en Nancy is een schat. Vanavond ga ik met de meisjes iets drinken, en dat is best spannend...'

'Ik had het over Will.'

'O. Will.'

'Weet je zeker dat je niet overhaast hebt gehandeld?'

'Overhaast?' Ik weet best dat Barney een fan van Will is, maar dit gaat echt te ver. 'Barney, ik heb hem betrapt in bed met een Russische expert op belastinggebied!'

Barney trekt een gezicht. 'Ja, dat is natuurlijk niet best. Maar het is pas een week geleden, Iz, en ik hoor van Lara dat je nu al met een ander uitgaat. Een knappe vriend van Matthew.'

'Wanneer heb je Lara gesproken?'

'Och, ze heeft me een paar keer heel laat op de avond gebeld. Toen ze niet kon slapen omdat ze voortdurend aan Matthew moest denken.'

'Ik... Maar... Heeft ze slaapproblemen?'

'Kom op, Iz!' Barney zet zijn handen in zijn zij, waardoor hij eruitziet als een lief suikerpotje. 'Ze is al veertien jaar verliefd op hem. Mag ze dan niet een beetje verdrietig zijn omdat hij gaat trouwen?'

'Ja, Barney, ik weet hoe het zit. Maar mij vertelt ze niks. Ze is aldoor aan het roerbakken.'

Barney fronst zijn wenkbrauwen. 'Nou, dan hoop ik maar dat ze een echte wok heeft. Want bij een gewone koekenpan verspreidt de hitte zich niet voldoende en...'

'Dat zal best! Maar wat ik graag wil weten, is waarom mijn beste vriendin midden in de nacht met iemand anders belt en niet met mij komt praten. Ik bedoel, we wonen in hetzelfde huis!'

'Ik zou het niet persoonlijk opvatten, Iz. Misschien denkt Lara dat ze jou niet alles kan vertellen omdat Matthew je broer is.'

'Vroeger had ze daar anders totaal geen last van.'

'Misschien wil ze jou er niet mee lastigvallen omdat Annie straks je schoonzusje is. Misschien vindt ze het niet helemaal eerlijk tegenover jou.'

'Misschien?'

Barney schuifelt met zijn voeten. 'Nou ja, ik raad er maar een beetje naar. O, en dat herinnert me eraan...' Hij lijkt opgelucht dat hij van onderwerp kan veranderen. 'Over Annie gesproken... Een halfuur geleden heeft ze een berichtje ingesproken. Iets over hapjes.'

'O ja, voor hun verlovingsfeest van morgen.'

'Aha.' Barney spert zijn ogen wijd open. 'Ik ben dol op hapjes maken. En het is meteen reclame voor Coffee Messiah! Ik kan alles opdienen op borden van Coffee Messiah, met servetten van Coffee Messiah...' Plotseling zwijgt hij en zegt dan: 'Kan ik iets voor u doen?'

Ik schrik ervan, maar dan dringt het tot me door dat hij het tegen de man heeft die naast me is gaan staan.

'Ja, een koffie graag,' zegt die met een Iers accent. 'Zwart, zonder suiker.'

Die stem ken ik! Heel voorzichtig, om niet op te vallen, kijk ik even opzij. Ja hoor, het is Lucien Black.

'Komt in orde, meneer,' zegt Barney stijfjes, alsof hij een rol speelt in een toneelstuk. 'Een dubbele espresso, of wilt u liever een kleine met extra water?'

'Bedoel je een americano?'

Barney kijkt gepijnigd. 'Jezus nee, alleen een klein beetje water erbij. Wat ze in Italië een *caffè lungo* noemen.'

'Geef me nou maar gewoon een zwarte koffie, verdomme,' grauwt Lucien. 'Het kan me geen reet schelen hoe ze die in Italië noemen.'

Terwijl Barney bezig is met de koffie, kijk ik nog eens stiekem naar Lucien. Hij is uiteraard helemaal in het zwart, met een zwarte trui, een zwarte spijkerbroek, een zwart jasje en een zwart-witte Arafat-sjaal om zijn hals. Hij is kleiner dan hij op tv leek, en veel ruiger om te zien. Dat zou me misschien niet moeten verbazen nu ik weet dat hij naar een afkickkliniek moet omdat hij de halve oogst van Colombia heeft opgesnoven.

'Uitgekeken?' snauwt hij ineens.

Shit, hij heeft gemerkt dat ik keek.

'O, eh... Ik ken u.'

'Ik jou niet.'

'We hebben elkaar door de telefoon gesproken. Ik ben Isabel, Nancy's personal assistant.'

Zijn mond valt open en hij knippert met zijn ogen. Als het door die verwijde pupillen niet zo moeilijk te zien zou zijn, zou ik zeggen dat hij verbaasd kijkt.

'Ben jij dat maffe wicht dat het over inspiratie had?'

'Precies!' Ik lach stralend naar hem. 'Ik ben dat maffe wicht.'

'Nou, fijn om het gezicht bij die stem te kennen.' Hij zoekt in zijn zak naar muntstukken. 'Wat ben ik je schuldig?'

Zegt hij verder niets tegen me? Allemachtig, we zijn zo'n beetje collega's!

'Ik breng dit even naar Pritchard and Haynes,' zeg ik terwijl ik met het mapje zwaai. 'Nancy heeft me gevraagd het af te geven.'

Nu kijkt hij me aan. 'Ga je naar Pritchard and Haynes?'

'Ja.'

'O. Nou, daar ben ik net ook geweest.' Hij richt zijn rode ogen met de wallen eronder op me. 'Ik heb hun net gezegd dat ik... Nou ja, dat ik er even tussenuit knijp. Nancy dacht dat ik hun dat beter even persoonlijk kon vertellen.'

Zijn opmerking over ertussenuit knijpen blijft in de lucht hangen. Ik bedoel, kijk nou naar hem! Eigenlijk vind ik het absoluut geen goed idee van Nancy om hem dat persoonlijk te laten uitleggen. Alsof hij zo iemand zou kunnen overtuigen dat hij zich alleen maar een poosje terugtrekt om een kleurtje en inspiratie op te doen...

Met een klap legt Lucien vijf pond op de toonbank en pakt de beker die Barney daar heeft neergezet. 'Hou het wisselgeld maar.'

'Maar het is slechts twee twintig voor een grote...'

'Ik zei dat je het wisselgeld kon houden,' snauwt Lucien voordat hij zich afwendt. 'Leuk je te hebben gesproken, Isabel, maar ik heb haast.'

'O ja, u moet natuurlijk inpakken voor... Voor de vakantie.'

'Ja. Tot ziens.'

Na de herrie van Great Portland Street is het zo stil in de ruime lobby van Pritchard and Haynes dat ik denk dat er iets met mijn oren is. De enorme ramen spiegelen aan de buitenkant, maar binnen laten ze zoveel licht door dat het hier bijna hemels is. Er staan twee gebogen recepties, en ik ga maar naar de receptie met de minst mopperig ogende man erachter.

'Welkom bij Pritchard and Haynes, wat kan ik voor u doen?'

'Goedendag.' Ik lach stralend naar hem en nip dan genietend van mijn espresso. 'Hmm... Heerlijke koffie!'

'Wat kan ik voor u doen?'

'U heeft dat karretje vast wel eens gezien. Volgens mij staat er Coffee Messiah op. U boft maar met zoiets op de stoep.'

'Is dat van die kerel die weigert cappuccino te schenken als de wind op de tweede dinsdag van de maand niet uit het noorden komt en je voornaam niet met een R begint?'

Shit.

'Wat kan ik voor u doen?' vraagt hij weer. 'Of kwam u alleen vertellen dat de koffie zo heerlijk is?'

'O ja...' Ik laat het mapje zien. 'Ik kom dit afgeven, het is voor meneer Carmichael. Van een bedrijf dat Redwood heet.'

'Geef het hem zelf maar.'

'U hoeft niet zo onbeleefd te doen...'

'Nee, ik bedoel dat die lui van Redwood daar staan.' Hij knikt in de richting van de banken aan de andere kant van de lobby. Daar loopt een kleine dikke man rond in een donker pak, en hij praat in zijn mobieltje. Een andere man zit met zijn rug naar me toe in de *Financial Times* te bladeren. 'U kunt het hem zelf geven voordat ze in bespreking gaan.'

'O, bedankt.' Ik loop met het mapje onder mijn arm naar de banken toe. 'Pardon... Meneer Carmichael?'

De kleine dikke met het mobieltje draait zich om bij het horen van zijn naam.

Shit.

Meneer Carmichael is Callum. De echtgenoot van Queenie Forbes-Wilkinson. Ben heeft me laatst op de party aan hem voorgesteld.

Wacht eens, Ben stelde hem toen voor als collega. Betekent dat...

Ja, dat betekent het. De man die de *Financial Times* doorbladert, is Ben.

Hij draait zich om en zijn mond valt open. 'Isabel? Wat doe jij hier?'

Lastige vraag. Nou ja, de vraag is niet lastig, het is lastig er een goed antwoord op te verzinnen. Ben weet immers niet dat ik voor Nancy Tavistock werk. Als ik hem het mapje geef, komt hij er meteen achter dat ik Nancy's personal assistant ben, en geen modeontwerper. En misschien gaat Ben dat wel weer aan Matthew vertellen, en dan hoort heel Shepton Mallet er binnen de kortste keren van.

'Isabel?' zegt Ben terwijl hij opstaat. 'Is er iets?'

Ik verstop Nancy's mapje onder mijn arm. Het is nauwelijks zichtbaar. 'Och, ik was in de buurt om even bij te praten met mijn oude maatje Barney. Hij heeft hier een koffiekar.' Ik knik in de richting van de enorme ramen, waarachter Barney weer bezig is de Faema op te poetsen. 'Verrukkelijke koffie!'

'En toen zag je me door het raam?' vraagt Ben met een frons.

'Ja!' Ik leg maar niet uit hoe ik hem door het spiegelende glas kon zien. In plaats daarvan zwaai ik opgewekt naar Callum. 'Hoi!'

Callum zwaait afwezig terug, hij is nog geconcentreerd in zijn mobieltje aan het praten.

'Oké.' De frons op Bens voorhoofd wordt dieper. 'We zijn hier voor een belangrijke bespreking, Isabel.'

'Oké. Sorry, het was niet mijn bedoeling om te storen.'

'Ik moet ook sorry zeggen omdat ik je van de week niet heb gebeld. Ik heb het verschrikkelijk druk gehad. Ik bel je dit weekend.'

'Maar je komt toch zeker morgen naar Matthews feest?' Allemachtig, Isabel, hou nou toch eens je kop. Dat klonk bezitterig. En wanhopig. 'Ik bedoel,' zeg ik zo achteloos en niet-bezitterig mogelijk, 'als je zin hebt, natuurlijk.'

'O ja, Matthews feest. Ik doe mijn best, maar ik weet niet...'

'Ben!' Callum is klaar met het telefoongesprek en komt erbij staan. 'Dat was Fred. Dat Tavistock-mens had hem gebeld om te zeggen dat ze iemand met een mapje heeft gestuurd...'

Ik duw het mapje zowat in mijn oksel. 'Callum! Leuk je weer eens te zien.'

Callum knippert met zijn ogen. Hij snapt er niets van, maar dan richt hij zijn blik op mijn boezem. 'O ja, ik zie het al. Ishbel, toch?'

'Isabel.' Ben lacht die leuke lach. 'Godsamme, Cal, kun je niet eens de naam van mijn vriendin onthouden?'

Wacht eens. Zei Ben iets over zijn vriendin?

Maar... Dat is geweldig! En ook behoorlijk onverwacht. Nee, het is alleen maar geweldig. Hiep hiep hoera en zo.

Nu Ben een beetje opgewarmd is, slaat hij zijn arm om mijn middel. 'Leuk dat je even hoi hebt gezegd, Isabel. Als ik tijd had, zou ik met je gaan lunchen, maar tja, die bespreking... Nou ja, ik zie je morgen op Matthews feest.'

'O...' Ik raak er helemaal van in de war. 'Dus je komt toch?'

'Ja! Ik heb het druk, maar ik zou het niet willen missen.'

'Ben?' Callum tikt tegen de Rolex om zijn pols. 'Ze wachten op ons.'

'O ja. Ik kom.' Ben pakt zijn koffertje van de bank en kijkt mij vervolgens aan. 'Zo.' Hij lacht weer zo leuk, en dat is heel sexy. 'Tot morgen dan maar, oké?'

'Ja, leuk.'

Hij buigt zich over me heen en beroert mijn lippen heel zacht met de zijne. 'Ik kijk er al naar uit,' fluistert hij voordat hij achter Callum aan naar de lift loopt en naar binnen stapt. De deuren schuiven achter hen dicht.

Dat was onze eerste echte kus!

Misschien is het merkwaardig om de eerste echte kus uit te wisselen in de lobby van een advocatenkantoor. Maar mij hoor je niet klagen.

Ik zweef naar de receptie en leg het warme mapje op de balie. Dat warme komt van dat onder mijn oksel zitten. 'Sorry,' zeg ik. 'Ik ben helemaal vergeten dit aan meneer Carmichael te geven.'

De man knippert met zijn ogen. 'Maar daarvoor stapte je op hem af!'

'Ach, u weet hoe dat gaat... Zoveel te bespreken, en daardoor vergeet je het belangrijkste.'

'Wilt u dat ik naar de vijfde verdieping bel om te vragen of iemand het komt halen?'

'Zou u dat willen doen? Dat zou fijn zijn. Dank u wel!'

Terwijl hij de hoorn oppakt, zweef ik al door de draaideur naar buiten.

20

Zodra ik terug ben op mijn werk, stort ik me op de voorbereidingen voor het drinkgelag van vanavond. Op internet zoek ik de gelegenheden die Cassie opnoemde, ik kijk waar ze zijn, ik zoek uit wie er zoal komen en ik zorg dat ik weet welke cocktail je er moet bestellen. Vervolgens duik ik in het computernetwerk van *Atelier* en lees vast alle artikelen voor het decembernummer, zodat ik straks goed kan meepraten. En uiteraard sluip ik rond bij de kast met mode, zodat ik iedereen kan afluisteren, van de stagiaires tot Tania Samuels, de moderedactrice. Op die manier krijg ik de juiste modeterminologie onder de knie, en dat is belangrijk omdat deze lui niet over kleding praten zoals gewone mensen dat doen. Ze hebben het niet over broeken of rokjes, maar over 'een stuk'. En een jasje dat is nagemaakt van een echt designerjasje, en dat bij Hennes in de rekken hangt, is geen nepper, maar een eerbetoon.

Het klinkt allemaal vrij onbelangrijk, maar juist met dit soort details wil ik me niet vergissen. Ik wil er helemaal bij horen. Ik wil niet worden beschouwd als mode-nitwit die het verschil niet weet tussen het Haute Hippie van dit seizoen en het Bohemien Deluxe van vorig jaar. Waarschijnlijk is het verschil de hoeveelheid franje, en ik kan alleen maar hopen dat me geen lastige vragen zullen worden gesteld.

In elk geval, zodra ik Cassie heb gebeld om te vragen waar ze naartoe gaat – de Light Bar, in het St. Martin's Lane Hotel,

en daar drink je lila martini's – trek ik mijn zorgvuldig uitge-
zochte outfit aan. Een afzakbroek, sandalen met veters om de
kuit, en een bloesje van COS dat een eerbetoon is aan Stella
McCartney. Ik zag dat bloesje in de *Grazia* van deze week staan
en heb het onmiddellijk gekocht. Vervolgens ga ik naar het St.
Martin's Lane.

Binnen is het net zo hip als ik had verwacht. Dankzij mijn uren
op internet weet ik dat het een geweldige fusion van invloeden
is, van modern tot barok, waardoor het hotel energie, vitaliteit
en magie uitstraalt. Nou, dat zie je meteen. In de lobby is het
licht en luchtig, en er staan rare, bolle beelden – modern? – en
krullerige, vergulde chaise-longues – barok? – en de bar zelf is
ontzettend cool. Het is een soort lange, smalle gang met tafeltjes
aan weerskanten, en helemaal achteraan is een supermoderne
toog, met licht dat steeds van kleur verandert, van oranje naar
paars en weer terug. Ik voel me meteen vol energie en vitaliteit,
en ik ben er nog maar pas.

In het paarse licht zie ik dat Cassie aan een tafeltje achterin,
dicht bij de toog, zit te zwaaien. Dus daar ga ik naartoe.

Aan het tafeltje zitten meisjes van wie ik de meeste wel ken.
Elektra natuurlijk, en Olivia en Shilpi van Beauty. En moderedactrice Tania Samuels, met een heel eigen, bizarre look van
een CND-T-shirt, een Levi's met zeer hoge taille, een gekrompen
Balenciaga-blazer en een zeer breedgerande hoed. Er zijn een
paar meisjes van Mode die ouderwetse namen hebben als Flora
en Gracie. En dan zijn er nog de stagiaires, die de hele dag binnen zitten om de kleding in de benauwde kast met mode te ver-
hangen. Ze zien er bleek uit. En naast een van die stagiaires zit
Lilian.

Dat verbaast me. Ik had gedacht dat Lilian op een vrijdag-
avond liever paperclips zou tellen, of de glasplaten van fotokopieerapparaten oppoetsen. Om heel eerlijk te zijn ziet ze er
ook uit alsof ze dat allemaal liever zou doen. Ze nipt met een

zuur gezicht van haar glaasje wijn, en af en toe werpt ze een geërgerde blik op de stagiaires naast haar, en op het voortdurend van kleur verschietende licht.

'Isabel!' Cassie lacht vriendelijk naar me en knijpt in mijn arm. 'Je bent er! Ga zitten en bekijk de cocktailkaart.'

'O, dat is niet nodig. Ik bestel hier altijd de lila martini.'

'Cool. Ik bestel er eentje voor je zodra de serveerster langskomt.'

'Dank je wel.' Ik loop om het tafeltje heen naar het enige lege plekje, tussen Tania Samuels en een meisje van Mode met een ouderwetse naam in. Tania is in diep gesprek gewikkeld met een meisje van Mode met ouderwetse naam aan haar andere kant, dus lach ik naar het Mode-meisje met ouderwetse naam aan mijn kant. Ze heeft heel lichtblond haar en gaat volledig in het zwart gekleed. 'Volgens mij kennen we elkaar nog niet. Ik ben Isabel, Nancy's personal assistant.'

'Ik heet Hattie.' Ze kijkt me nieuwsgierig aan. 'Jij bent toch degene met Bianca Jagger als peetmoeder?'

'Eh... Ja, dat klopt.'

'Wauw! Leuk je te leren kennen!' Ze buigt zich naar me toe. 'Wat ontzettend jammer dat ik je niet een paar jaar eerder heb leren kennen, toen ik nog in Oxford studeerde. Ik was toen bezig met een proefschrift over Andy Warhol, zie je.'

'Goh, wat knap van je.'

'En zoals je weet, was Bianca Jagger een poos dik bevriend met Andy Warhol.'

'O ja, nou en of!'

'Heeft ze het nog wel eens over hem?' Zonder haar blik van me af te wenden, pakt ze haar glas. Ze lijkt nogal gefascineerd te zijn. 'Vertelt ze wel eens over hoe het toen was?'

'Niet echt. Niet met details.' Ik doe mijn uiterste best me iets over Andy Warhol te herinneren. Popart, toch? Iedereen een kwartiertje beroemd? O, en een schilderij van een blik soep. 'Het was heel poparterig, heel artistiek... Er waren veel lui die graag beroemd wilden worden... En volgens mij aten ze heel veel soep.'

'Soep?'

'Ja, ga maar na: allemaal jonge mensen, voortdurend woeste feesten. Ze gingen echt niet vaak aan tafel voor een voedzaam maal.'

'O...' Daar moet Hattie even over nadenken. 'Ja, dat zou heel goed kunnen...'

Tot mijn opluchting zie ik dat Cassie de aandacht van de serveerster heeft weten te trekken en voor mij bestelt. Nu moet ik gauw iets verzinnen waardoor Hattie het onderwerp Bianca Jagger laat varen. En Andy Warhol idem dito. En de soep. 'Zeg, vertel eens...'

'Weet je, juist dat soort details had ik dolgraag in mijn proefschrift verwerkt. Jezus, wat zou het fijn zijn geweest als ik Bianca Jagger vragen had kunnen stellen.'

'Ze had er vast graag antwoord op gegeven. Zeg, Hattie...'

'Echt?' Hattie schuift verder naar me toe. 'Weet je, ik heb altijd al verder willen werken aan dat proefschrift, om er een boek van te kunnen maken. Ik bedoel, jaren geleden leerde ik een uitgever kennen, en hij dacht dat er veel vraag zou zijn naar een boek dat Andy Warhol in een heel nieuw perspectief zou zetten. Zeg, Isabel, zou je een halfuurtje met je peetmoeder kunnen regelen?'

'Het spijt me, Hattie, maar ik weet niet of dat te regelen valt. Ze reist erg veel, zie je. Steeds maar naar Nicaragua, en dan weer naar de Verenigde Staten... Zelf zie ik haar bijna nooit meer. Ik vraag me wel eens af of ze me nog zou herkennen.'

'O.' Hattie fronst haar wenkbrauwen, maar eerder teleurgesteld dan achterdochtig. 'Jammer.'

Gelukkig, dat onderwerp is afgesloten. En gelukkig komt mijn martini er ook aan.

'Je boft maar, hoor, met zo'n peetmoeder.' Ze kijkt dromerig voor zich uit. 'Denk je eens in, wat zij allemaal heeft meegemaakt. Mick Jagger en de sandinisten...'

'Volgens mij zat Mick Jagger bij de Rolling Stones,' verbeter ik haar beleefd.

'Ik bedoelde de sandinistische revolutie.'

'O! Ja, natuurlijk, de sandinistische revolutie!' Ik kan nu niet zeggen dat ik daar nooit van heb gehoord. Vooral niet als die zoveel heeft betekend voor mijn peetmoeder. 'Dat was een goede revolutie. Echt geweldig.'

'Shit!'

O god, heeft ze me door? Heb ik iets heel, heel erg stoms gezegd, en weet Hattie nu dat ik alles heb verzonnen? 'Hattie, mag ik het uitleggen? Ik...'

'Wat doet zij hier, verdomme?' Het dromerige is helemaal verdwenen. Hattie kijkt langs me heen in de richting van iemand die op ons af komt. 'Misschien ken je haar niet,' zegt ze, en ze neemt geërgerd een slok uit haar glas. 'Maar zij had vroeger jouw baantje.'

'Ruby!'

'Ja, Ruby. Ik had gehoopt haar nooit meer te hoeven zien.'

Ik ook.

Ik draai me een heel klein beetje om. Hattie heeft gelijk. Het is Ruby met haar dikke buik die naar ons toe komt.

Het is hier donker. En de vorige keer had ik een knalrood schort voor en een honkbalpet op, van Coffee Messiah. Ruby herkent me vast niet.

Maar toch durf ik het risico niet te lopen. Zal ik gauw naar het toilet gaan? Is daar nog tijd voor? Ik zit tussen twee mensen ingeklemd, en als ik over al die benen klim, trek ik juist de aandacht. Elektra en Olivia van Beauty zijn opgesprongen om haar te begroeten, maar als ze klaar zijn met jubelen en luchtzoenen uitdelen, gaat ze vast zitten op een stoel die iemand voor haar opgeeft. Recht tegenover mij.

Ik moet snel iets verzinnen. Dus draai ik me om naar Tania Samuels en lach stralend naar haar. 'Wauw, wat een mooie hoed!'

'Eh...'

'Sorry, ik bedoel: wat een schitterend stuk. Zou ik...' Voordat Tania iets kan doen, gris ik de flaphoed van haar hoofd en zet die op het mijne, met de brede rand half over mijn gezicht.

'Pardon!' Tania kijkt me met open mond aan. 'Wat doe je?'

'Nou, ik wilde bij mijn eigen look ook graag hoeden.'

Ruby wordt naar de stoelen geloodst. Ze zwaait lachend naar iedereen, alsof hun saaie leventjes door haar aanwezigheid danig worden opgefleurd.

'Goh, wat fijn. Zo natuurlijk. Ik bedoel...' Ik pak mijn drankje en neem een paar kleine slokjes. Ik blijf het glas voor mijn gezicht houden. 'Met een hoed op kun je gewoon alles doen wat je anders doet, hè? Hij zit niet in de weg. Je kunt gewoon iets drinken, je kunt kletsen...'

'Dat is een op bestelling gemaakte Stephen Jones!' snauwt Tania. 'Geef terug!'

'Isabel?' Lilian heeft gemerkt dat er regels zijn overtreden en buigt zich voor de bleke stagiaire langs om zich ermee te bemoeien. 'Heb je Tania's hoed afgepakt?'

'Nee. Of ja, maar ik geef hem terug...'

'Doe dat dan nu! Je kunt niet zomaar andermans dingen afpakken.'

Ze is dan wel een regelneef, maar ze heeft gelijk. Tegen mijn zin zet ik de hoed af en geef hem terug. En ik zorg ervoor dat er tijdens het afzetten een pluk haar voor mijn gezicht valt. 'Zie je, daarom draag ik dus nooit hoeden. Het is geen geschikte look voor mij. Mijn haar gaat er vreselijk van door de war.' Nog steeds met het glas voor mijn gezicht, en voorovergebogen zodat het haar goed voor mijn ogen valt, sta ik op. 'Ik ga maar gauw naar het toilet om iets aan mijn haar te doen. Sorry.'

Het is lastig om me langs al die benen te wringen. Ik kan alleen maar hopen dat Ruby me niet herkent nu ik eruitzie als iemand van Guns N' Roses. Ze heeft me al wel gezien, want ik hoor haar zeggen: 'Wie is dat? Ze duwde het tafeltje verdomme bijna door me heen.' Maar omdat ze meteen doorgaat over dokter Roussos en diens goede zorgen, en dat hij in zijn twintigjarige praktijk nog nooit eerder een zo stoïcijnse zwangere heeft gekend, geloof ik dat ik ermee wegkom.

Ja, ik ben ermee weggekomen! Snel loop ik langs de tafeltjes, en langs de vrouw met het klembord de lobby in.

'Isabel!'

Ik hoor Lilians stem achter me. Wanneer ik me omdraai, vermoed ik dat ik er toch niet mee wegkom.

'Isabel, wat deed je nou? Tania Samuels is de op één na belangrijkste persoon bij *Atelier!* Je had net zo goed de vicepremier kunnen aanvallen.'

Dat is niet helemaal waar. Ik bedoel, het is niet fijn als Lilian tegen je staat te schreeuwen, maar het is iets heel anders dan door kleerkasten van beveiligers tegen de grond te worden gewerkt. 'Ik heb haar niet aangevallen, Lilian. Ik heb haar niet eens aangeraakt. Het enige wat ik heb aangeraakt, is haar hoed.'

'Heel grappig,' snauwt ze.

'Hoor eens, ik had heus geen kwade bedoelingen...'

'Het was anders hoogst ongepast. Dit is dan wel een avondje uit, maar dat betekent nog niet dat je de autoriteit van hoger geplaatsten zomaar kunt ondermijnen.'

'Het spijt me.' Ik doe mijn best er berouwvol uit te zien. 'Het was ongepast.'

'Niet alleen ongepast, maar ook hoogst merkwaardig! Ik bedoel, het leek erop dat je een spektakel wilde veroorzaken.' Ze slaat haar armen over elkaar. 'Wilde je zo graag dat Tania je zou opmerken?'

'Wát? Nee! Nee, Lilian, daar had het niets mee te maken...'

'Want het is wel duidelijk dat een saai, administratief baan-tje bij *Atelier* niet erg bij je past.' Ze snuift. 'Als je modeassis-tent wilt worden, zal je dat niet lukken als je zulke dingen met Tania Samuels uithaalt!'

'Maar Lilian, ik wil helemaal niet...' En dan klinkt mijn mo-bieltje. 'Sorry, ik móét opnemen.'

'Kan dat niet wachten?'

Ik haal mijn mobieltje uit mijn tas en kijk op het scherm. Er staat: Barbara. 'Het is Nancy. Ik moet echt opnemen.'

Lilian trekt een nog kwader gezicht. 'Nou, doe dan maar. Ik spreek je nog!'

'Sorry!' roep ik haar na wanneer ze zich met een ruk om-draait en terug beent. Dan klap ik mijn mobieltje open. 'Bar-bara?'

'O, Wiz, gelukkig! Je neemt op! Ik wilde net iets inspreken. Schikt het?'

'Ja, hoor, alles loopt op rolletjes. Is er iets?'

'Nee, Iz-Wiz, het gaat hier geweldig. Je raadt nooit wie er van-daag naar de winkel belde.' Ze haalt diep adem. 'Lady Ruther-ford!'

'Lady Rutherford?' Ik ga zitten op zo'n niet erg stevig ogende, krullerige en vergulde barok chaise-longue. 'Bedoel je dé lady Rutherford?'

'Ja, dé lady Rutherford! Van Hanley Hall!'

'Maar... wat moest ze met Underpinnings?'

Ik wil Barbara echt niet beledigen. Alleen, lady Rutherford lijkt me niet iemand om klant te zijn bij Underpinnings. Laten we wel wezen, ze is niet zo'n doorsnee aristocraat met terug-wijkende kin die in het tweed met een zijden sjaaltje om haar hoofd door de dorpen van Somerset loopt, en die af en toe in een jurk van Hartnell in de *Tatler* staat. Je zou haar eerder te-genkomen in de stijlbijlage van de *Sunday Times*, of misschien in de *Grazia,* in een lange Carolina Herrera, op een liefdadig-heidsbal. Als je niet weet over wie ik het heb, doet haar meis-jesnaam misschien een belletje rinkelen: Abby Maynard. Vijf-tien jaar geleden was ze topmodel, zo iemand die met glanzend haar en een tandpastalach met Christy Turlington en Claudia Schiffer omging. Een paar jaar geleden sloeg ze een stijve maar superrijke edelman aan de haak. Ik weet niet precies hoe adel-lijk hij is, of hij baron is, of graaf of hertog. In elk geval stut ze in haar eentje de economie van Somerset met een luxe, biolo-gische onderneming in Hanley Hall, even buiten Taunton.

Ik bedoel, de catalogus van Hanley Hall is verleidelijk ge-noeg om meteen naar Somerset te verkassen om daar met je kinderen met appelwangetjes te gaan wonen in een boerenbont geruit paradijs, waar je je eigen volkorenmeel maalt op een mo-lensteen en uit duurzaam eikenhout kinderspeelgoed snijdt. O, en terwijl je dat doet, zie je er geweldig uit. Lady Rutherford staat zelf in de catalogus, in rijkostuum, als Jackie Onassis, of als Carla Bruni in strakke pakjes.

'Ze wil natuurlijk iets van Isabel B kopen,' jubelt Barbara. 'Ik was net aan het afsluiten en wilde eigenlijk de telefoon niet meer opnemen. Het is maar goed dat ik dat wel deed, want ze vertelde dat ze morgen naar Londen gaat en dat ze je graag een bezoekje wil brengen voor een pasbeurt, en...'

'Wacht even.' Ik steek mijn hand op, hoewel Barbara dat uiteraard niet kan zien. 'Wil lady Rutherford dat ik iets voor haar maak?'

'Ja. Iets feestelijks en gekleeds, voor de een of andere ge-beurtenis, dus het is heel belangrijk en...'

'Ho. Stop.' Het lukt me Barbara's woordenstroom te onder-breken. Ik geloof mijn oren niet. 'Heb ik een opdracht van lady Rutherford? Dé lady Rutherford?'

'Ja!' Barbara begint ongeduldig te klinken. 'Dé lady Ruther-ford. Ze is al eens eerder in de winkel geweest, maar ze heeft nooit iets gekocht. Ik dacht dat we misschien niet helemaal hadden waar ze naar op zoek was.'

'Dat zou kunnen.'

'In elk geval, ze zei dat ze van een vriendin iets over een nieuwe ontwerper had gehoord, en dat ze heel graag de plaatselijke bedrijven wilde steunen, en dus...'

'Blijkbaar.' Hanley Hall heeft 'plaatselijk' hoog in het vaandel staan. Plaatselijke leveranciers, plaatselijke kwekers, plaatselijke gasten – het liefst van die superrijke met een plaatselijk tweede huis – die naar Hanley Hall komen voor een biodynamische yoga work-out.

'Ze wil ons dolgraag eens een kans geven.'

'Maar... Dat is geweldig!'

'Ja, hè? Wie weet waar dit toe gaat leiden.'

Precies. Barbara slaat de spijker op zijn kop. Want dit kan grote gevolgen hebben.

Niet alleen is de beeldschone en elegante Abby Rutherford precies het soort vrouw voor wie ik wil ontwerpen, ze heeft ook massa's vriendinnen uit haar modellentijd, en die zou ze allemaal kunnen introduceren. Jezus, ze zou zelfs een collectie van ecovriendelijk materiaal in de catalogus van volgend jaar kunnen opnemen. Afbreekbaar katoen, avondjurken met een fair trade-label, hergebruikt leer. Dat zou er goed bij passen. En dan komen de beroemdheden met een geweten naar mij toe voor hun geweldige kleding. Cate Blanchett zal op de stoep staan, Angelina Jolie, Natalie Portman...

Daniel Craig, die waarschijnlijk de hele wereld moet overvliegen om steeds maar weer op een andere rode loper te staan, zou best een broeikasneutrale smoking willen aanschaffen.

'Ik heb lady Rutherford gezegd dat ze morgenmiddag bij je langs kan komen. Is dat in orde? Ik weet dat het kort dag is, maar als ze tegen vieren komt, heb jij de tijd om het een en ander klaar te leggen. Misschien is er iets bij wat haar bevalt.'

De moed zinkt me in de schoenen. Ik had op een paar weken gehoopt om wat basistechnieken onder de knie te krijgen, zoals zomen, en misschien zelfs het inzetten van mouwen. 'Morgenmiddag? Dat is wel erg snel.'

'Kan het niet?' Barbara klinkt ontzet.

Nou ja, niet kunnen, niet kunnen... Dat is wel erg negatief gezegd.

Ik heb de spullen die ik gisteren bij John Lewis heb gekocht. Als ik de hele nacht opblijf, heb ik achttien uur om ergens mee voor de dag te komen wat Abby Rutherford bevalt. En die basistechnieken... Och, ik kan toch met de hand naaien? En als ze een avondjurk wenst, zijn mouwen helemaal niet nodig. Een schoonheid met lange benen zoals zij ziet er vast geweldig uit in een van mijn op Griekse wijze gedrapeerde toga-jurken. Of in een slank afkledende mouwloze tuniek.

Bovendien is dit niet alleen een grote kans voor mij, maar ook voor Ron en Barbara. Een belangrijke en invloedrijke klant zoals lady Rutherford zou ervoor kunnen zorgen dat die boetieks in Bath niet langer hun vaste klanten afsnoepen.

'Nee, het lukt wel. Vier uur is prima.'

'O, fijn! Ik geef haar het adres van je vriendin Lara wel, want je woont nu toch bij haar?'

'Ja, mijn moeder weet waar het is.' Ik sta al op en loop naar buiten. Ik bel Cassie straks wel om mijn excuses te maken omdat ik zo plotseling ben verdwenen. Ik zeg gewoon dat er iets met mijn werk was, en dat is min of meer waar. Het is ook fijn dat ik Ruby nu niet meer onder ogen hoef te komen. Of de boze Lilian. 'Ik verwacht lady Rutherford morgen om vier uur.'

'Fijn! Dag, Iz-Wiz!'

FERN BRITTON: Dokter Chris komt straks terug met het open spreekuur. U kunt nu bellen met al uw klachten, van buikpijn tot ontstoken amandelen.

PHILLIP SCHOFIELD: Onze volgende gast is een modeontwerper van internationale topklasse die ooit dacht dat ze haar hele leven feestjurken voor bejaarden zou moeten maken.

FERN: Totdat ze 's avonds laat werd gebeld door een vriendin van de familie en een opdracht kreeg die haar grote doorbraak zou gaan betekenen.

PHIL: Sindsdien heeft ze wereldfaam gekregen, en kiezen alle belangrijke beroemdheden voor haar label. Vorige maand keek het hele land vol trots liepen tijdens de uitreiking van de Oscars drie van de bekendste Hollywood-actrices in haar ontwerpen over de rode loper. Ze is...

FERN: Isabel Bookbinder! Dag Isabel, schat, welkom! Leuk je te leren kennen.

ISABEL BOOKBINDER: Ik vind het ook fijn om hier te zijn.

PHIL: Laten we bij het begin beginnen. Een jonge ontwerper met heel veel talent. Maar zonder connecties binnen de modewereld. Haar vader is onderwijzer, haar moeder verzorgt het plaatselijke nieuws voor de *Yeovil Express*...

ISABEL: Eh... De *Central Somerset Gazette*.

PHIL: Sorry! Maar vertel eens, Isabel, hoe is het je gelukt een plaatsje te veroveren in het gesloten circuit van de modewereld van topklasse?

ISABEL: Och, weet je, Phil, het was altijd al een droom van mij om modeontwerper te worden. Het was vriendinnen en collega's opgevallen dat ik vaak zat te bladeren in de modebladen bestudeerde. Er ging geen moment voorbij of ik dacht aan kleding. Maar de deuren werden voortdurend voor me dichtgesmeten. Ik werd afgewezen bij modeopleidingen, en (ze kijkt weg en schraapt haar keel) uiteindelijk moest ik liegen tegen mijn familie dat ik een plaatsje had veroverd op Central Saint Martins.

FERN: Waar een zekere, eh, heette ze niet Diana Pettigrew? Nou ja, die wees je dus af, en ontraadde je ook je droom te verwezenlijken.

ISABEL: Klopt. Maar ik neem het haar niet kwalijk. Want als Diana me niet had afgewezen, zou ik niet zijn waar ik nu ben.

PHIL: Omdat je, zoals Fern al zei, een telefoontje kreeg van een vriendin van de familie, en daardoor kreeg je een opdracht van niemand minder dan lady Abby Rutherford van Hanley Hall, het topmodel dat een bekende gastvrouw van de society is geworden.

ISABEL: Klopt. Ze wilde iets heel bijzonders voor een party op Hanley Hall.

FERN: En jullie konden het samen zo goed vinden dat ze je vroeg meer voor haar te doen dan alleen voor een paar ballen... (ze heeft moeite haar gezicht in de plooi te houden) Sorry.

PHIL: (slaat giechelend de hand voor de mond) Sorry, kijkers.

FERN: (met de slappe lach) Ik bedoelde natuurlijk: bals.

PHIL: (hikkend van de lach) Och Isabel, wat moet je wel van ons denken? Vertel alsjeblieft verder!

ISABEL: Nou, zoals je al zei, het klikte meteen tussen Abby en mij. Ik kreeg niet alleen opdrachten van haarzelf, maar ze stuurde ook haar ~~superrijke~~ bekende kennissen naar me toe. Bovendien vroeg ze me ~~gerecyclede biologische~~ milieuvriendelijke avondkleding te ontwerpen voor haar nog steeds groeiende Hanley Hall-imperium. Dat was het zetje dat ik nodig had. De opdrachten stroomden binnen, en een halfjaar laten hing er kleding van mijn label in de belangrijkste modewinkels. En nog een jaar later opende ik mijn eigen boetiek aan Bond Street. En daarna nam alles pas echt een hoge vlucht.

PHIL: En nu ben je de trotse eigenaar van je eigen boetiek, en je hebt ook al plannen voor een eigen geurtje. Er wordt gefluisterd dat Daniel Craig en Keira Knightley in de reclamecampagne gaan optreden.

ISABEL: Ja, ik heb er alles aan gedaan om hen te krijgen. Ik heb ~~hen lastiggevallen~~ volgehouden totdat Daniel Craig en Keira Knightley erin toestemden het nieuwe gezicht van het label te worden.

FERN: Vertel ook eens hoe de praatjes rond de Oscaruitreiking de wereld in kwamen. Onze showbizzreporter Alison Hammond interviewde Cate Blanchett een paar maanden geleden, en toen flapte ze eruit dat ze voor de uitreiking koste wat kost een jurk van jou wilde.

ISABEL: (bescheiden) Dat was heel lief van Cate. Sindsdien zijn we boezemvrienden.

FERN: (giechelt) Sorry, Isabel, ik ben kinderachtig.

PHIL: (valt van de bank en slaat met zijn vuist op de grond) Boezem!

ISABEL: Cate en ik zijn dikke maatjes, al vanaf het begin van mijn Hanley Hall-collectie. Cate stelde me voor aan ~~de anderen van de milieumaffia~~ andere milieubewuste actrices, zoals Angelina Jolie en Natalie Portman.

FERN: En zodoende droegen ze dit jaar tijdens de Oscaruitreiking alle drie een van jouw ontwerpen!

ISABEL: Ik heb gewoon geboft. Deze drie actrices zijn enorm ingenomen met het effect van Grieks draperen. ~~Gelukkig zien ze er in álles goed uit.~~

PHIL: Wat staat er nog allemaal op stapel, Isabel?

ISABEL: Nou, na het succes van de Oscars wordt het tijd om meer met Isabel B te doen. Meer boetieks, een andere geur, misschien ook iets voor het interieur... Het zal een hele uitdaging worden, maar ik vind een uitdaging altijd erg inspirerend. Niets is bevredigender dan onderaan beginnen en... (verschrikte pauze) O nee, zo bedoelde ik het niet!

FERN: (huilt van het lachen)

PHIL: (wordt gierend de studio uit gedragen)

FERN: (wist de tranen uit haar ogen) Dank je wel, Isabel. Het was fijn dat je hier wilde zijn.

ISABEL: Graag gedaan, Fern. Dank jullie wel dat ik hier mocht zijn.

Reclameblok

Isabel Bookbinder
Westbourne Grove

Daniel Craig
~~Cap Ferrat?~~
~~Op locatie in de Pinewood Studio?~~
Londen

Lieve Daniel,

21

God, ik ben een en al inspiratie.

En uitgeput, en trillerig van de koffie die ik nodig had om de hele nacht wakker te kunnen blijven. Maar ik ben óók een en al inspiratie.

Ik heb het gedaan. Ja, het is me gelukt. Ik heb helemaal zelf een kledingstuk in elkaar gezet.

Twee, zelfs. Heb je dat gehoord, Diana Pettigrew?

Zodra ik gisteravond na de bijeenkomst in de Light Bar thuiskwam, ben ik begonnen. Helaas was er geen tijd om iets te doen met een sfeerboekje, of om inspirerende woorden door mijn hoofd te laten gaan. Ik haalde alle spullen uit de tas van John Lewis, zette een grote pot koffie en ging aan de slag. Ik begon met een tuniekjurkje. Daarvoor sloeg ik een lap stof dubbel en knipte er een gat in voor het hoofd. Ik moet toegeven dat het resultaat niet helemaal was zoals ik het had bedoeld. Niet dat er iets mis was met de uitvoering. Eigenlijk zijn de zijnaden best netjes aan elkaar genaaid, met de hand, tot aan de oksel, met de stiksteek die ik me ineens herinnerde van vroeger op school. Maar ik had vergeten op de maat te letten. Het is dus een best aardige tuniek geworden, maar wel voor een reus. Waarschijnlijk niet iets wat de slanke en elegante lady Rutherford zoekt.

Voor mijn tweede kledingstuk, de op Griekse wijze gedrapeerde toga-jurk, gebruikte ik mijn eigen lichaam. Gedeeltelijk om de maat goed te krijgen, maar ook omdat... Nou ja, heb je ooit een toga-jurk in Griekse stijl gemaakt zonder die ergens over te draperen? Ik pakte een lange lap van die prachtige zwarte zijde, drapeerde die over een schouder, wikkelde de lap om me heen en speldde die bij mijn heup vast met veiligheids-spelden. Zodra ik mezelf eruit had gewurmd, naaide ik alles tot de veiligheidsspelden met een vloeiende stiksteek vast. Ik moet zeggen dat deze jurk er beter uitziet dan de tuniek. De glan-zende zijde valt soepel over de minder flatteuze punten – niet dat Abby Rutherford minder flatteuze punten heeft – en omdat de stof bij mijn middel is samengetrokken, heb ik een echte taille. En dat wil wat zeggen, want meestal is die taille niet te zien. Die blote schouder is best flatterend. Of althans, die zou flatterend zijn als ik er geen zwarte coltrui onder zou dragen. De asymmetrische zoom is zowel sexy als zedig.

Asymmetry: de nieuwe geur voor de vrouw... en de man, van Isabel Bookbinder.

Het is natuurlijk allemaal niet perfect. Ik bedoel, hopelijk be-schouwt Abby Rutherford mijn stiksteken als hét bewijs dat dit het soort handgemaakte product is dat ze ook zo graag in de Hanley Hall-catalogus opneemt, en niet alleen als bewijs dat ik nog niet weet hoe een naaimachine werkt. Ik hoop ook dat ze beseft dat als veiligheidsspelden goed genoeg zijn voor haar vriendin Elizabeth Hurley, ze ook goed genoeg zijn voor haar. Als je de jurk combineert met bijvoorbeeld sandaaltjes van me-tallic lak, en een enveloptasje... Ze vindt het vast helemaal top!

Goh, ik hoop niet dat het aan de cafeïne ligt... Ik bedoel, laten we maar hopen dat ze het helemaal top vindt.

In elk geval, het draait niet alleen om de jurk. Lady Ruther-ford heeft vast pasbeurten bij allerlei modeontwerpers van in-ternationale topklasse, dus heb ik er alles aan gedaan om pro-fessioneel over te komen. Ook al ben ik nog zo uitgeput, toch heb ik enorme witte lakens gedrapeerd over de meubels in de woonkamer. Ik heb ook Lara's Chinese kamerscherm van bamboe en de grote spiegel uit haar slaapkamer gesleept om er een paskamer mee te maken. Het ziet er best goed uit, al zeg ik het zelf. Het is geen echt atelier, maar het lijkt erop. Ik heb de twee kledingstukken van zwarte zijde – dus ook de reusachtige tuniek – aan het kamerscherm van bamboe gehangen, en ik heb bergjes spelden neergelegd, plus oude nummers van *Vogue*. Om er een echt designersatelier van te maken. Daarnet ben ik even naar de supermarkt gegaan voor verse koffie, een fles champagne, en alle Hanley Hall-producten die ze maar hadden, zoals die lekkere citroenkoekjes en de bleekwatervrije wc-reiniger. Ik wil graag dat lady Rutherford zich thuisvoelt. Ook heb ik zowat elke witte lelie in West-Londen gekocht en die op een charmante en rustieke manier neergezet in vazen die niet bij elkaar passen, oude jampotjes, en een paar van Lara's dure Cath Kidston-mokken.

Er is nog een uur te gaan voordat lady Rutherford komt. Ik ben bezig mijn uniform te vervolmaken. Ik draag een zwarte broek met een zwarte riem, een zwart T-shirt en zwarte ballerina's. En om mijn hals hangt heel artistiek een meetlint.

Ik schrik als de bel gaat.

Het is pas kwart over drie! Als dat Abby Rutherford is, is ze bijna een uur te vroeg. Modellen komen toch altijd te laat, ook als ze geen model meer zijn?

Daar klinkt de bel weer, deze keer een beetje ongeduldig. Nou, dan moet ik haar maar binnenlaten, ook al is er geen tijd meer om koffie te zetten of de fles champagne in de koeler te doen. Verdorie! Haastig haal ik mijn handen door mijn haar en spoed me vervolgens naar de voordeur.

'Hallo!' Ik trek de voordeur open. 'U bent zeker...'

Het is mijn moeder. O, en daar is Barbara ook. Ze staan in de druilregen op de stoep, een zielige tweeling in Betty Barclay.

'Wat... Wanneer... Waarom?'

'Nou, lieverd, we zouden toch voor Matthews feest naar Londen komen, dus toen dachten we: waarom komen we niet eerder?' Mijn moeder zoent me op beide wangen, en dat is nieuw voor haar. Vervolgens wringt ze zich langs me heen de gang in en trekt haar regenjas uit, terwijl Barbara haar paraplu uitschudt boven Lara's terracotta bloempot voor de deur. 'We hebben vanochtend een beetje gewinkeld, toen hebben we heerlijk geluncht in het hotel, en vervolgens wilden we jou geestelijk komen steunen.'

Barbara omhelst me. 'Vanwege je eerste grote klant!'

'O, wat heeft Lara het hier leuk ingericht,' zegt mijn moeder terwijl ze naar de keuken loopt. 'Volgens mij ben ik hier na de verhuizing niet meer geweest. En wat gezellig dat jullie hier nu allebei wonen, nu... eh... nou ja...'

Ik doe mijn best mijn geduld te bewaren, zodat ze me er niet van kunnen beschuldigen dat ik snauw. Want snauwen is volgens de Bookbindertjes bijna net zo erg als volkerenmoord. Alleen mijn vader mag snauwen, wanneer hij maar wil en zo vaak hij maar wil. 'Hoor eens, het is hartstikke lief van jullie om even langs te komen. Maar ik ben bang dat er weinig voor jullie te doen is.'

'Och, je kunt vast wel een beetje hulp gebruiken,' zegt Barbara, en ze wrijft over mijn arm. 'Al was het maar om thee te zetten.'

'Zal ik gauw even stofzuigen? Zeg maar waar Lara de stofzuiger heeft staan... O!' Mijn moeder heeft een kijkje in de woonkamer geworpen, en staart vol aanbidding naar de in lakens gedrapeerde meubels, het kamerscherm van bamboe, en de landelijke lelies. 'Een echt atelier! Net zoals bij Trinny en Susannah!'

'En zijn dit je ontwerpen?' Opgewonden koerst Barbara op het Chinese kamerscherm af en bekijkt de toga-jurk aandachtig. 'O... nou, eh... Heel modern, hoor.'

'Ja.' Verdedigend sla ik mijn armen over elkaar. 'Is dat erg of zo?'

'Nee, Iz-Wiz, helemaal niet! Jij bent immers de ontwerper. Alleen... Je hebt toch ook andere kleuren, hè?'

'Natuurlijk heeft ze andere kleuren, Barbara. Lady Rutherford wil vast niet iets zwarts. Ze komt hier immers voor iets feestelijks!'

Ik haal diep adem om tot rust te komen, precies zoals Lara zou zeggen dat ik moet doen. 'Mam, Barbara, ik vind het fijn dat jullie me geestelijk willen steunen, maar ik ben aan het werk. Lady Rutherford is gewend aan modeontwerpers van internationale topklasse, dus is het heel belangrijk dat ze me als professioneel beschouwt.'

'O, maar natuurlijk vindt ze je professioneel, Iz-Wiz.' Mijn moeder wrijft over mijn rug. 'Lieverd, heb vertrouwen in jezelf, zeker na al het harde werk dat je gedaan hebt.'

Oké. Ik heb het gehad. 'Ik héb vertrouwen in mezelf...'

'En nog iets...' valt Barbara me in de rede, en opeens kijkt ze erg bezorgd. 'Volgens mij zou lady Rutherford het prettiger vinden als je al die spulletjes van Hanley Hall weghaalde.' Ze wijst naar de schalen met citroenkoekjes met HH erop, en de chocoladetruffels in Hanley Hall-doosjes van gerecycled karton op het buffet. 'Je bent een uitstekende gastvrouw, Iz-Wiz,' gaat ze verder. 'Maar ze voelt zich misschien meer op haar gemak met een tarwebiscuitje met chocola. Wat je maar in huis hebt.'

'Bedoel je dat lady Rutherford zich beledigd zal voelen als ze hier spullen van Hanley Hall ziet staan?'

'Nou, ze vindt het vast niet fijn.' Mijn moeder pakt het biologische lekkers en brengt het naar de keuken. 'Het zal haar herinneren aan vreselijke dingen.'

'Vreselijke dingen? Wat dan?'

'Nou, bijvoorbeeld dat haar echtgenoot haar heeft gedumpt voor een nieuwer model.'

'Letterlijk,' zegt Barbara. 'Voor een jonger model. De nieuwe lady Rutherford heeft over de catwalk gelopen.'

'Wacht eens...' Ik steek mijn hand op om Barbara's woordenstroom te stuiten, ook al kijkt mijn moeder me verontwaardigd aan. 'De nieuwe lady Rutherford? Is er dan ook een oude lady Rutherford?'

'Maak je geen zorgen, Iz-Wiz.' Barbara legt geruststellend haar hand op mijn arm. 'Vandaag komt de goede!'

Ik voel me een beetje misselijk. Want ik vermoed dat Barbara met 'de goede' niet dezelfde lady Rutherford bedoelt als ik. 'Welke is dat?'

'Nou, de enige echte, natuurlijk. Niet dat mens dat het prachtige oude huis heeft veranderd in een luxecommune voor hippies.'

Ik zou Barbara wel kunnen vermoorden. Echt waar. Waarom heeft ze dat gisteravond niet door de telefoon gezegd? Voor iedereen die niet in de directe omgeving van Taunton woont, bestaat er slechts één lady Rutherford: de beeldschone, glamoureuze lady Rutherford met al haar hippe kennissen. De droom van iedere modeontwerper.

En ik heb me uit de naad gewerkt voor een andere lady Rutherford? Heb ik daarvoor zoveel geld uitgegeven aan champagne, lelies en hoogst ongepaste spulletjes van Hanley Hall?

'Maar Barbara, je zei: dé lady Rutherford!'

'Maar dit is dé lady Rutherford!' houdt Barbara stug vol. 'Iedereen die ik ken beschouwt haar zo.'

'Je zou toch zeker niets willen ontwerpen voor die omhooggevallen madam?' Mijn moeder kijkt er afkeurend bij. 'Ik heb gehoord dat ze erg uit de hoogte doet en iedereen voor het hoofd stoot...'

'Dat kan me niet schelen!' Nou ja, eigenlijk kan het me wel schelen. Het lijkt me niet erg leuk een jurk te ontwerpen voor een akelig mens dat aristocraten op leeftijd afpikt van hun echtgenotes. Maar ze is wel een akelig mens met glamour. En dat verleiden van aristocraten op leeftijd doet ze in de geweldigste outfits. 'Ik verwachtte dit niet...'

'O, daar zal ze zijn!' roept mijn moeder uit als de bel gaat. 'Zal ik haar binnenlaten, Iz-Wiz? Als ze dan in de woonkamer komt, kan ze jou bij het raam zien zitten schetsen, of zien bladeren in een *Vogue*.'

'Ik doe zelf wel open.' Ik banjer langs mijn moeder de gang in en trek de voordeur open.

Op de stoep staat een kleine, gezette vrouw van in de vijftig. Ze ziet er vermoeid uit. Ze draagt een versleten groene Barbour-waxjas, en een corduroy broek met opgedroogde modder onder aan de pijpen. Zo lijkt ze meer op een moeder van vier levenslustige kinderen die haar kroost van school moet halen dan op een aristocratische dame.

Met een frons kijkt ze me aan. 'Isabel?'

'Ja.'

'Van Isabel B van Underpinnings?'

Ik knars mijn tanden. 'Ja.'

'O... Je ziet er niet uit als een modeontwerper.'

Nou ja, zeg, na alle moeite die ik me heb getroost met mijn zwarte outfit en het meetlint om mijn hals? 'Eh, hoe zou een modeontwerper er dan uit moeten zien?'

'Weet ik veel. Buitenlands. De vrouw van Underpinnings zei dat je sprekend leek op... hoe heet ze ook weer? O ja, Donna Versace.'

Heeft Barbara dat gezegd? 'Nou, het spijt me dat ik een teleurstelling blijk te zijn.'

'Geeft niet. Ik ben hier nu toch.' Ze stapt de gang in. 'Ik ben trouwens Sonia.'

'Wilt u niet liever lady Rutherford worden genoemd?'

Ze vertrekt haar gezicht tot een grimas. 'Uiteraard zou ik liever lady Rutherford worden genoemd. Maar ik heb geen recht meer op die titel. Dat is een van de dingen die mijn ex-man me heeft afgenomen toen hij met een meisje trouwde dat twintig jaar jonger is dan ik.'

Eigenlijk weet ik niet goed wat ik daarop moet zeggen. 'Ik vind het verschrikkelijk voor je, Sonia. Eh... Kom je niet binnen?'

Mijn moeder en Barbara staan in het 'atelier' te wachten, klaar om een revérence te maken. Gelukkig doen ze dat niet echt, maar ze gedragen zich wel overdreven dienstbaar. Ze pakken haar waxjas en tas aan en brengen haar naar de tweezits-bank. Ondertussen haal ik in de keuken de champagne uit de ijskast en pak vier glazen. Ik bedoel, ik mag dit hele gedoe best met een beetje glamour omlijsten. En een slokje alcohol is goed om iedereen op haar gemak te stellen.

'Om halfvier 's middags?' Sonia Rutherford – en natuurlijk ook mijn moeder en Barbara – kijken naar mij en de champagne alsof ik hun een lijntje coke aanbied.

Weer knars ik met mijn tanden. 'Een kopje thee dan? Of koffie?'

Sonia wil graag thee, en dat vindt mijn moeder fijn omdat zij die dan mag zetten.

Ik ga naast Sonia op de tweezitsbank zitten en pak een van mijn gloednieuwe Smythson-notitieboekjes. 'Zo. Misschien kunt u me eens vertellen waar u precies naar op zoek bent.'

Sonia Rutherford haalt haar schouders op. 'Een jurk.'

Ik werp een boze blik op Barbara. 'Sorry, misschien was ik niet helemaal duidelijk. Wat voor soort jurk? Wat vindt u mooi?'

'Nou, als ik dat wist, zat ik hier nu niet.' Sonia klinkt niet zozeer slechtgehumeurd als wel radeloos. Ze strijkt door haar warrige, kortgeknipte haar en gebaart naar haar corduroy broek met opgedroogde modder onder aan de pijpen. 'Ik draag niet vaak een jurk, maar dat had je vast al geraden. Jurken zijn niet erg praktisch als je drie kinderen hebt, twee stinkende labradors en een oude Land Rover. Dat is de enige auto die we van mijn ex mochten houden.'

Er valt een stilte. Mijn moeder is bezig met de kopjes, en Barbara schraapt haar keel.

Dan moet ík de stilte maar vullen. 'Oké, ik snap het. Dus geen al te flodderig jurkje...'

'Isabel!' Mijn moeder komt met het theeblad de woonkamer in. 'We hadden toch gezegd dat lady Rutherford hier is voor iets feestelijks? Dat hebt u Barbara toch verteld, lady Rutherford?'

'Ik heet Sonia.' Ze kijkt me aan op een manier die me doet vermoeden dat zij hier liever ook alleen met mij zou zijn. 'En ja, dat had ik tegen Barbara gezegd. Mijn dochter wordt volgend weekend eenentwintig.'

'Een eenentwintigste verjaardag! Nou, dan moet u echt iets heel bijzonders hebben.'

Sonia slaakt een diepe zucht en neemt vervolgens een grote slok thee. 'Dat zegt iedereen tegen me. En Katie – dat is mijn dochter – ook. Om heel eerlijk te zijn zou ik best tevreden zijn met een oude Laura Ashley. Maar de nieuwe lady Rutherford zal er ook bij zijn, en ik ben net ijdel genoeg om er waar zij bij is niet te willen uitzien als iets wat de kat heeft binnengebracht.'

'Komt Abby Rutherford op het feest?'

Er verschijnt een lachje op Sonia's gezicht dat nauwelijks haar bittere gevoelens kan verhullen. 'Mijn ex heeft tegen Katie gezegd dat hij niet komt als Abby niet wordt uitgenodigd.'

Er valt weer zo'n pijnlijke stilte terwijl we allemaal denken dat dit wel een erg lage streek is.

'Ik wil er niet uitzien als een halvegare idioot,' gaat Sonia verder. 'Abby heeft vast iets beeldschoons en peperduurs aan. Ik weet niet of jullie ervan op de hoogte zijn, maar vroeger was ze topmodel...'

'Ik had vagelijk zoiets gehoord,' lieg ik.

'En ze doet heel erg uit de hoogte. Echt, ik voel me altijd heel klein en dik. En ontzettend stom. En bovendien is ze jonger en slanker dan ik, en ze heeft ook nog eens succes.'

'En ze heeft je echtgenoot afgepikt.'

'Mam!'

'O, dat kan me niet schelen,' zegt Sonia. 'Ze mag hem hebben als ze dat zo graag wil.'

'Sonia, het spijt me, mijn moeder wilde niet...'

'Ik wil gewoon dat ze zich voor één keer gedraagt alsof ik van belang ben. Op de eenentwintigste verjaardag van mijn dochter, waar al haar vrienden en vriendinnen bij zijn, wil ik het gevoel hebben dat ik meetel.'

Ik vind het heel jammer dat Lara er niet bij is. Zij weet hoe ze met dit soort dingen moet omgaan.

En ik vind het ook heel erg jammer dat ik Sonia Rutherford niet kan voorzien van een oogverblindende jurk waarmee ze de concurrentie met een topmodel kan aangaan. Want daar is ze voor gekomen, dat is wat ze wil.

Ik sla mijn notitieboekje dicht en sta op. 'Sonia, ik heb een voorstel. Laten we eens door Westbourne Grove gaan wandelen. Dat is een straat vol trendy winkels,' zeg ik erbij wanneer ze me met een lege blik aankijkt. 'Het is hier vlakbij. Dan kunnen we een paar winkels in om te kijken, je kunt iets passen, en misschien vinden we dan iets voor op Katies feest.'

'Isabel!' Ontzet kijken Barbara en mijn moeder me aan.

'Het spijt me, maar ik denk niet dat ik iets heb dat geschikt is. En het feest is volgend weekend al.'

'Doe niet zo gek, Isabel!' Mijn moeder staat op en pakt de toga-jurk in Griekse stijl en de reusachtige tuniek van de hangertjes. 'Je hebt nog niet eens gevraagd of ze deze wil passen. Misschien vindt u ze saai en kaal, lady Rutherford, maar Isabel zei dat ze ze kan opleuken door er pailletten op te naaien, als u dat wilt.'

'Ik heb niks gezegd over opleuken! En ik heb al helemaal niks gezegd over pailletten!'

'Isabel.' Barbara probeert mijn aandacht te trekken. 'Ik vind dat lady Ru... Sonia iets zou moeten passen. Per slot van rekening is ze daar helemaal voor uit Taunton gekomen. Ze wil een jurk van een echte ontwerper. Ik bedoel, daarom is ze naar Underpinnings gekomen,' zegt ze.

Shit, dat was ik even vergeten. Ze is ook klant van Underpinnings. En Underpinnings kan zo'n cliënt goed gebruiken.

'Nou, die pas ik niet, hoor,' zegt Sonia Rutherford. Ze wijst naar de toga-jurk in Griekse stijl. 'Daarin zie ik er vast uit als een worst in een dwangbuis. Geef me die zak maar, dan kijk ik wel of dat iets is.'

'Ja, zoiets ziet er altijd veel mooier uit aan het lichaam,' zegt Barbara. 'Toch, Isabel?'

Eh... nee. Zoiets is veel mooier aan een hangertje. Maar dat zeg ik maar niet. 'Ik denk dat je deze erbij nodig hebt, Sonia.' Ik trek de glimmende zwarte riem uit de lussen van mijn broek en geef hem over het Chinese kamerscherm heen aan haar.

'Een geaccentueerde taille is een belangrijk onderdeel van het huidige silhouet,' verklaart mijn moeder behulpzaam, en ze steekt haar duim naar me op.

Ik trek haar mee naar een hoekje en fluister: 'Mam, waar zijn jullie mee bezig?'

'We helpen je die jurk te verkopen, lieverd.'

'Ik heb geen hulp nodig.'

'Isabel, Barbara is een ervaren verkoopster. En ik heb een half-jaar bij John Lewis in Kingston gewerkt, voordat ik je vader leerde kennen.'

'Daar heb ik het niet over! Barbara en jij hadden hier niet moeten zijn! Mam, dit is míjn werk. En ik kan het allemaal best zelf afhandelen zonder dat jullie je ermee bemoeien.'

'Het was niet mijn bedoeling me met jouw zaken te bemoeien.' Mijn moeder kijkt een beetje beschaamd. Zachtjes fluistert ze: 'Ik was alleen een beetje bezorgd dat je het niet goed zou doen.'

'Omdat ik niet aan de drugs ben?'

Ze bloost. 'Ik weet dat je nu clean bent, Iz-Wiz, en ik ben heel trots op je. Maar voor Ron en Barbara is ze een heel belangrijke klant...'

'Tada!' jubelt Barbara opeens.

Sonia Rutherford stapt achter het kamerscherm van bamboe vandaan.

Goh... Ik zal niet zeggen dat er een vlinder uit een cocon is gekropen, of dat een lelijk eendje is veranderd in een zwaan, of iets dergelijks dat vaak in een chicklit voor meiden gebeurt.

Maar Sonia ziet er een stuk beter uit. Een heel stuk beter.

Om te beginnen staat de zwarte zijde heel goed bij haar bleke huid vol sproetjes. Het accentueert haar jukbeenderen, en ze ziet er hemels uit in plaats van vermoeid.

De tuniek staat haar ook goed qua vorm. Toen ik hem aanhad, leek ik net een enorme zwarte postzegel. Maar bij de kleinere, molliger Sonia Rutherford is hij best elegant. Hij bedekt haar benen tot halverwege de kuiten, waar haar benen slank worden, en dankzij de riem om haar middel valt de stof heel flatterend over haar heupen en dijen. De halslijn is een beetje onregelmatig, maar dat is makkelijk te verhelpen met een forse ketting, of – ik durf het nauwelijks te zeggen – een sjaaltje met pailletten.

'Sonia, je ziet er geweldig uit!'

'Echt?' Blozend kijkt ze in de passpiegel. 'Het zit erg lekker.'

'O, helemaal goed, lady Rutherford,' zegt mijn moeder. 'Wat vindt u, een paar pailletten op het lijfje om extra aandacht op uw gezicht te vestigen? Of misschien op de rok, dat zou mooi zijn...'

'Nee. Geen pailletten.' Ik besef dat ik me als een ontwerpster moet gedragen, dus trek ik het meetlint van mijn hals en meet hier en daar een beetje. Vervolgens laat ik de tuniek boven de riem iets meer bloezen. 'U kunt er altijd een goudkleurige tas en goudkleurige schoenen bij dragen, om het zwart een beetje te breken.'

'O ja! Dat zou een goede manier zijn om alles op te leuken!' Barbara ziet er tevreden uit.

'Nou... Als jullie het echt mooi vinden...' Sonia bekijkt zichzelf nog eens goed in de spiegel, en draait een beetje in het rond. 'Ik neem hem!'

En dan trekt ze haar eigen kleren weer aan, en ik bel een taxi waarmee ze terug kan naar Paddington Station, en mijn moeder en Barbara naar hun hotel. Wanneer ik weer binnenkom, heeft Sonia een cheque voor Barbara uitgeschreven. Barbara wil mij de helft van het bedrag geven, maar ik weet haar na een kwartier te overtuigen dat ik tevreden ben met een vergoeding voor de lap zijde en dat zij de rest kan houden. En dan komt de taxi gelukkig voorrijden en kan ik hen allemaal de deur uit werken en uitzwaaien.

Goh, dat was echt bizar.

Maar het is fijn dat Sonia wegging met een jurk waarmee ze Abby Rutherford helaas niet zal kunnen overtroeven, maar waarin ze op het verjaardagsfeest van haar dochter wel elegant en stijlvol zal ogen. Ik bedoel, het zou heel spannend zijn geweest om Abby Rutherford hier te hebben gehad, maar zou het wel echt bevredigend zijn om ervoor te zorgen dat een topmodel er mooi uitziet?

In elk geval kan ik nu rondbazuinen dat ik een jurk heb gemaakt voor lady Rutherford. Als ik ooit de pech heb die vreselijke Queenie Forbes-Wilkinson tegen te komen, kan ik dat mooi vertellen. Afgezien van mijn moeder en Barbara weet niemand over welke lady Rutherford ik het heb. En die toga-jurk in Griekse stijl die ik voor Abby heb gemaakt, houd ik gewoon zelf, want je weet maar nooit. Misschien wordt Sonia's tuniek zo'n doorslaand succes dat ik echt een opdracht van Abby krijg.

Maar nu moet ik de woonkamer terugbrengen in oude staat, en me klaarmaken voor het verlovingsfeest van Matthew. Lara kan elk moment thuiskomen, en ik zal de drie uur voordat Barney me per taxi komt oppikken zeker nodig hebben om haar duidelijk te maken dat, hoewel ze het prima vond om naar Matthews house-warming te gaan, ze niet per se hoeft te gaan nu het in een verlovingsfeest is veranderd. Ze hoeft zichzelf echt niet zo te kwellen.

Ik heb best zin in een glaasje gekoelde champagne. Per slot van rekening heb ik mijn eerste Isabel B-jurk verkocht. Daar moet op gedronken worden!

22

Nou, ik heb mijn best gedaan. Ik schoot Lara aan zodra ze terugkwam van de praktijk. Ik heb echt heel erg mijn best gedaan. Maar Lara gedroeg zich natuurlijk helemaal professioneel en strooide met uitspraken als: *belangrijk onderdeel van het dingen achter je laten.* En: *noodzakelijke afsluiting.* Ze kreeg een rode kop toen ik ook ging strooien met uitspraken als: *zelfkastijding.* En: *weet je zeker dat je niet gewoon wilt gaan spioneren?* Nou ja, ik heb gefaald. Lara gaat mee.

Wanneer we eindelijk een kwartier te laat in de taxi stappen, zie ik dat Barney nog kwader kijkt dan ik. Zijn haar staat overeind alsof hij zijn vinger in het stopcontact heeft gestoken, en hij heeft een heel stel in aluminiumfolie verpakte schalen op schoot. Op de achterbank staan nog meer in aluminiumfolie verpakte schalen, en hij geeft een gil als ik ze wil verplaatsen zodat ik kan gaan zitten.

'Pas op mijn soufflés!'

'Maar Barney, er is geen plaats voor ons.'

'Jawel. Daar zijn plaatsen.' Hij wijst op de twee klapstoeltjes tegenover hem.

'Maar die zitten niet lekker.'

'Ik heb liever dat jullie niet lekker zitten dan dat mijn soufflés worden geplet.'

'Oké.' Ik zucht eens diep. 'Nou, dan doe ik het raampje dicht, anders waait mijn haar door de war.'

'Nee!' gilt hij weer, en hij mept mijn hand weg. 'Er moet frisse lucht zijn, anders worden de soesjes slap.'

Misschien verklaart dat zijn warrige haardos.

'Vertel nou maar eens wat je van mijn hapjes vindt,' zegt hij wanneer de taxi optrekt. 'Ik heb me gericht op zoete hapjes, omdat ik denk dat die interessanter zijn voor de gasten.' Hij tilt een hoekje van het aluminiumfolie op. 'Dit zijn mokkasoufflés. Help me eraan herinneren dat ze meteen in de oven moeten. En dan moeten we maar hopen en bidden dat ze rijzen.'

Lara en ik knikken, want we nemen onze taak serieus.

'En dit zijn cappuccino crème brûlées,' gaat hij verder terwijl hij op een andere schaal klopt. 'En dan zijn er taartjes gevuld met vanille-koffiecrème. O, en espressokopjes gevuld met bittere koffiecrème, met een topping van schuimige amandelmelk. Je wilt niet weten hoelang het duurde voordat ik dat spul schuimig kreeg met de spuitwatersifon. Het moest eruitzien als macchiato...'

Lara valt hem in de rede. 'Dus er zijn alleen maar dingen met koffiesmaak?'

'Alleen maar?' Barney oogt gekwetst. 'Jezus, ik wilde het makkelijk maken voor jullie! Als je het echt wilt weten: de soufflés zijn gemaakt met de Jamaica Blue Mountain-boon, met een distinctieve smaak, en voor de vanilletaartjes heb ik de Ethiopische sidamo gebruikt om de botersmaak van het deeg goed uit te laten komen. Met de cappuccino brûlées heb ik een risico genomen, want die zijn gemaakt met de Guatemalteekse huehuetenango, en daar ben ik niet echt mee bekend...'

'Barney!' Ik kijk hem met open mond aan. 'Dit is toch niet te geloven?'

'Nou, jij zei anders dat dit een goede gelegenheid was om reclame te maken voor Coffee Messiah,' reageert hij verontwaardigd. 'Trouwens, Annie vindt het best.'

'Heb je het met haar overlegd?'

'O ja.' Barney houdt de schalen goed vast wanneer we de hoek omgaan en Holland Park Avenue oprijden. 'Weet je, ze maakt zelf espressomartini's bij de hapjes!' Plotseling verbleekt hij. 'Ze zal toch geen blik Segafredo gebruiken?'

'We hebben het hier over Annie,' mompelt Lara. 'Je mag nog in je handen knijpen als het geen Nescafé is.'

Door het drukke verkeer is het al halfnegen geweest als we eindelijk stoppen voor het appartement van Matthew en Annie. Het ligt op de begane grond, in een zijstraat van Putney High Street. Het feest is veel groter dan ik had gedacht. Buiten staan kerels in roze overhemd met flesjes Guinness, en dames in wik-keljurkjes en op hakjes met een viezig bruin drankje in martini-glazen. Dat zijn dan zeker Annies espressomartini's. Of Nesca-fé-martini's. Gewapend met Barneys schalen wringen we ons door de mensenmassa totdat we de voordeur hebben bereikt. Daar staat Annie – ook in een wikkeljurkje en op lage hakjes – naar ons te zwaaien alsof ze aan het verdrinken is en wij de red-dingsbrigade zijn.

'Ha, daar zijn jullie! Ik dacht al dat jullie niet meer kwamen.'

'Maar nu zijn we er,' brengt Barney theatraal uit. Hij hijgt alsof we inderdaad in de roeiboot van de reddingsbrigade aan de riemen hebben gezeten. 'Mag ik je oven gebruiken?'

'Natuurlijk. O, Matthew is in de keuken, hij maakt een ver-schrikkelijk ogende fruitpunch,' zegt Annie. 'Dus als je iets nodig hebt, vraag je het maar aan hem. Hoewel hij niet zo behulpzaam is vandaag.' Terwijl Barney en Lara zich door de gang naar de keuken worstelen, zegt ze tegen mij: 'Sorry dat ik het moet zeg-gen, Wiz, maar als je broer geen zin heeft, werkt hij niet erg mee.'

'Had Matthew geen zin in een feest?' Dat kan ik me nauwe-lijks voorstellen. Ik heb wel eens stiekem gedacht dat Matthew geboren is met in zijn ene hand een koud biertje en in de andere een barbecuetang, en met een feesthoedje op. Maar als dat echt zo zou zijn, had mijn moeder het vast ooit verteld.

'Matthew had geen zin in dít feest. Hij wilde het liever bij het oorspronkelijke plan houden, gewoon een kleine, informele house-warming. Maar in dat geval zouden we geen verlovings-feest hebben gehad. En nu we in Londen wonen, kennen we veel meer mensen die we konden uitnodigen.' Annie maakt een weids gebaar naar de mensenmenigte. 'Als het aan Matthew lag, zouden we nooit nieuwe vrienden maken. Weet je, we wo-nen hier nu al een maand, en drie van de vier weekeinden zijn we naar Dorset teruggegaan om in de Hind's Head te zitten. Ik bedoel, we wonen nu in Lónden!' voegt ze eraan toe, voor het geval ik dat ben vergeten. 'Wat hebben we daaraan als we nooit eens iets leuks doen, iets opwindends? Ik bedoel, kijk nou eens naar jou. Jij doet elke avond wel iets vol glamour met een van je miljonairs!'

'Eh...' Ik snap niet hoe Annie aan de indruk komt dat mijn leven zo opwindend is, maar in elk geval weet ik nu hoe ik kan wegkomen. 'O, over miljonairs gesproken, haha, ik moet maar eens op zoek naar Ben. Hij vraagt zich vast af waar ik blijf.'

'Ga je maar met hem verloven,' merkt Annie mopperig op. 'Dan maakt het hem geen mallemoer meer uit waar je uit-hangt.'

Ik baan me een weg naar de woonkamer, waar Elton Johns grootste hits uit de luidsprekers schallen, en nog meer in roze overhemden of in wikkeljurken gehulde gasten uit hun dak gaan op 'Crocodile Rock'. Het ruikt hier naar koffie, en dat be-tekent vast dat Barney druk bezig is in de keuken. Lara loopt rond met een knalrood papieren bordje van Coffee Messiah vol vanille-mokkataartjes. Ze negeert Matthew die achter haar loopt en fruitpunch uitdeelt.

Zodra ik Ben heb gezien, loop ik voorzichtig langs de Cro-codile Rockers in zijn richting om hem te laten weten dat ik er ben. In tegenstelling tot bijna alle andere mannelijke gasten heeft hij zijn keuze niet laten vallen op een roze shirt met een vrijetijdsbroek, maar op een bruine trui en een spijkerbroek. Ik kan niet zien met wie hij in gesprek is, maar wel dat hij om de paar tellen zo leuk naar zijn gesprekspartner lacht, waardoor hij er erg sexy en aantrekkelijk uitziet. O nee, hij staat toch niet met een meisje te babbelen? Wie het ook is, ze moet klein van stuk zijn, want hij kijkt naar beneden. O, het is mijn moeder. En Barbara. En Ron. Mijn moeder en Barbara hebben allebei een topje met pailletten aan, en een flodderige broek. Ron heeft een 'leuke' stropdas om, met champagneflesjes erop gedrukt. Bij feestelijke gelegenheden komt hij altijd opdraven met een dergelijke das om.

'Lieveling!' zegt Ben wanneer hij me ziet.

Lieveling? Ben ik zijn lieveling? Volgens mij ben ik nog nooit iemands lieveling geweest. Zelfs niet die van Will. Ik geloof ook niet dat ík ooit 'lieveling' tegen iemand heb gezegd.

'Eh... Dag, lieveling,' zeg ik aarzelend terug.

Ik had gelijk. Het woord 'lieveling' is niets voor mij.

'Iz-Wiz!' Mijn moeder, Barbara en Ron kijken me allemaal stralend aan, alsof ik net de hoofdprijs in de loterij heb gewonnen. Volgens mij hebben ze te veel espressomartini's gehad.

'*Madame la couturière!*' voegt Ron er met een knipoog aan toe. 'Ik heb gehoord over de pasbeurt. Goed zo, Iz-Wiz.'

'Nou ja, het is fijn als de klant tevreden is,' zeg ik.

Maar dan valt mijn moeder me in de rede. 'Ben heeft ons verteld van zijn nieuwe appartement in... Waar zei je ook weer dat het was, Ben?'

'Holland Park.'

'Holland Park...' herhaalt mijn moeder ademloos. 'Klinkt dat niet geweldig, Isabel?'

Nou, dat was dus de interesse die ze in mijn carrière toonde. Ik snap niet waarom ze niet gewoon naar het feest is gekomen met een T-shirt aan met de opdruk: DOCHTER TE KOOP TEGEN MOOI HUIS IN DURE BUURT.

'Geweldig.' Ik kijk haar kwaad aan. 'Ik heb er al veel over gehoord.'

Ben lacht. 'Ik ben bang dat ik haar gruwelijk heb verveeld met mijn verhalen.'

'O, zo bedoelde ze het vast niet,' zegt mijn moeder met een paniekerige uitdrukking op haar gezicht. 'Toch, Isabel?'

'Nee, natuurlijk niet.' Jezus, ik zou wel een drankje kunnen gebruiken. 'Iemand een espressomartini? Ik ga er toch eentje halen.'

'Nee, lieveling, laat mij maar.' Ben houdt me tegen door zijn hand op mijn arm te leggen. 'Blijf jij maar hier om gezellig te babbelen met de afvaardiging van Shepton Mallet.'

Uiteraard moeten mijn moeder, Ron en Barbara daar heel hard om lachen, maar zodra hij buiten gehoorsafstand is, kijken ze me allemaal aan, net schoolmeisjes op het speelplein. Ja, zelfs Ron.

'Een goede partij, Iz-Wiz.'

Ja, vooral Ron.

'Ik ben zo blij dat ik volgende week met Cathy Loxley heb afgesproken voor een kopje koffie,' zegt mijn moeder terwijl ze ons betekenisvol aankijkt, alsof ze nog maar net een ramp heeft weten te voorkomen. 'Ik zou het heel vervelend vinden als ze de verhouding zou afkeuren omdat ik niet aardig genoeg ben geweest.'

'Mam!'

'Wat is er, Iz-Wiz? Ben is een goede partij. Het zou echt heel jammer zijn als je dit zou verpesten.'

Ik kijk haar ijzig aan. 'Ik verpest niks.'

Ze is in elk geval zo beschaafd om beschaamd te kijken. 'Zo bedoelde ik het niet. Maar Isabel, je moet echt je best doen om hem bij je te houden. Er lopen hier allemaal meisjes rond die er best iets voor over zouden hebben zo'n rijke en succesvolle kanjer als Ben te strikken.'

'Hij is een echte kanjer,' zegt Barbara instemmend.

Godallemachtig... 'Ik denk dat ik Ben maar eens met de drankjes ga helpen.'

'O, maar hij staat vast niet met een ander te praten.' Mijn moeder kijkt me bezorgd aan. 'Weet je, van drugs kun je achtervolgingswanen krijgen, lieverd, ook nadat je niet meer gebruikt.'

'Ik lijd niet aan achtervolgingswanen, mam. Ik wil hem gewoon helpen met de drankjes, meer niet.'

Terwijl ik wegloop, besef ik opeens dat mijn vader er niet bij was. Wanneer ik bijna bij de keuken ben, zie ik hem.

Hij staat in zijn eentje bij de keukendeur en houdt een glas espressomartini vast alsof er vergif in zit. Hij bestudeert het cd-hoesje van Elton John. Misschien hoopt hij het universum te doorgronden via de tekst van 'Don't Go Breaking My Heart'. Typisch mijn vader. Hij wil altijd van alles iets educatiefs maken, zelfs van een feest.

Alleen... Ik weet het niet, hoor. Heeft hij misschien een andere reden om dat hoesje te bestuderen? Bijvoorbeeld omdat hij niemand heeft om mee te praten?

Ik bedoel, kijk hem nou, de verpersoonlijking van iemand die zich niet op zijn gemak voelt. Zo lijkt hij helemaal niet op zichzelf als het strenge, pompeuze schoolhoofd.

En dan kijkt hij op en ziet me naar hem kijken. 'Isabel!'

'Pap.'

Een stilte.

'Alles in orde?'

'Ja hoor, dank je.'

'Oké.'

Is dat alles? Heeft hij verder niets te zeggen? Bijvoorbeeld dat het hem spijt dat hij zulke lelijke dingen tegen me heeft gezegd nadat hij me had opgehaald uit het politiebureau? Gaat hij zijn excuses niet aanbieden voor het feit dat hij had gezegd dat ik altijd faalde?

'O, ik heb Clem vandaag gesproken. Robert krijgt waarschijnlijk een taakstraf. Ik vind dat je dat moet weten,' zegt hij.

'O, dat is prettig.'

'Ja...'

Weer een stilte.

Ik schraap mijn keel. 'Zeg, pap, eh...'

Plotseling schalt uit de boxen keihard 'I'm Still Standing'.

'Jezus, ik kan die herrie niet langer verdragen!' snauwt mijn vader. Hij kwakt de cd-hoes op tafel. 'Luistert er tegenwoordig dan niemand meer naar fatsoenlijke muziek?'

En dan gaat hij op zoek naar de cd-speler. En naar de persoon die verantwoordelijk is voor de muziek, ongetwijfeld om hem eens flink de les te lezen over dat hij schade berokkent aan zijn gehoor. En dan gaat hij hem vast heel erg onder druk zetten om iets van Mozart op te zetten.

23

Tegen tienen zou ik wel weg willen. Dankzij de espressomartini's en Barneys hapjes – die een groot succes waren – is er een opgewonden, haast maniakale sfeer ontstaan. Lara en Barney zie ik nergens meer, en ik moet steeds mijn best doen mijn vader te ontlopen. En mijn moeder, Ron en Barbara, die erg bijdragen aan de maniakale sfeer. Het afgelopen uur heb ik vastgezeten aan de saaiste man van de wereld, een in roze shirt gehulde jongen die in de City werkt. Over mijn hoofd heen praat hij met Ben over aandelen, dividenden en kapitaalbeheer.

Als het niet zo saai was, zou ik er vast veel van kunnen opsteken. Gegevens over roklengte of zo.

Ik kan helaas niet op zoek gaan naar Lara en Barney, of mijn verveling wegdrinken met Matthews fruitpunch, omdat Ben me tegen zich aan klemt. Het eerste kwartier was dat wel fijn, want hij heeft een gespierde arm, en ik voelde me heel dierbaar en klein. Maar het bleef helaas niet fijn. Ik wil dolgraag iets drinken, en ik wil weten of er nog Guatemalteekse huggamuggaweetikveel crème brûlées over zijn. Ben en de jongen die in de City werkt hebben het toch niet tegen mij. Ze vergelijken het aantal uren dat ze werken. Dat blijkt een geliefd onderwerp van alfamannetjes te zijn.

'Meestal iets van zestien, zeventien uur per dag,' zegt de jongen die in de City werkt. 'Maar soms werk ik twee nachten achter elkaar door.'

Weet je, ik denk dat ik toch maar een drankje ga halen.

Ik ben net bezig me voorzichtig van Ben los te maken, wanneer bij de deur van de woonkamer iets mijn aandacht trekt. Iets wat ik totaal niet had verwacht hier te zien. Of, beter gezegd: iemand.

Het is Will. Will is net de woonkamer van Annie en Matthew binnen gestapt.

O gottegod. Dit is verschrikkelijk.

Will ziet er ook verschrikkelijk uit. Voor een man die een week op de Kaaimaneilanden in de zon heeft gelegen, wanneer hij niet lag te wippen met een beeldschone Russin, ziet hij erg bleek. Hij lijkt moe, alsof hij wel een paar nachtjes slaap zou kunnen gebruiken.

Maar waarschijnlijk zie je er ook zo uit als je een hele week met een beeldschone Russin hebt liggen wippen.

Hij heeft me gezien. Hij heeft Ben ook gezien, die met zijn arm om me heen staat. En hij komt recht op ons af.

Ik doe mijn best mezelf los te maken. Ik dacht dat dat moeilijk zou zijn, maar dat had ik verkeerd gedacht. Het is onmogelijk.

'Isabel,' zegt Will als hij ons heeft bereikt. 'Ik móést komen. Ik...'

'Jezus, Will, wat doe jíj hier?'

'Matthew en Annie hebben me uitgenodigd.'

Ik kan hem wel vermoorden! 'Maar dat was voordat...'

'Lieveling?' Ben doet niet meer alsof hij gelooft dat de jongen die in de City werkt echt weken van honderd uur maakt. Hij richt zijn volledige aandacht op ons. 'Gaat het?'

'Lieveling?' Wills mond valt open. Ik weet niet of hij me wel iemand vindt om 'lieveling' te worden genoemd. 'Isabel, wie is dit?'

'Ik ben haar vriend,' zegt Ben. 'En wie ben jij?'

'Haar wát?' Will kijkt van Ben naar mij en weer terug. Hij snapt er niets van.

'Haar vriend,' herhaalt Ben. Hij houdt me nog steviger vast. 'Heb je daar soms problemen mee?'

'Maar hoe...' Will strijkt door zijn haar, dat nodig eens gewassen moet worden. 'Ik was maar een week weg...'

'Nou ja, vriend is misschien een beetje te veel gezegd,' zeg ik, gedeeltelijk omdat ik qua normen en waarden boven Will wil staan, en omdat... Nou ja, omdat het merkwaardig is dat Ben me na anderhalf afspraakje al als zijn vriendin beschouwt. Voordat Ben iets kan zeggen, ga ik gauw verder: 'Will, je hoort hier helemaal niet te zijn. Ik zei toch dat ik niet meer met je wilde praten?'

'Isabel, volgens mij reageer je overdreven,' zegt Will. Hij zet een stap naar me toe, maar dan steekt Ben een hand uit om hem tegen te houden.

'Hé!' zegt Ben. 'Blijf bij haar uit de buurt!'

Allemachtig, wat is dit gênant... Als ik wel eens droomde over twee kerels die om me vochten, dan ging het heel anders. Dan waren het twee knappe, jonge officieren die bij dageraad gingen duelleren, terwijl ik met mijn kamenier stiekem vanuit een bovenraam toekeek, en ik gekleed ging in iets romantisch met veel kant wat mijn slanke taille accentueerde, en met pijpenkrullen in mijn haar. Dan waren het niet twee kerels, van wie er eentje niet helemaal schoon was, die een beetje tegen elkaar aan stonden te duwen op een feest waar iedereen opgewonden was door de cafeïne, waar mijn ouders bij waren, en allemaal mensen die ik niet ken in roze shirts of wikkeljurkjes.

Maar Will duwt niet terug. Hij negeert Ben.

'Hoor eens, Isabel, ik snap er allemaal niks van. Als je even vijf minuutjes...'

'Nee, geen vijf minuutjes. Dit is niet het moment, Will.'

'Maar ik wil alleen maar uitleggen...'

'Er valt niets uit te leggen.'

'Zeg eens...' Deze keer doet Ben een stap naar voren. 'Zou

het niet beter zijn als je opkraste? Volgens mij heeft Isabel wel duidelijk gemaakt dat ze je niets te zeggen heeft.'

Ze kijken elkaar een poosje aan, en net wanneer ik het nauwelijks meer kan verdragen, draait Will zich om.

'Oké, ik ga wel weg.' Hij kijkt achterom naar mij. 'Nog een prettige avond samen.'

Verdorie. Waarom moest Will zo nodig komen?

Ik bedoel, ik kan nu moeilijk genieten van het feit dat Ben en ik samen per taxi weggingen van het feest, op weg naar zijn luxeappartement in Holland Park, omdat ik steeds moet denken aan die verdrietige en vermoeide blik in Wills ogen, en aan zijn verslagen houding en afhangende schouders toen hij wegliep.

En ik kan ook niet echt genieten van het feit dat ik in een woonkamer zit die eruitziet als iets uit de *Elle Decor,* en dat een sexy miljonair martini's maakt in de Poggenpohl-keuken vol roestvrij staal en rode lak, en er iets opgewekts schalt – gelukkig geen 'Crocodile Rock' – uit de speakers die ergens in het plafond verstopt moeten zitten. Want ik moet steeds denken aan die smekende blik in Wills ogen toen hij naar me keek als een trouwe labrador naar een leeg etensbakje.

Oké, dit moet ophouden. Ik wil niet dat Wills onverwachte verschijning op het feest een domper op de feestvreugde is.

Ik ga woest vrijen met Ben in zijn appartement uit de *Elle Decor.* Misschien wel in die Poggenpohl-keuken vol roestvrij staal en rode lak.

En ik ga van elke minuut genieten.

Nou, van elk uur. Want Ben is vast een expert tussen de lakens. Of op het kookeiland. Ik bedoel, kijk maar naar dit appartement, naar zijn auto, zijn kleren. Alles aan hem wijst op geraffineerde perfectie. En zijn technieken in bed zijn vast niet anders. Waarschijnlijk brengt hij me over een kwartiertje naar een verzonken bad vol champagne, waar we elkaar eerst loom zullen insmeren met een erotische massageolie voordat we het eerste bijzonder ingewikkelde standje uit de *Kama Sutra* proberen en grote hoogten van vleselijke lust bereiken. Het gaat geweldig worden.

Ik hoop maar dat het niet al te lang gaat duren. Ik kan zelf ook wel standjes bedenken die zo uit de *Kama Sutra* zouden kunnen komen, maar ik zou toch graag willen dat alles zijn natuurlijke verloop heeft, voordat ik geen ideetjes meer heb. En er is nog iets, iets wat ik niet graag beken. Maar ik heb een lange dag achter de rug na een heel vermoeiende week. In principe ben ik best voorstander van erotische massages en zo, maar ik zou ook dankbaar zijn als het niet al te veel tijd in beslag neemt.

'Zit je lekker?' Ben komt de woonkamer in met in elke hand een glas.

'O ja, heerlijk!' Ik leun achterover op de bruinleren bank en probeer mijn benen over elkaar te slaan zodat het lijkt alsof ik vijf dagen per week train. Daar heb ik heel lang geleden iets over gelezen in de *Cosmo*, en het is indrukwekkend. 'Schitterend appartement.'

'Dank je.' Ben geeft me een martini, en we klinken. 'Je zou eens moeten weten hoe het was toen ik het kocht. Uiteraard was het een soort nachtmerrie om alles te verbouwen terwijl ik aan de andere kant van de oceaan zat, maar ik had een geweldige architect in de hand genomen.'

'Mm-mm.' Ik nip van mijn martini en plak een geïnteresseerde uitdrukking op mijn gezicht. Want had hij dit laatst niet allemaal bij Zuma al verteld?

'Ik ben vooral erg ingenomen met de geluidsinstallatie,' zegt Ben. 'Kostte me vijfentwintigduizend. Alles op één systeem: muziek, internet, telefoon...'

'Mm-mm,' zeg ik weer. Ik doe mijn best geïnteresseerd te blijven kijken, maar niet zo geïnteresseerd dat hij de hint niet snapt en overgaat op zoenen.

'Zoals je ziet, zijn de vloeren van Scandinavisch hout. Ik ben erg gesteld op Scandinavisch design...'

'Mm.' Ik wil het niet over Scandinavisch design hebben. Ik wil worden meegenomen naar een verzonken bad en duizelingwekkende hoogten van vleselijk genot. Om hem nog een hint te geven, neem ik zwoel een slokje van mijn martini en buig me dan voorover om het glas op de salontafel te zetten, en om dichter naar hem toe te schuiven.

Hij fronst zijn voorhoofd. 'Glazen op onderzetters,' zegt hij, en hij zet mijn glas op zo'n vierkant tegeltje.

'O, sorry.'

'Geeft niet, hoor.' Hij legt zijn hand op mijn been en kijkt in mijn ogen, en dat is vast een prelude voor vleselijk genot. 'Nou...'

Ik kijk in zijn ogen. 'Nou...'

'Heb je zin in een weekendje weg?'

'Hè?'

'Volgend weekend. Zou je dat leuk vinden?'

'Eh...'

'Golfen met een van onze cliënten. Ik dacht dat het leuk zou zijn als je meeging. O, op Babington House,' zegt hij erbij. 'Griezelig dicht bij je ouders, maar ik beloof dat ik je aanwezigheid geheim zal houden.'

Babington House? Waar beroemdheden komen, waar Madonna en Gwyneth komen, en waar ik altijd al naartoe heb gewild? O, en waar Annie heel onverstandig de bruiloft wil vieren?

Aan de andere kant... Golfen met cliënten? Dat is geen erg goed derde afspraakje. Bovendien zou het raar zijn om nu al een weekendje weg te gaan met Ben. Ik bedoel, het is anderhalf jaar aan geweest met Will, en wij zijn maar één weekendje weg geweest. Goed, maar wel in een heel luxe hotel met een kaart voor hoofdkussens.

'Eh, nou, ik heb het volgend weekend nogal druk...'

'O?' Weer fronst hij zijn voorhoofd. 'Te druk voor een kort uitstapje?'

'Nou...'

'Want als je echt vooruit wilt in de mode, dan zijn dergelijke weekends uiterst belangrijk. Deze cliënten investeren in luxe merken. Je zou heel goed kunnen netwerken.'

'O.' Netwerken op Babington House. 'Nou, misschien kan ik een paar dingen verzetten.'

'Dat is dan afgesproken.' Met een tevreden uitdrukking op zijn gezicht buigt hij zich naar me toe en kust me vederlicht op mijn lippen. 'Ik pik je zaterdagmiddag op. Om een uur of één, dan kunnen we nog even ontspannen voor het diner.'

'Leuk.' Ik leun naar achteren en wacht totdat hij verdergaat waar we zijn opgehouden; bij het in elkaars ogen kijken en zijn hand op mijn been.

Maar hij staat op en zoekt in zijn broekzak naar de auto-sleutels. 'Zal ik je dan maar naar huis brengen?'

'Naar huis brengen?'

'Ik wil niet dat je zo laat nog met de taxi gaat.'

'Maar ik dacht...' Tja, wat moet ik nu zeggen? Dat ik dacht dat ik in een verzonken bad een erotische massage zou krijgen? Dat ik dacht dat hij me zou vermoeien met de eerste tien stand-jes uit de *Kama Sutra* totdat het eerste daglicht gloorde?

'Natuurlijk zou ik graag willen dat je langer bleef,' zegt hij terwijl hij een lok haar achter mijn oor strijkt. 'Maar ik moet morgen om zes uur op om naar fitness te gaan, en daarna moet ik de hele dag bij Fred aan de slag.'

'Ja, ik moet ook om zes uur op om naar fitness te gaan,' zeg ik terwijl ik mijn tas pak. Ik hoop dat ik er niet teleurgesteld uitzie omdat ik dacht dat we samen tussen de lakens zouden kruipen.

'Dat dacht ik al!' Ben doet de voordeur open, maar houdt me

dan tegen. 'Bovendien komt er nog tijd genoeg voor dit soort dingen.' En dan beroert hij mijn lippen heel zacht met de zijne. 'Volgend weekend.'

Zondag 06.00 – Uit bed springen. Naar fitness voor een uurtje op de loopband, gevolgd door een uurtje met gewichten, met veel stoot-, druk-, duw- en tiloefeningen en nog meer, gewoon alles wat die magere meisjes in shorts en behatopjes doen.

Zondag 08.00 – Uit sauna en koffiebar komen met een verfrist gevoel. Helemaal opgeleefd. Vastberaden om de volgende dag weer naar fitness te gaan.

Maandag 06.00 – Uit bed springen. Naar fitness voor een uurtje op de loopband, gevolgd door een uurtje yoga, met de lotusschouderstand, de éénbenige berg, de ploeg, de opwaartse boog en de halve god van de vissen.

Maandag 08.00 – Kan nauwelijks overeind komen na het aankleden. Overal pijn. Vastbesloten de opwaartse boog niet meer te verwarren met de zittende hoek.

Dinsdag 06.00 – In bed blijven liggen. Misschien ga ik wel nooit meer naar fitness. En misschien sta ik nooit meer op.

Dinsdag 08.00 – Lara helpt me de taxi in. Bij *Atelier* doe ik tegen bezorgde collega's alsof ik betrokken ben geweest bij een verkeersongeval.

Dinsdag 13.00 – Sleep mijn geteisterde lichaam naar Wax On/Wax Off voor een ontharingsbehandeling. Sleep haarloze, geteisterde lichaam terug naar mijn werk.

Woensdag 17.00 – Ga naar lingerieafdeling van Selfridges.

Woensdag 18.00 – Ga naar lingerieafdeling van Harvey Nichols.

Woensdag 18.14 – Geef rare snuiter een klap omdat hij me is gevolgd van lingerieafdeling van Selfridges naar lingerieafdeling van Harvey Nichols.

Donderdag 13.00 – Zeer pijnlijke Zweedse massage in Harrods Urban Retreat om de schade te herstellen die is ontstaan bij een overenthousiaste opwaartse boog.

Donderdag 13.45 – Bezoekje aan de wereldberoemde sportafdeling van Harrods om golfoutfit te kopen zoals Catherine Zeta-Jones die heeft. Verlaat sportafdeling met golfoutfit zoals Griff Rhys Jones die heeft.

Donderdag 18.00 – Bruiningsmiddel, nagels van handen en voeten lakken, wenkbrauwen epileren.

Vrijdag 17.00 – Knippen en föhnen bij Saint Luc, inclusief stylen van extra lange pony om al te enthousiast epileren van wenkbrauwen te maskeren.

Vrijdag 20.00 – Enorme gin-tonic en peptalk met Lara om de zenuwen tot rust te brengen.

Vrijdag 22.00 – Vroeg naar bed om morgen beter te kunnen genieten van weekend in luxehotel met sexy durfkapitalist.

Isabel Bookbinder
Thuis
Londen

Catherine Zeta-Jones
Een van haar vele huizen in New York,
Barbados, Mallorca,
of in een prachtige vallei in Wales

29 september

Beste ~~mevrouw Zeta-Jones~~ ~~mevrouw Zeta-Douglas~~ Catherine,

Ik wil graag beginnen met te vertellen dat ik een groot fan van u ben. Al vanaf uw eerste optreden in de zondagavond uitgezonden serie *The Darling Buds of May* tot het bereiken van de hoogste rangen van Hollywood heb ik uw carrière aandachtig gevolgd. U gedraagt zich altijd sierlijk en elegant, en op de rode loper straalt u een en al glamour uit.

En dat brengt mij tot een brandende vraag: Waar kun je een golfoutfit kopen waarin je er niet uitziet als de helft van een mannelijk, komisch duo uit de jaren tachtig? Ik heb foto's van u gezien waarop u aan het golfen bent, en dan ziet u er altijd beeldschoon uit met een grappig kort broekje en een flatterend topje. Onlangs heb ik een bezoekje gebracht aan een wereldberoemde sportafdeling, en ik kon daar niets anders vinden dan een behoorlijk onooglijke broek met ruitjes, en een soort poloshirt waarin ik niet alleen een mollige indruk maak, maar er ook uitzie alsof ik zwanger ben.

Uw advies is uiterst welkom, want ik heb sinds kort een verhouding met een ~~seksueel aantrekkelijke~~ man die net als uw partner bijzonder graag golft. Ik heb veel tijd en geld gestoken in de aanschaf van flatterende lingerie voor ons eer-

284

ste weekendje weg ~~(wilt u alstublieft voor me duimen?)~~ en ik zou het effect daarvan niet graag teniet doen met een hoogst onaantrekkelijke golfoutfit.

Geeft u me alstublieft raad!

Met bewonderende groet,

Isabel Bookbinder

PS ~~Voor het geval Keira eigenlijk niet echt graag~~ Zou u willen overwegen uw lucratieve contract met Elizabeth Arden op te zeggen om in plaats daarvan het gezicht te worden van de geur van een onbekende ontwerper?

PPS *Oggy Oggy Oggy, Oy Oy Oy*

IB x

24

Het is maar goed dat ik deze week niet veel voor Nancy hoefde te doen, afgezien van haar post openen en taxi's voor haar regelen. Ik heb het erg druk met de voorbereidingen voor een weekendje op Babington House. Hoe doen anderen dat toch? Je hoeft de stijlbijlage van de *Sunday Times* maar in te kijken of je ziet dat overal ter wereld mensen spullen in een Bill Amberg-tas stoppen en aan een luxueus weekendje beginnen. En ik ben al een hele week bezig met de voorbereidingen. Een bruiningsmiddel, epileren, waxen, en dan nog al het shoppen dat ik moest doen. Ik moest heel veel inslaan, van een golfoutfit tot erotische massageolie. Ik ben met mijn neus op de feiten gedrukt; ik heb niet alles in huis wat ik in huis zou moeten hebben.

Maar nu ben ik klaar. Ik stop een paar laatste spullen in mijn tas, die helaas geen Bill Amberg is, maar een heel aardig gevalletje van Marks & Spencers, van nepleer, dat best een beetje op een Bill Amberg lijkt. Ik kijk in de spiegel om me ervan te vergewissen dat ik eruitzie als iemand die een aangenaam en sportief weekendje gaat doorbrengen op Babington House. Ik draag een marineblauwe broek met rechte pijpen van LK Bennett, een gemakkelijk T-shirt met Bretonse streepjes van – niet verder vertellen – Boden, en om het helemaal af te maken nog een sjaaltje met stippen dat ik onder in een van mijn vuilniszakken aantrof.

Ja, perfect.

Easy-Breezy: de nieuwe unisexgeur van Isabel Bookbinder.
Wat schoenen betreft, zag ik mij voor een dilemma geplaatst. Blijkbaar zijn platte schoenen het meest gepast voor een weekendje golfen. Liefst in twee kleuren, en van Chanel. Maar omdat ik niet zulke prachtige schoenen heb, en omdat Ben niet hoeft te weten dat mijn benen niet volmaakt geproportioneerd zijn, draag ik mijn spiksplinternieuwe schoenen van nepkrokodillenleer. Ze zien eruit als Jimmy Choos, maar eigenlijk kostten ze bij Kurt Geiger slechts zestig pond. Goed, sommigen zullen zeggen dat hoge hakken niet erg geschikt zijn voor een weekendje golfen, maar deze schoenen hebben ook nog plateauzolen zodat je echt een stuk langer lijkt dan je bent.

Bovendien zal ik me als ik echt ga golfen gedwongen zien die afschuwelijk lelijke golfschoenen met veters te dragen. Die heb ik ondanks alles toch maar gekocht. In elk geval, het is van het grootste belang dat ik er een beetje leuk uitzie wanneer ik niet op het eh... speelveld sta. Of hoe ze dat ook noemen waar je je balletje slaat.

Hè, het spijt me echt dat ik geen tijd had iets over de basistechnieken van golf op te steken. Misschien kan ik, wanneer ik er ben, Lara stiekem bellen, dan kan ze er op Google iets over opzoeken. Misschien had ik dat gisteravond beter zelf kunnen doen, in plaats van te zoeken naar standjes uit de *Kama Sutra*. Maar tijdens dit weekend zal er niet alleen worden gegolft. Dit weekend is bedoeld om een stapje verder te gaan in de verhouding tussen Ben en mij.

Daarom heb ik het volgende in mijn op een Bill Amberg lijkende tas gestopt:

1. Een kanten beha en slipje van Elle Macpherson Intimates. Roze, met een heel guitig zwart strikje op de rug, voor als Ben van brutaal houdt;

2. Ivoorwitte zijden pyjama van La Perla, met een boord van oudroze kant, voor het geval Ben meer van klassiek houdt;
3. Een wit hemdje met spaghettibandjes en een bijpassende boxershort, voor het geval Ben meer van sportief houdt;
4. Een heel ingewikkeld setje van Agent Provocateur, met een zwartsatijnen korsetje met jarretels, een schitterende string bezet met kristalletjes, visnetkousen, en merkwaardige kwastjes waarvan ik de verkoopster niet durfde zeggen dat ik niet wist wat ik daarmee moest. Voor het geval Ben van agressief houdt;
5. Een goedkope, sletterige knalrode babydoll van H&M, voor het geval Ben van goedkoop en sletterig houdt.

Nou, volgens mij ben ik op alles voorbereid.

In elk geval, waar Ben ook van houdt – hopelijk niet de agressieve look – ik zal er toch niet lang in ronddollen, zodra we zijn toegekomen aan de erotische massageolie en het verzonken bad.

Op precies hetzelfde moment dat de bel gaat, wordt er op mijn slaapkamerdeur geklopt. Lara steekt haar hoofd om de hoek. Ze is nog in de kleren die ze vanochtend naar haar werk droeg, maar de schoenen heeft ze al uit getrapt en ze heeft twee kopjes dampende thee in haar handen.

'O... Ik dacht dat je nog wel even tijd zou hebben voor een kopje thee,' zegt ze. 'Maar Ben staat zeker al voor de deur. Zal ik hem binnenlaten?'

'Nee, doe maar niet.' Ik rits de tas dicht en trek een gemakkelijk en sportief marineblauw vestje van Brora aan. 'En? Hoe zie ik eruit?'

'Leuk,' zegt Lara automatisch.

Achterdochtig kijk ik haar aan. 'Echt?'

'Iz, je ziet er altíjd leuk uit.'

'Lara...'

'Oké. Je ziet er leuk uit...'

'Maar?'

'Nou ja, het is een beetje gemakkelijk en sportief.'

'O, dan is het goed.' Ik voel me echt opgelucht. 'Dat is ook de bedoeling.'

'Echt?' Even trekt ze haar wenkbrauwen hoog op, dan bekijkt ze me eens goed en beseft dat ik het echt meen. 'Begrijp me niet verkeerd, hoor, het is heel chic allemaal. Maar Iz-Wiz, ik herken jóú er niet in.'

'Nou, dat zie je dan helemaal verkeerd. Ik herken mezelf heel goed in chic.'

'Oké.' Lara houdt met haar voet de deur voor me open. 'Jij bent hier de mode-expert.'

'Precies. O, en Lara, ben je straks thuis? Want misschien bel ik nog zodat je op Google de spelregels van golf voor me kunt opzoeken.'

'Golf?' vraagt Lara vol ongeloof. Op dat moment gaat de bel weer. 'Isabel! Je hebt helemaal niet verteld dat je moest golfen! Golfen is voor rimpelige oude mannetjes.'

'Catherine Zeta-Jones speelt golf,' wijs ik haar terecht. 'En zij is geen rimpelig oud mannetje.'

'Nee, daar is ze mee getrouwd. Jezus, Iz, ik hoop dat je beseft wat je je op de hals hebt gehaald.'

'Nou, maar het weekend draait niet uitsluitend om golf. We gaan vast ook iets leuks doen.'

Lara zucht eens diep. 'Nou ja, in elk geval ben ik toch niet thuis. Ik heb een middagje vrij genomen om Claudine, Marcus en Harry weer eens te zien. En daarna ben ik bij Barney, maar daar kun je me op mijn mobieltje bereiken.'

'O, nou, veel plezier.' Ik doe mijn best het onredelijke, jaloerse gevoel dat ik ineens krijg te negeren. 'Wat gaan Barney en jij doen?'

'Gewoon, een beetje hangen. Hij gaat natuurlijk iets koken. Hij was van plan zijn heel speciale...'

Weer gaat de bel, deze keer behoorlijk ongeduldig.

'Veel plezier!' zegt Lara terwijl ze opeens haar armen om me heen slaat. 'En Iz?' Ze denkt even na voordat ze verdergaat. 'Wees nou maar gewoon jezelf, oké?'

'Wie zou ik anders moeten zijn?'

'Ik bedoel... Och, laat ook maar.' Ze loopt met de theekopjes terug naar de keuken. 'Bel me maar. En ik zie je morgen wel weer.'

Meestal ben ik doodsbang wanneer ik naar Somerset ga. Waarschijnlijk omdat ik dan op weg ben naar een afgrijselijke lunch, en naar mijn vader die me tijdens die lunch zal kleineren. Maar deze keer is het een aangename rit. Misschien omdat ik nu op weg ben naar een luxehotel om woest te vrijen met een knappe miljonair.

Het kan ook geen kwaad dat Ben deze middag in topvorm is. Ik bedoel, hij ziet er sexyer uit dan ooit. Zijn gezicht is een beetje gebruind, en dat staat goed bij zijn roze shirt. Hij heeft mijn outfit geprezen, en gezegd dat die werkelijk uitstekend is voor een weekendje weg. Hij vindt mijn nieuwe pony leuk, en hij vindt mijn tas mooi. Door de complimentjes over die tas zeg ik maar dat het een echte Bill Amberg is, om hem het gevoel te geven dat hij over een goede smaak beschikt. Ook qua conversatie is hij in topvorm. Hij vertelt allemaal verhalen over de hotels waar hij in de Hamptons in heeft gelogeerd, en over het fijne golfen in Myrtle Beach, ook al begreep ik niet helemaal wat hij bedoelde met Bogey. Humphrey Bogart is toch al heel lang dood?

Wanneer we nog maar een kwartier van Frome zijn verwijderd, houdt hij ineens op, midden in een grappig verhaal over een partij golf die hij in Arizona met Callum had gespeeld, en zegt: 'Jezus, Iz-Wiz, ik hoop dat Queenie deze keer wat aardiger tegen je is.'

Ik kijk hem aan. 'Haha.'

'Wat haha?' Hij draait zijn gezicht even naar me toe. 'Ik meen het, hoor. Ik hoop echt dat ze zich niet als een bitch gedraagt.'

'Bedoel je dat Queenie ook op Babington House is?'

'Had ik je dat niet verteld?' Ben geeft aan dat we linksaf gaan, de A36 af. 'Ik dacht dat je dat wel zou begrijpen, omdat het voor mijn werk is, en uiteraard komt ze dan met Callum mee.'

Hij heeft gelijk, dat had ik kunnen weten.

'Nou, gezellig.' Ik leg mijn hoofd tegen het raampje, en het kan me niet eens schelen dat het ertegenaan bonkt. 'Dat zal plezierig golfen worden.'

'Lieveling, ze gaat heus de golfbaan niet op.'

'Waarom niet? Is ze geblesseerd of zoiets?'

Ben schiet in de lach. 'Isabel, jullie meisjes spelen geen golf!'

Dat is een heel seksistische opmerking. Bovendien klopt het niet. 'En Catherine Zeta-Jones dan?'

'Ik bedoel dat jullie meisjes dit weekend niet gaan golfen. Het golfen is een manier om ontspannen zaken te doen met de cliënten. Jij gaat met de echtgenotes en vriendinnen naar het wellnesscenter om jullie daar eens lekker te laten verwennen.'

Wacht eens. Wat is dit ineens? Ik ben een aankomend modeontwerper van internationale topklasse. Geen voetbalvrouw of zoiets.

Het maakt me niet uit dat het natuurlijk veel fijner is om in de luxe CowShed Spa te worden vertroeteld dan om op hoogst onflatteuze schoenen rond te sjouwen over een winderige golfbaan.

'Maar je zei dat ik de kans zou krijgen met de cliënten te netwerken. Hoe moet ik netwerken als ik samen met Queenie Forbes-Wilkinson mijn nagels laat lakken?'

Ben fronst zijn voorhoofd. 'Heb ik gezegd dat je met de cliënten kon netwerken?'

'Ja! Je zei dat ze veel in luxe merken investeerden.'

'Isabel...' Hij wrijft over mijn knie. 'Het zijn vastgoedont-wikkelaars met een bedrijf dat in Rotterdam is gevestigd. Ze bouwen winkelcentra in Dubai. Waarover zou je moeten net-werken?'

'Het zou toch kunnen? En als ik ze niet leer kennen, zal ik dat nooit weten.'

'Maar uiteraard leer je ze kennen, lieveling! Er is een diner, en daarvoor gaan we borrelen...'

'Dus ik mag wel met ze eten en drinken, maar niet golfen?'

'Lieveling, dat zei ik toch? Meisjes golfen niet.'

'Maar de meisjes dan die wél willen golfen?'

Weer fronst hij zijn voorhoofd. 'Maar ze willen helemaal niet golfen. Ze willen een massage en gelakte nagels.'

Ik zeg maar niets.

'Weet je, Iz, als je graag wilt sporten, is er vast wel iemand die mee wil naar fitness. Queenie misschien. Dan zouden jullie vriendinnen kunnen worden. Of misschien kun je een tennisles regelen.'

Ligt het aan mij, of is het ineens erg koud geworden in de E-type?

Ik bedoel, als ik een vriend wil die me behandelt als een Step-ford-vrouwtje, kan ik ook teruggaan naar Will in Battersea.

Nu ik erover nadenk, heeft Will nooit een tennisles voor-gesteld.

Ik heb nu geen tijd hier eens goed over na te denken, want we rijden net voorbij het schitterende Babington House.

De parkeerplaats staat vol met peperdure auto's: Porsches, Ferrari's, van die enorme, benzine slurpende SUV's. De eige-naren van die dure auto's halen golftassen uit de kofferbak of drentelen de trappen op. Die blonde kerels met pastelkleurige truien aan zijn zeker vastgoedontwikkelaars uit Rotterdam, en die anderen zijn vast Bens collega's van Redwood, slank en smachtend, in Aertex-polo's. Er zijn ook een paar dames, waarschijnlijk de echtgenotes en vriendinnen. Over het algemeen lijken ze tien jaar jonger dan de mannen. Ik ben nu wel blij dat ik al die tijd en dat geld heb besteed aan bruinen, waxen en mezelf optutten. Ik bedoel, sommige van die vrouwen lijken wel te glimmen.

Ben stuurt de E-type naar een lege plek naast een vervuilende SUV, net op het moment dat Queenie en Callum daar uit stappen. Ze lopen naar het hotel met echte tassen van Bill Amberg.

Zodra ik Queenie heb gezien, ben ik niet meer blij met de tijd en moeite die ik aan mijn uiterlijk heb besteed. Want nu ik haar zie, is het wel duidelijk dat ik voor de verkeerde outfit heb gekozen. Het is niet alleen de nep-Bill Amberg. Zij beheerst het eruitzien als een echte It-girl tot in de puntjes. Allemaal laagjes kasjmier, een spijkerbroek in groene rubberlaarzen met omslag, een lange vintage sjaal om haar nek, en onder haar arm een yogamatje. Bovendien heeft ze een heel arsenaal aan make-up op haar gezicht gesmeerd, zo goed aangebracht dat het lijkt alsof ze zich niet heeft opgemaakt.

'Kijk eens aan!' zegt Ben terwijl hij uit de auto springt en joviaal naar hen zwaait. 'Kijk je er al naar uit om weer te worden ingemaakt op de golfbaan, Cal?'

Cal zwaait joviaal terug en roept iets wat ik niet goed begrijp, iets over een nieuw ijzer. Ondertussen kijkt Queenie me even zeer zuinigjes aan en beent dan naar binnen.

Geweldig. Echt geweldig. Een weekendje weg met een meisje dat mijn bloed wel kan drinken. Een meisje met mooie jukbeenderen.

In elk geval krijg ik in Babington House waar voor mijn geld. Zodra we er zijn, zegt Ben dat hij naar fitness gaat, dus ga ik met hem mee. Daarmee bedoel ik dat ik dezelfde kant uit loop als hij. Daarna scheiden onze wegen zich zodat ik naar het wellnesscenter kan, waar ik een uur lang word geknepen en gepord, en ingesmeerd met zeewier. Allemaal om me te ontgiften. En nu zit ik in onze prachtige kamer tevreden te ontgiften met een verrukkelijk kopje thee en een halve fles roze champagne. Ik wacht op Ben. Het wordt tijd om de vleselijke lusten te botvieren!

Gelukkig maar dat ik die halve fles champagne heb, want ik ben knap zenuwachtig. Het is allemaal zo volwassen. Een zakelijk weekend golfen, een superromantische hotelkamer met een gigantisch hemelbed, de sexy lingerie die ik bij me heb... Ik bedoel, ligt het aan mij of is dit wel erg officieel?

Verder heb ik al een poos het nare gevoel dat ik eens met Ben moet praten over het gesprekje dat we in de auto hebben gehad. Na het bevredigen van de vleselijke lusten moet ik hem echt eens duidelijk maken dat ik een krachtige en onafhankelijke vrouw ben, met een belangrijke carrière en een eigen mening.

In welke lingerie kan ik dat het beste doen? In de klassieke pyjama? In het sportieve hemdje en de boxershort? Eigenlijk zijn die meer geschikt om er morgen in bed in te genieten van de koffie en de croissants. Het guitige roze behaatje en de string? Hm, niet zo geschikt, want waarschijnlijk knoei ik er kruimels op van de scones en de broodjes die ik nu naar binnen werk, en van de dun gesneden plakjes cake. Er blijven dus twee opties over: de goedkope babydoll en het ingewikkelde korset met de onbegrijpelijke kwastjes.

Ach, wat doet het er ook toe? Als ik de kruimeltjes wil verbergen, kan dat prima in een korset met onbegrijpelijke kwastjes.

Ik trek mijn broek uit, mijn Bretonse trui en mijn verkleurde beha van M&S, en mijn niet bijpassende slipje van M&S dat eveneens oud en verkleurd is. Vervolgens trek ik de string met de kristalletjes aan.

Au! Nou ja, de string is aan. Nu de rest nog. En ik moet echt eens uitvinden waar die kwastjes horen en waar ze voor dienen.

Het is niet erg goed getimed dat mijn mobiel net nu overgaat. Ik gris het apparaatje van het nachtkastje. 'Hallo?'

'Lieveling?'

'O, Ben...'

'Hoe is het in het wellnesscenter? Heb je het leuk met de meisjes? Is Queenie een beetje aardig tegen je?'

'Eigenlijk heb ik alleen een korte massage gehad. Ik zit nu op onze kamer.'

'O.' Dat klinkt een beetje teleurgesteld. 'Nou, ik ga nu weg van fitness, maar ik heb ook zin in een massage, oké?'

Is dat niet een beetje te dwingend? 'Eh, oké...'

'Mooi, dat is dan geregeld. Ik wilde alleen maar even weten of je er geen bezwaar tegen hebt.'

Bezwaar? Wat bedoelt hij daarmee? Is er iets met zijn lijf wat ik had moeten weten?

'Eh, nee hoor, geen enkel bezwaar...'

'Fijn. O, en kun je het bad vast laten vollopen?'

Jezus, hij is wel erg bazig. Dat is opwindend, maar het ergert me ook. 'Ja hoor, ik laat het bad wel vollopen.' Er klinkt een piepje om me te waarschuwen dat er nog een gesprek binnenkomt. 'Ben, er komt nog een gesprek binnen. Ik moet hangen.'

'Oké. Tot over vijf minuten.'

Met trillende handen druk ik op een toets. 'Hallo?'

'Wiz?'

'Matthew?'

'Hoi.' Stilte.

Ik vergeet altijd dat Matthew moeite heeft met telefoneren. Op het rugbyveld is hij een vloekende en tierende geweldenaar, maar duw een telefoon in zijn hand en plotseling kan hij nauwelijks meer een woord uitbrengen. Daarom hebben we elkaar al niet meer telefonisch gesproken sinds... Nou ja, het is zo lang geleden dat ik het ben vergeten.

'Alles in orde?'

'Ja hoor,' zegt hij, maar het klinkt niet erg overtuigend. 'Hoe is het op Babington House?'

'Hoe weet je dat ik hier ben?'

'Van Ben gehoord, natuurlijk.'

Och jee, er zitten meer haken en ogen aan afspraakjes met de beste vriend van je broer dan ik had gedacht. Vooral omdat de beste vriend van mijn broer er van alles uit flapt.

'Hij had gebeld om te vragen of hij je mee mocht vragen voor het weekend,' voegt Matthew er grinnikend aan toe.

'Nee... Echt?'

'Echt.' Weer grinnikt Matthew. 'Maar maak je geen zorgen, Wiz. Ik zei dat ik het best vond, mits hij er geen bezwaar tegen had als je naar de maan ging huilen en hij erop zou letten dat je je medicijnen op tijd innam.'

Ik heb nu geen tijd voor Matthews flauwe grapjes. Ik sta hier in mijn blootje, afgezien van de string met de kristalletjes, en Ben komt al heel snel voor een erotische massage. 'Heel leuk. Zeg, Matthew, wilde je me iets vertellen? Want ik heb het een beetje druk...'

'O, sorry, Wizbit. Ik wilde je niet storen. Ik wilde zomaar even een babbeltje maken.'

Hij klinkt erg bedrukt. Daardoor voel ik me opeens ongelooflijk schuldig. 'Weet je wat, ik bel je terug over...' Hoelang zouden een erotische massage en een paar standjes uit de *Kama Sutra* duren? Op z'n minst? 'Over een uur of drie. Dan kunnen we uitgebreid kletsen.'

'Oké, prima. O, en Wiz, als je me niet op mijn mobieltje te pakken kunt krijgen, bel me dan maar bij pa en ma. Ik blijf daar nog wel een poos.'

'Ben je dan thuis?' Iets aan zijn toon doet me vragen: 'Met Annie?'

'Eh, nee. Ze is nog in Londen. Ze is gaan shoppen met een yogavriendin. Amanda.'

'O... Nou, ik bel je straks. Zeg Matthew, weet mam dat ik op Babington House ben?'

'Maak je geen zorgen, Wizkins, ik heb niets gezegd.'

'Dank je wel, Matthew. Ik spreek je nog.'

Goed, nu moet ik me toch echt eens in dat korset hijsen. Wat moet ik in vredesnaam met die kwastjes? Zou ik daar misschien achter komen als ik dat korset eens aantrek?

Ik pak het korset van het bed, houd mijn buik in, voor zover dat gaat na al die scones, en maak de honderden haakjes en oogjes vast. Jezus, wat heb ik de pest aan haakjes en oogjes. Zodra je er eindelijk eentje vast hebt en aan de volgende begint, springt de vorige open en moet je opnieuw beginnen. Na een worsteling van tien minuten zit de helft nog maar vast.

En dan hoor ik stemmen in de vestibule. Er komt iemand binnen.

'Mijn bovenbeen is altijd ontzettend gevoelig na... Isabel?'

Met grote ogen kijk ik naar Ben. En naar de man in het witte pak van het wellnesscenter, die achter hem aan naar binnen stapt.

Ook zij zetten grote ogen op als ze me zien in mijn string met kristalletjes.

'Allemachtig!' De masseur deinst achteruit en houdt zijn hand voor zijn ogen. 'Mevrouw, het spijt me verschrikkelijk...'

Oké. Ik weet niet of het mogelijk is flauw te vallen van schaamte. Maar ik heb het idee dat dat best zou lukken. Of ik ben zo kortademig door het korset.

'Isabel!' roept Ben nogmaals uit. Hij kijkt me ontzet aan, en dat was niet de bedoeling van deze outfit. 'Godallemachtig, wat heb je daar aan?'

Wankelend loop ik naar de badkamerdeur om een van de dikke badjassen te pakken en die om me heen te slaan. 'Ik... Maar... Wie wás dat?'

'De masseur.' Ben heeft het lef verontwaardigd te kijken. 'Ik zei toch dat ik een massage wilde? Ik heb me te veel ingespannen, er moet iets worden gedaan aan de pijn in mijn bovenbeen.'

'Had dat dan gezegd!' Ik zet mijn handen in mijn zij. 'Dit was heel erg gênant!'

'Isabel, hoe kon ik weten dat je... Dat je zoiets zou aantrekken? Wat moet dat eigenlijk voorstellen?'

'Het is een korset,' antwoord ik zo waardig mogelijk. 'Maar ik weet helaas niet waar de kwastjes voor zijn.'

'Nou, heel interessant.' Hij zegt het niet op een toon alsof hij bedoelt dat het wel een tikkeltje gênant was, maar dat ik er geweldig uitzag. En ook niet of hij meteen tussen de lakens wilde kruipen voor een woeste vrijpartij. Hij zegt het meer alsof hij bedoelt dat het... Nou ja, interessant was. 'Ik veronderstel dat je zo druk bezig was met dat... dat kledingstuk dat je bent vergeten het bad te laten vollopen?'

'Eh... ja.'

'Laat ook maar,' zegt hij met een zucht. 'Ik doe het zelf wel. Ik heb echt warmte nodig voor mijn been.' Hij loopt de badkamer binnen en draait de kraan open. 'O, lieveling, terwijl ik lig te weken, kun jij dan mijn shirt uit de verpakking van de stomerij halen en het op een hangertje hier in de stoom hangen? Dan hoef je het straks niet te strijken.'

Weet je, volgens mij moet ik hier weg voordat er ongelukken gebeuren.

'Zeg Ben, ik kreeg daarnet een verontrustend telefoontje van Matthew. Hij zit bij mijn ouders. Zou je het heel erg vinden als ik met de taxi naar Shepton Mallet ging?'

Ben steekt zijn hoofd om de badkamerdeur. 'Wat is er dan met hem? Moet ik mee?'

'Nee! Ik bedoel: blijf jij maar hier. Verwarm je been maar.'

'O, oké. Maar je bent toch wel op tijd terug voor het diner? Alle andere vriendinnen en echtgenotes zullen er bij zijn.'

'Dat zou ik niet willen missen.'

'Nou, dan is het in orde. Tot straks, lieveling.'

25

Gelukkig krijg ik Matthew op zijn mobieltje te pakken. We spreken af in een kroeg in High Street, waar ik niet meer geweest ben sinds ik voor mijn eindexamen ben geslaagd. Blijkbaar heeft de bevolking van Shepton Mallet deze gelegenheid niet links laten liggen, want het is er erg druk met mensen die zich voorbereiden op een gezellige avond. Toch weet ik Matthew al snel te vinden. Ik hoef alleen maar af te gaan op uitdagend vrouwelijk gegiechel en dan zie ik hem al aan een tafeltje bij het raam, omringd door het gebruikelijke kringetje bewonderende meisjes. Die kijken me kwaad aan wanneer hij opstaat om me te begroeten, en ze blijven kwaad kijken, ook al vertelt hij dat ik zijn zusje ben.

'Ze is zijn zusje helemaal niet,' hoor ik een van hen zeggen terwijl ze met haar vriendin aftaait naar een andere plek om een nieuwe kans af te wachten. 'Of een van hen is geadopteerd.'

Matthew schenkt wijn in uit de fles op tafel. 'Lief dat je bent gekomen, Wizkins. En dat terwijl je een fijn weekend met Ben hebt.'

'Hou toch op,' zeg ik terwijl we klinken. 'Je weet toch dat ik altijd tijd voor je heb?'

Hij kijkt me achterdochtig aan. 'Nou, hoe gaat het op Babington House?'

'O, prima.' Ik neem een grote slok wijn. 'Het hotel is prachtig, een fijn wellnesscenter, heerlijke scones...' Ik neem nog een slok. 'Echt idyllisch.'

'Leuk voor je!' Matthew geeft me grijnzend een por. 'Je was altijd al gek op Ben, toch?'

'Och...'

'Kom op, Iz! Ik ben niet zo slim als Marley, maar ik merk die dingen heus wel op.'

Ik zeg maar niet dat hij al veertien jaar niets heeft gemerkt van de onbeantwoorde liefde die Lara voor hem koestert.

'Matthew, ik ben niet gekomen om het over Ben te hebben.' Ik zet mijn glas neer en kijk hem ernstig aan, echt als een oudere en wijzere zus. Zo kan ik niet vaak naar hem kijken, en eerlijk gezegd voelt het best fijn. 'Wat is er met Annie? Door de telefoon klonk je een beetje terneergeslagen.'

De lach verdwijnt van zijn knappe gezicht. 'O ja. Daar wilde ik met je over praten. Ik heb je raad hard nodig, Wiz.'

Daar sta ik zo van te kijken dat ik nog maar een grote slok wijn neem. In de zesentwintigenhalf jaar dat ik Matthew ken, heeft hij nog nooit om mijn raad gevraagd. Nou ja, knappe, sportieve en uiterst populaire jongens hebben weinig behoefte aan goede raad. Daarom heb ik ook nooit de kans gehad om voor oudere en wijzere zus te spelen. Best jammer, eigenlijk, want het zou een rol zijn geweest die uitstekend bij me past. Nou ja, beter laat dan nooit.

Ik leg mijn hand op de zijne. 'Matthew, je kunt me alles vertellen en vragen. Dat weet je toch?'

'Dank je wel, Iz...'

'Ik bedoel, een relatie kan best moeilijk zijn. Vooral als je een grote stap hebt gezet, zoals Annie en jij onlangs hebben gedaan. Jullie zijn naar Londen verhuisd, jullie hebben je verloofd... Uit eigen ervaring kan ik je vertellen dat...' O. Eigenlijk ben ik nooit met iemand naar Londen verhuisd, en ik heb me ook nooit verloofd. 'Nou ja, iedereen zal je kunnen vertellen dat samen naar Londen verhuizen en je verloven een zware tol kan eisen van een gelukkig stel.' Goh, dat klinkt goed! Ik lijk Lara wel. 'Daarom denk ik...'

'Weet je, Wizbit,' valt Matthew me in de rede, en hij buigt zich naar me toe. 'Ik wil weten waar je in Londen het beste uit kunt gaan. Waar het cool is om naartoe te gaan.'

Wil hij dat van me weten? 'Pardon?'

'Je weet wel.' Hij gebaart om zich heen, naar de rood-wit geblokte tafelkleedjes, en de met kaarsvet bedropen mandflessen waarin kaarsen branden. 'Iets zoals dit.'

'O... Sorry, maar wat bedoel je, een bar die cool is om heen te gaan, of zoiets als dit?' Ik schenk ons nog eens bij. 'Want dat is niet altijd hetzelfde, snap je.'

Kreunend verbergt hij zijn gezicht in zijn handen. 'Zie je wel? Het is een hopeloze zaak. Geen wonder dat Annie genoeg van me heeft.'

'Heeft ze genoeg van je?'

'Ja. Nee. Ik weet het niet.' Hij kijkt op, pakt zijn glas en drinkt het meteen leeg. 'Volgens mij heeft ze genoeg van me omdat ik zo saai ben. Je weet wel... Ik kijk naar rugby, ik speel rugby, als ik iets ga drinken, ga ik naar de rugbyclub...'

'Dat is toch niet saai?' Wacht, ik moet het anders verwoorden. 'Dat vindt Annie toch niet saai! Ik bedoel, dat zijn toch de dingen die ze zelf ook leuk vindt?'

'Niet meer sinds we naar Londen zijn verhuisd.' Hij staart somber naar de fles, totdat ik die pak en het laatste restje in zijn glas schenk. 'Ze zegt dat we zijn verhuisd om eens iets anders te doen te hebben.'

'Zoals wat?'

'Nou, we gingen altijd op zaterdagavond met een stel naar de Hind's Head, op zondagmiddag nodigden we iedereen uit voor een barbecue en een potje Rugby Sevens.' Er verschijnt een verlangende blik in zijn ogen. 'Maar dat vindt Annie blijkbaar niet meer voldoende. Ze heeft nu allemaal vriendinnen die in Londen wonen. Ginny en Fiona, en dan ben jij er natuurlijk nog, met je flitsende leven...'

'O, Matthew.' Ik wuif dit bescheiden weg. 'Zo flitsend is mijn leven nou ook weer niet.'

'Nou ja, dat zeg ik niet.' Hij haalt zijn schouders op. 'Ik zeg alleen maar wat Annie denkt.'

'Oké. Bedankt.'

'Je weet hoe ik ben, Iz. Ik zou het verschil niet weten tussen Clarabell's en een gat in de grond.'

'Clarabell's?' Volgens mij weet ik dat verschil ook niet.

'Kom op, Iz-Wiz! Een soort vreselijke tent ergens in Mayfair of zo.'

'Annabel's!'

'Ja, dat bedoel ik.' Hij trekt een gezicht. 'IJskoude roze cocktails en dansen op tafel.'

'Ben je daar dan geweest?'

'Jezus, nee! Maar Annie wel. Ze zaagt er maar over door alsof het er heel geweldig is. Een soort paradijs of zo.'

Wacht eens. Gaat Annie naar Annabel's? Maar... Nou ja, heeft Hugo Tavistock haar dat idee in haar hoofd gebracht toen we hem laatst voor het appartement tegen het lijf liepen? Of...

Ze is er toch niet met hém geweest, hè? Dat zou echt heel ranzig zijn. Bovendien is ze verloofd met iemand van haar eigen leeftijd.

'In elk geval, het was haar idee om uit Dorset weg te gaan. Ik heb er echt spijt van dat we in Londen zijn gaan wonen,' gaat Matthew verbitterd verder. 'Verdomde rotstad.'

Of Annie stiekem met een ander naar een nachtclub in Mayfair gaat of niet, het is niet eerlijk van Matthew om Londen overal de schuld van te geven. Ik bedoel, ik geef Babington House toch ook niet de schuld van wat me dwarszit aan Ben?

'Weet je zeker dat jullie niet gewoon een moeilijke tijd hebben? Met de stress van de bruiloft en zo?'

'Och jezus, de bruiloft...' De wijn lijkt effect op hem te krijgen. 'Dat is verdorie ook weer zoiets. Ik bedoel, wat is er mis met een kleine bruiloft? Gewoon onze beste vrienden, en dan vieren we het op de rugbyclub...'

Ik leun naar achteren en hoor hem aan. Het is waarschijnlijk het beste om Matthew te laten uitpraten zodat hij van zijn hart geen moordkuil maakt. Ik bedoel, mannen uiten zich niet zo vaak, maar als ze eenmaal zijn begonnen, is er meestal geen speld meer tussen te krijgen. Ik neem slokjes wijn, en ik denk aan Annie die bij Annabel's misschien wel met Hugo op tafel heeft gedanst, en dan doe ik mijn best níét te denken aan Annie die bij Annabel's misschien wel met Hugo op tafel heeft gedanst. En dan denk ik aan de ramp met het korset in de hotelkamer, en dan doe ik mijn best níét te denken aan de ramp met het korset in de hotelkamer. En opeens zie ik buiten iets.

Is dat... Ja, dat is hem. Wat merkwaardig.

Ik zie Lucien Black aan de overkant van High Street lopen. Tussen de anderen die in Shepton Mallet naar de kroeg gaan valt hij erg op in zijn uniform van modeontwerper van internationale topklasse: zwarte coltrui, strakke zwarte spijkerbroek, de zwart-wit geblokte sjaal en zwarte Uggs.

Had Nancy gezegd dat hij hier in de buurt naar een afkickkliniek zou gaan?

Het zou kunnen, mijn moeder had gezegd dat er hier in de buurt uitstekende behandelcentra zijn. En toch vraag ik me af of zo'n afkickkliniek wel echt zo goed is als de patiënten – cliënten? – zomaar over straat mogen slenteren. Ik bedoel, iedereen weet hoe gemakkelijk je in Shepton Mallet op straat aan harddrugs kunt komen.

Wat een verrassing. Lucien loopt een café in. Het is die een beetje duistere tent vol gokautomaten, een eindje verderop.

Nou, ik weet niet of hij wel echt aan het afkicken is. Moet ik dit tegen Nancy zeggen? Of druist het tegen de regels van afkicken in, iemand bespioneren? Het gaat bij afkicken toch om verantwoordelijkheid voor je eigen gedrag, en om het je overgeven aan een hogere macht of zoiets? Niet om betrapt te worden terwijl je in de fout gaat.

'Ik weet dat haar ouders de hele boel gaan betalen, maar ik snap niet waarom er geen enkele aandacht wordt geschonken aan mijn wensen,' zegt Matthew. 'Weet je, vorige week stond ik op het punt om Lara te bellen. Ik zou graag van haar willen weten wat ik het beste kan doen.'

Mijn aandacht is meteen weer helemaal op hem gericht. 'Wilde je Lara bellen?'

'Ja. Ik wilde haar professionele opinie graag horen. Over hoe ik het aan moet pakken. Zij kent trucjes waardoor mensen naar je luisteren. Ik weet nog hoe goed ze me heeft geholpen toen er onenigheid ontstond over de registratie nadat ik die Corsa van die vent had gekocht.'

'Matthew, als ik jou was, zou ik Lara er niet bij betrekken.' Het zou verschrikkelijk zijn als Lara hoop kreeg omdat het tussen Matthew en Annie niet helemaal botert. 'De laatste tijd heeft ze het erg druk.'

'O.' Matthew kijkt teleurgesteld. 'Maar ik vind het prettig om met Lara te praten.'

Hij bedoelt zeker dat hij het leuk vindt om met haar te flirten. 'Hoor eens, Matthew, ik ben je oudere zus. Als je je tot iemand wilt wenden om raad over hoe je met Annie moet omgaan, kun je dat het beste bij mij doen.'

'Wiz, dank je wel voor het aanbod, maar van jou wilde ik eigenlijk alleen de namen van die hippe tenten en zo. Annie zegt dat je vaak naar Zoe gaat... Of was het Nop?'

Ik vertel hem over Zuma en Nobu, en ook over alle andere tenten die cool zijn en die ik me kan herinneren. Hij schrijft ze allemaal braaf op een hoekje van het rood-wit geblokte tafel-kleedje, vervolgens kijkt hij op zijn horloge en zegt: 'Ik moet maar eens terug. Mam wil me voederen voordat ik naar Londen ga.'

'Ja, ik moet ook weg. Ik moet nog naar een diner.' Bij de gedachte daaraan zinkt de moed me in de schoenen. 'Met belangrijke cliënten van Ben.'

Er verschijnt een brede grijns op zijn gezicht. 'Haha, wat schattig. Jij en Ben, helemaal volwassen geworden.'

'Ja...' Ik grijns ook, maar niet zo breed. 'Ben is heel erg volwassen geworden, hè?'

'Jezus ja! Maar daar ben je toch wel aan gewend? Will was ook behoorlijk volwassen.'

'O ja, zeker. Maar niet zo volwassen als Ben.'

'Vertel mij wat!' Hij trekt een gezicht dat waarschijnlijk grappig bedoeld is, maar dat ik eerder grotesk vind. 'Ik bedoel, als Ben er niet was geweest, zou ik Annie waarschijnlijk niet ten huwelijk hebben gevraagd.'

'Wat heeft Ben daarmee te maken?'

'Nou, je weet toch hoe hij is? Op sommige gebieden is hij erg ouderwets.'

'Ja, weet ik.'

'Hij heeft er per e-mail al twee jaar op aangedrongen, en toen hij weer hier was, oefende hij nog meer druk uit.' Hij lacht nogal humorloos.

'Wilde je je dan niet verloven?'

'Och, nou ja... Ooit wel. Maar Ben zei dat Annie waarschijnlijk naar Londen wilde verhuizen om de relatie op een hoger plan te brengen. Hij zei dat vrouwen op een bepaald moment hun leven evalueren, en dat ze dan eigenlijk alleen nog maar willen trouwen. En dat als ik niet gauw een ring aan haar vinger schoof, ik haar kwijt zou raken aan de een of andere snelle jongen, en dat ik dan alleen nog maar een kneusje zou kunnen krijgen. Volgens mij is hem dat in New York overkomen.' Verschrikt kijkt hij me aan. 'Niet dat jij een kneusje bent, Iz-Wiz! Dat vindt Ben heus niet van je.'

Ik staar hem aan, waarschijnlijk net zo ontzet als toen Ben me in mijn string met kristalletjes zag. Ik begrijp nu pas dat de uitdrukking op zijn gezicht heel duidelijk maakte dat hij me inderdaad een kneusje vindt.

'Nou ja, ga maar gauw terug,' zegt Matthew, en hij schuift zijn stoel naar achteren en staat op. Het is een doodeenvoudige handeling, maar de meisjes aan de andere kant van het café slaken toch gilletjes en klampen zich aan elkaar vast, alsof hij bij Westlife hoort en even opstaat van een hoge kruk om van toonsoort te veranderen of zo. 'Mam is al de hele dag aan het koken. Je weet hoe ze is als ze zich zorgen maakt.'

'Zorgen? Waarover?'

'Over mij.' Hij houdt de deur voor me open. 'Waarover zou ze zich anders zorgen moeten maken? Kom op, Wizbit, we gaan een taxi voor je zoeken.'

26

Ik dacht dat ik ruim op tijd terug was om me voor het diner te kleden, maar wanneer ik onze kamer in het Babington House Hotel binnen stap, blijkt dat Ben op me heeft zitten wachten.

'Je zei dat je op tijd terug zou zijn!'

'Het is halfacht. We gaan pas om halfnegen aan tafel.'

'Isabel, we gaan niet metéén aan tafel!' zegt hij verstoord, alsof ik heb voorgesteld poedelnaakt en met blauwe verf op ons lijf te verschijnen. 'Ze zijn allemaal al in de bar!'

'O, nou, de bar is ook prima.' Ik ben vastberaden mijn best te doen en hem te bewijzen dat ik geen kneusje ben, dus wrijf ik lachend over zijn schouder. 'Ga jij maar vast, dan kom ik zo. Ik moet eerst iets anders aantrekken.'

'Hoelang duurt dat?'

'Och, een kwartiertje of zo, als ik opschiet.'

'Nou, haast je vooral niet.' Hij spert zijn neusgaten paniekerig open en kijkt me onderzoekend aan. 'Je moet je nog helemaal optutten.'

'Optutten?'

'Ja!' Hij maakt een weids gebaar. 'Gezichtsmasker, make-up... Alle andere meisjes hebben zich opgetut, Isabel. Je zou je heel ongemakkelijk voelen als jij in een kwartiertje klaar zou zijn.' Hij ziet dat ik het jurkje van Lucien Black uit de kast haal. 'Trek je dat aan?'

'Ja, dit trek ik aan.' Ik houd het jurkje tegen me aan. 'Een echte Lucien Black, gemaakt op verzoek.'

'O, oké. Maar dat heb je toch al eens aangehad?' Hij trekt er een vies gezicht bij. 'Toen op dat feest, waar Queenie en Callum ook waren? Ik bedoel, straks denkt iedereen nog dat je niks anders hebt.'

Ik haal diep adem. 'Als ik had geweten dat Queenie hier zou zijn, had ik heus wel iets anders meegenomen. Maar nu heb ik alleen dit. Of ik kan in deze broek en dit gestreepte truitje gaan.'

'O god, nee!' zegt hij gauw. 'Dat jurkje is prima. Alleen... Kun je het er een beetje anders laten uitzien dan de vorige keer?'

'Hoe dan?' vraag ik.

'Weet ik veel!' Hij pakt de sleutel en zijn portemonnee. 'Een andere ceintuur, andere oorbellen... Jíj bent de expert op modegebied.'

Met een klik valt de deur achter hem dicht.

Geweldig. Wat moet ik nu doen? Hoewel Ben denkt dat ik een koffer vol accessoires bij me heb, heb ik alleen maar de smalle bruine riem die ik op mijn broek draag, een rood-wit gestreepte sjaal voor het geval het fris zou worden en een paar houten armbanden die ik zomaar in mijn tas heb gegooid.

Stel dat ik de rood-wit gestreepte sjaal omsla. Lijkt dat dan een brutaal modestatement, of benadruk ik dan juist het feit dat ik alweer dezelfde jurk aanheb? En dat ik dat zelf ook weet?

Het benadrukt het feit dat ik alweer dezelfde jurk aanheb, en dat ik dat weet.

Het enige wat ik kan doen, is zorgen dat ik er zelf een beetje anders uitzie. Ik kan mijn haar eens een keer niet los laten hangen, maar er een expres rommelige chignon van maken. Het duurt bijna een halfuur om een gladde paardenstaart hoog op mijn hoofd te maken. En dan zoek ik in mijn make-uptas, die ik gelukkig heb meegenomen, naar alle dure poeders, gels en lotions waarover ik altijd in de *Grazia* lees, die ik onmiddellijk aanschaf en dan nooit gebruik. Vanavond niet alleen maar eyeliner en een beetje Benetint! Deze keer tut ik me serieus op. Foundation, blusher, drie verschillende tinten grijze oogschaduw, eyeliner, twee soorten mascara – eerst eentje om de wimpers langer te laten lijken, dan eentje met glitter – poeder, nog meer blusher... En dan schrik ik omdat het misschien andersom had gemoeten en breng nog meer blusher aan met daaroverheen een beetje poeder. Lipliner, lippenstift, en als pièce de résistance een laagje heldere gloss.

O, en een beetje poeder zodat de boel blijft zitten.

Nou, ik zie er inderdaad heel anders uit.

Vreemd genoeg lijk ik met dat staartje en al die make-up een beetje op Queenie Forbes-Wilkinson. Zonder dat slanke figuurtje, de geërfde juwelen en de permanente frons, uiteraard. Hopelijk zal dit onverwachte eerbetoon aan haar ervoor zorgen dat ze niet merkt dat ik deze jurk al eens eerder heb gedragen, en kan Ben eindelijk eens tevreden zijn.

Terwijl ik naar de bar trippel, denk ik dat het me totaal niet zou moeten schelen wat Queenie van me vindt. Jezus, zijn we soms allemaal miljonair? Kunnen we het ons allemaal veroorloven om een jurk van duizenden ponden na één keer dragen bij het grof vuil te zetten? Alleen maar omdat brutale modesnobs op ons neerkijken en ons armoedzaaiers vinden?

Ik vergeet echter één ding: hier ís iedereen miljonair.

Die blonde kerels in pastelkleurige truien hebben voor vanavond allemaal iets anders pastelkleurigs aangetrokken. De jongens van Redwood zijn in vrijetijdsbroek en glad gestreken shirts, net zoals Ben. Allemaal hebben ze een dikke Rolex om hun pols, en enkele mannen zwaaien met roze biljetten van vijftig pond naar het barpersoneel. Maar het zijn de vrouwen die de bankrekening van hun partner controleren. De Redwooddames zijn gekleed in makkelijke jurkjes met daaronder schoenen met plateauzolen van Jimmy Choo. Ze hebben benen die je alleen krijgt als je vijf keer per week met een personal trainer traint en er dure afslankcrème op smeert. De dames afkomstig van het Europese vasteland dragen flodderige Versace-jurkjes, hebben flink liggen zonnen, en hebben zich behangen met echte diamanten.

Eigenlijk ben ik nu heel blij met mijn Lucien Black-jurkje, ook al heb ik dat al eens gedragen. En ik ben ook blij dat ik me op Bens aanwijzingen heb opgetut. Ik voel me dan wel net een porseleinen popje, en mijn poriën slibben misschien dicht onder al die lagen, maar in elk geval zie ik eruit alsof ik erbij hoor.

'Isabel? Zo heet je toch?'

Het is een man met wit haar die dat zegt. Hij heeft een vriendelijk gezicht en staat bij de bar. Hij is in gezelschap van een heel mooi, heel jong meisje in een goednieuwe Jonathan Saunders, met om haar hals een gouden hangertje in de vorm van een schedel, een sieraad van Jade Jagger. En hij is ook in gezelschap van een boos kijkende Callum, die als hij me ziet naderen, nog bozer kijkt.

Maar waar moet ik anders heen? Ik ken hier niemand, ik zie Ben nergens, en ik kan moeilijk in een hoekje gaan staan.

'Hoi. Ja, ik ben Isabel.'

'Ben je hier met Ben?' De man met wit haar steekt zijn hand uit. 'Leuk je te leren kennen. Ik ben Fred, senior partner bij Redwood.' Grinnikend voegt hij eraan toe: 'Dat zeg ik maar voordat je me vertrouwelijk gaat vertellen dat je vriend de pest heeft aan zijn baas.'

Dus dit is de man aan wie Nancy op dit moment al die stress en ellende heeft te danken. Eigenlijk ziet hij er heel aardig uit. Een gezellige grootvader, met wit haar en lachrimpeltjes. En het was fijn dat hij me aansprak zodat ik niet verloren in een hoekje hoefde te staan.

'O, maar Ben vindt u een geweldige baas.' Ik ben blij dat ik punten kan scoren voor Ben, maar ook bang dat ik nu wel erg klink als het trotse vrouwtje van.

'Nou, dat is lief van je.' Fred grijnst naar me. 'Wodka-tonic?' Hij wappert met een biljet van vijftig pond en bestelt mijn drankje bij de ontzettend knappe barman. Vervolgens zegt hij tegen me: 'Isabel, ik zal je eens voorstellen aan mijn echtgenote Kirsty.'

'Graag!' Ik kijk om me heen. 'Is ze er al?'

'Dat ben ik.' Dat zegt het meisje van een jaar of twintig in de Jonathan Saunders. 'Ik ben Kirsty Elfman.'

'Och, natuurlijk!' Ik zal haar maar niet vertellen dat ik speurde naar een vrouw van minstens in de vijftig. Ik had het kunnen weten. Fred is immers senior partner bij Redwood. Het is heel natuurlijk dat hij getrouwd is met een blond hittepetitje dat jong genoeg is om zijn... Ja, ze zou zijn kleindochter kunnen zijn. 'Leuk je te leren kennen,' zeg ik gauw, en vervolgens neem ik een grote slok van de wodka-tonic die Fred me daarnet in de hand heeft gedrukt. 'En Callum...'

Hij lacht niet eens naar me. 'Isabel.'

'Nou, eh...' Ik hef het glas. 'Geweldig om hier te zijn.'

Fred knipoogt en klinkt met me. De sfeer wordt ietsje aangenamer. 'Heb je een leuke dag gehad?'

'O ja, fantastisch, dank je. Geweldig wellnesscenter, geweldige massage...'

'Kirsty had ook een fijne massage, hè, schatje?' Fred slaat zijn arm om Kirsty heen en drukt een zoen in haar hals. 'Vertel Isabel eens wat je ons daarnet vertelde, over wat je van de masseur hoorde over een van de gasten. Dit vind je vast een geweldig verhaal,' zegt hij samenzweerderig tegen mij. 'Om je dood te lachen.'

'Echt? Over wie gaat het?' Ik ga dichter bij Kirsty staan en fluister vertrouwelijk: 'Madonna? Gwyneth?' Een beetje roddelen brengt vrouwen vaak nader tot elkaar, nietwaar?

Kirsty lijkt niet erg onder de indruk. Ondanks haar glanzend blonde haren vermoed ik dat ze erg haar best heeft moeten doen om een serieuze indruk te maken. Met iemand getrouwd zijn die drie keer zo oud is vereist dat waarschijnlijk wel. 'Jezus, nee! Je denkt toch zeker niet dat het personeel roddelt over de beroemde gasten hier?'

Omdat een van hen overduidelijk wel heeft geroddeld over een totaal niet beroemde gast, zie ik hen er best voor aan dat ze ook beroemdheden over de tong laten gaan. 'Nee, natuurlijk niet,' lieg ik.

Er glimmen pretlichtjes in Freds ogen. 'Blijkbaar heeft een van de masseurs vandaag in een van de kamers een gratis peepshow mogen bijwonen.'

Ik verslik me in de wodka-tonic.

'Pas op!' zegt Callum als de drank door mijn neus in het glas loopt, en er druppeltjes op zijn mouw spetteren.

'Sorry...' Ik heb een brandend gevoel in mijn keel, en ik weet zeker dat ik een rode kop heb. Gauw pak ik de servetjes aan die Fred me aanbiedt en maak Callums mouw droog. 'Ik moest lachen... Sorry.'

'Het is dan ook een ontzettend grappig verhaal,' zegt Fred, grinnikend als een overjarige schooljongen. 'Hij had een afspraak om iemand op de kamer te masseren, en toen hij naar binnen ging, paradeerde er een meisje rond in een slipje met diamanten. En ze was van boven ook nog halfnaakt!'

Ik druk het koude glas tegen mijn gezicht in de hoop mijn wangen af te koelen. 'Arme meid.'

'Niks arme meid.' Callum slaat zijn whisky achterover en maakt gebiedende gebaren naar de barman, dat die moet bijvullen. 'Een naar seks hunkerende huisvrouw zorgt ervoor dat iemand van het personeel "per ongeluk" binnenkomt terwijl ze in haar nakie staat.'

'Niet helemaal in haar nakie,' zegt Kirsty, die enthousiast giechelt. 'Ze barstte uit haar korset, en ze had een slipje met diamantjes aan. Ik bedoel, kan het smakelozer?'

'Nou ja,' flap ik eruit. 'We weten niet of het echte diamanten waren toch? Het kunnen ook kristalletjes zijn geweest...'

Kirsty kijkt me aan en merkt dat mijn gezicht vuurrood is geworden. 'Je was het toch niet zelf, hè?'

'Wie, ik? Jeetje, nee! Ik was de hele middag in Shepton Mallet, met mijn broer. In een cafeetje aan de High Street.' Ik voel me net een zware crimineel die een alibi uit zijn duim zuigt. 'We hebben een fles shiraz soldaat gemaakt...'

'Volgens mij is je vriend bezig je aandacht te trekken,' valt Fred me in de rede. Eerst denk ik dat hij zo vriendelijk is me uit de brand te helpen, maar dan zie ik Ben naar me wuiven. Hij wenkt me nogal gebiedend naar zich toe, zelfs. Hij zit op een van de enorme, zachte banken aan de andere kant van de bar, met Queenie.

Ik had niet gedacht dat ik het ooit zou zeggen, maar het gezelschap van Queenie lijkt me opeens erg aantrekkelijk.

'De plicht roept,' zeg ik, en ik snel op hen af. 'Dank je wel voor het drankje, Fred.'

Weet je, ik vind het best wreed van Ben om zich zo aan Queenie op te dringen, want zo te zien raakt ze daardoor van slag. Ik bedoel, kijk haar nou naar hem kijken terwijl hij me naar zich toe wuift. Het is net zoiets als Matthew die met Lara flirt. Alleen weet die suffe Matthew niet dat Lara heel erg verliefd op hem is. En Ben is heel goed op de hoogte van Queenies gevoelens voor hem.

'Lieveling!' Hij staat op en geeft me een klapzoen op mijn lippen. Vervolgens laat hij me plaatsnemen op de plek waar hij zojuist heeft gezeten. 'Je ziet er beeldschoon uit.'

'Dank je.'

'Echt geweldig.' Hij kijkt me vol verwondering aan, alsof hij niet goed kan geloven dat een uurtje met een haarborstel en een make-uptasje zoiets kan bewerkstelligen.

'Hoi Queenie. Prachtige jurk heb je aan.' Ik lach haar toe,

in de hoop dat ze beseft dat ik aardig probeer te doen, zodat zij ook aardig gaat doen. In elk geval heeft ze inderdaad een prachtige jurk aan. Het is een lange jurk met groene en blauwe zigzagstrepen, een echte Missoni. Ik zou er daarin uitzien als een lelijk verpakt verjaarscadeautje, maar zij oogt alsof ze net aan de Costa Smeralda van Valentino's jacht is gestapt. 'Je ziet er schitterend uit.'

'Jij ook, hoor,' reageert ze.

Ik val bijna van de bank. 'Dank je wel, Queenie! Lief van je.'

'Ik bedoel, het is wel duidelijk dat dit je lievelingsjurk is. Het is altijd fijn om iets te hebben waar je je zo prettig in voelt dat je die steeds weer aantrekt.'

Aha, ik snap het al. Ik had mijn conclusie te snel getrokken.

'Je haar zit ook geweldig,' gaat ze verder. Ze kijkt naar mijn staartje en haalt nadrukkelijk een hand door haar eigen staartje. 'Vind je ook niet dat haar haar leuk zit, Ben?'

'O ja, zeker.' Ben kijkt stralend op ons neer, zich geheel niet bewust van Queenies guerrillatactieken. 'Ik laat jullie nu even alleen voor een gezellig babbeltje. Ik zal nieuwe drankjes voor jullie halen.'

'O, dat hoeft niet, hoor,' zeg ik, want ik blijf liever niet alleen met Queenie.

'Voor mij wel, graag.' Queenie steekt haar martiniglas uit.

'Komt eraan. Jij ook, Isabel?'

'Eh, ik drink...'

Te laat. Ben zet al koers naar de toog.

Queenie richt een ijzige blik op me. Ze heeft haar ogen nogal spectaculair opgemaakt, met bronzen en gouden tinten zodat het groen van haar irissen wordt geaccentueerd. 'Zeg, ik wilde je wat vragen. Hoe heet je eigen label ook alweer?'

'Eh... Isabel B.'

'Ja, zoiets meen ik me te herinneren.' Er verschijnt een vals lachje op haar gezicht. 'Weet je, ik heb het er met een paar van mijn contacten bij Harvey Nichols over gehad, en ze hadden er nog nooit van gehoord.'

Shit. Ik doe mijn uiterste best niet alweer te blozen. 'Bij welke vestiging werken je contactpersonen?'

'De Londense, natuurlijk.'

'Aha, dat verklaart alles. Ik word verkocht in de vestigingen in Leeds en Edinburgh.'

'Maar je zei...' Queenie probeert zich te herinneren wat ik heb gezegd. Zodra ze beseft dat ze niet genoeg meer van het gesprekje weet om mijn eigen woorden tegen me te gebruiken, kijkt ze kwaad. 'Zeg, hoe gaat het met jou en Ben?' vraagt ze nukkig. 'Is het niet nog een beetje vroeg voor een weekendje weg?'

'Nee hoor,' lieg ik. 'We kennen elkaar immers al heel erg lang.' Dat klinkt niet erg romantisch. En ik klink oud. 'We kenden elkaar al als kind.' Dat is beter. Het klinkt lief, en ouderwets. Het roept beelden op van ons samen terwijl we in witte boezeroentjes door pas gemaaide weilanden huppelen, en bij een koel meer in het bos genieten van broodjes met ham en zelfgemaakte limonade uit een rieten mandje. 'Ben is een heel oude vriend van mijn broer.'

'Aha.' Ze spert haar goud- en bronsomrande ogen wijd open. 'Dus zo hebben jullie elkaar leren kennen.'

'Eh, ja.'

'Jullie zijn zo'n beetje samen opgegroeid,' gaat ze verder. Dat zou weer van die ouderwetse beelden moeten oproepen van grazige weiden en lieftallige meertjes, maar zoals zij het zegt, klinkt het een beetje eng.

'Dat zou je kunnen zeggen.'

'Je hebt hem vast altijd al leuk gevonden.'

Ik haal diep adem. 'Queenie, ik snap dat het moeilijk voor je is...'

'Moeilijk voor mij?' snauwt ze. 'Hoe kom je daar nou bij?'

'Nou, ik weet wat je voor Ben voelt...'

'Dames! De drankjes!' Daar is Ben met twee glazen martini. 'Ik hoor dat we langzamerhand eens aan tafel gaan,' gaat hij verder terwijl hij ons ieder een glas geeft. 'Er is geen formele tafelschikking, dus als jullie naast elkaar willen zitten, en dat willen jullie vast...'

Queenie staat op en beent naar de eetzaal. 'Ik red me wel, dank je.'

'Ben!' zeg ik zodra ze buiten gehoorsafstand is. 'Waar ben je mee bezig?'

'Wat bedoel je?'

Moeizamer dan Queenie kom ik overeind van de bank. Ik heb nu eenmaal niet zulke slanke, gespierde bovenbenen. 'Je bent aldoor bezig me aan Queenie te koppelen, maar ze heeft de pest aan me.'

'Welnee, lieveling.' Hij lacht inschikkelijk naar me. 'Ze is alleen maar jaloers.'

'Precies! En daarom heeft ze de pest aan me.'

'Isabel...'

Ik sla mijn martini in één grote slok achterover. 'Ik doe mijn best aardig tegen haar te zijn, en daar krijg ik pinnige opmerkingen voor terug.'

'Volgens mij zie je spoken, lieveling. Ze zei toch dat ze je jurk mooi vond en je haar leuk vond zitten? En je haar zit inderdaad heel leuk,' zegt hij. 'Je zou het vaker zo moeten dragen.'

'Ik peins er niet over. Er gaat veel te veel tijd in zitten. En ik krijg er koppijn van. Ik bedoel, geen wonder dat Queenie aldoor zo nurks is. Ze martelt haar haarzakjes en...'

'Ja, lieveling.' Ben luistert niet. 'Zeg, ik moet Niels even spreken. Ik zie je zo, oké?'

En weg is hij. Om de hand te schudden van een van de projectontwikkelaars uit Rotterdam. En dat betekent dat ik in mijn eentje op zoek moet naar een plekje aan tafel.

Twee uur later weet ik meer over projectontwikkelen dan ik in mijn leven ooit nodig zal hebben. En ik weet ook heel veel over Antwerpen. Wist jíj bijvoorbeeld dat er in 1903 wereldkampioenschappen turnen zijn gehouden? Of dat het centraal station van Antwerpen beschikt over twee monumentale, neobarokke gevels en een vijfenzeventig meter hoge koepel?

Het kan ook een honderdvijfenzeventig meter hoge koepel zijn. En misschien zijn het drie monumentale, neobarokke gevels, of drie neomonumentale, barokke gevels. Na twee cocktails en een fles rode wijn ontschieten je dat soort details. Dus als je van plan bent er eens te gaan kijken, moet je me er niet op vastpinnen.

Ik weet trouwens niet eens helemaal zeker waar Antwerpen ligt.

O ja, in België. Dat moet haast wel, want Joost, mijn tafelheer en de expert wat Antwerpen betreft, laat me steeds beloven dat ik, wanneer ik weer eens in Antwerpen ben, met hem ga eten. Onder het genot van Belgisch bier gaan we dan frieten met mayonaise eten in een van de toprestaurants daar. Ik durfde niet te zeggen dat het mijn eerste bezoek aan Antwerpen zou zijn, want Joost is heel aardig en babbelt er vrolijk op los, en hij schenkt mijn glas steeds heel gul weer vol. We kunnen het samen heel goed vinden. Ik bedoel, wie had ooit kunnen denken dat we zoveel gemeen zouden hebben, een Belgische multimiljonair die in het vastgoed zit, en ik, die... Nou ja, ik heb eigenlijk niets met hem gemeen. En toch zitten we de hele tijd al genoeglijk te keuvelen. En hij domineert het gesprek echt niet, hoor. Het gaat niet alleen over dingen in zijn interessesfeer; we hebben het wel een halfuur heel aangenaam over bootees gehad.

Ik ben dol op Joost.

Joost, Pour Hommes: de nieuwe geur van Isabel Bookbinder. Wat maakt het uit dat hij niet de meest charismatische persoon is die ik ooit heb gezien. En wat maakt het uit dat het gesprek over bootees opeens een verontrustende wending heeft genomen. Blijkbaar heeft hij het afgelopen jaar zeventien miljoen pond aan bootees uitgegeven, en dat betekent dat hij eens in therapie moet, of dat ik niet goed ben in het omrekenen van buitenlandse valuta. Maar in elk geval praat hij met me. Geheel in tegenstelling tot mijn andere tafelheer Callum, die vanaf het eerste moment met zijn rug naar me toe is gaan zitten en geen woord met me heeft gewisseld. En in tegenstelling tot Ben, die aan de overkant met Niels en Fred Elfman zit te praten, en me alleen afkeurend aankijkt wanneer Joost me weer eens bijschenkt. En in tegenstelling tot Queenie en Kirsty, die dan wel tegenover me zitten, maar helemaal niets tegen me hebben gezegd en alleen maar met elkaar zitten te fluisteren en te giechelen, met hun handen met Rouge Noir gelakte nagels voor hun mond.

Nou, ze kunnen de pot op. Laat ze maar over me roddelen. Het kan me geen mallemoer schelen. Geen sikkepit.

Ik richt mijn aandacht weer op Joost, en op het dessert met pruim en appel dat koud aan het worden is, wanneer ik ineens een uitroep hoor van Queenie.

'Isabel!' Ze kijkt naar mijn kommetje met het dessert. 'Zou je dat nou wel doen?'

O, gaat ze nu grapjes maken over mijn gewicht? Nou, dan weet ze nog niet wie ze tegenover zich heeft. Ik heb de steken onder water van Katriona de Montfort overleefd, en die van Queenie kan ik ook wel aan. Uitdagend steek ik mijn lepel in het kommetje. 'Ik hou van toetjes.'

'We houden allemaal van toetjes, Isabel. Maar we moeten voorzichtig zijn, anders passen we straks niet meer in onze slipjes met diamantjes.'

Kirsty giechelt dat het een lieve lust is, en Queenie houdt mijn blik vast. Om haar gelippenstifte mond speelt een lachje.

Ik kan haar wel vermoorden. Of ik zou mezelf kunnen ombrengen.

Want bij het horen van het woord 'slipje' houdt iedereen op met praten en draait zich naar mij toe.

'Is dit een grapje?' vraagt Joost beleefd aan me. 'Ik snap het niet.'

'O, niks,' mompel ik.

'Isabel, niet zo verlegen, hoor.' Queenie lacht breder, ze wil hierop doorgaan. 'Ik bedoel, dit is je eerste weekendje weg met Ben. Het is heel begrijpelijk dat je hem eens interessant ondergoed wilt laten zien. Dit had iedereen kunnen overkomen.'

Ik doe mijn mond open, maar er komt geen geluid uit. Ik blijf doodstil zitten, als een konijntje dat gevangen is in het licht van koplampen. Ik weet zeker dat iedereen van me verwacht dat ik met een gevatte reactie zal komen, of dat ik Queenie zal vragen waar ze het in godsnaam over heeft. Maar ik krijg geen geluid over mijn lippen.

Waar is Ben wanneer ik hem nodig heb? Waarom komt hij niet voor me op? Waarom zit hij daar maar een beetje stom te lachen? Ik bedoel, hij had blij moeten lachen wanneer hij me in die lingerie zou zien. Hij wordt niet verondersteld stom te lachen wanneer iedereen aan tafel het over mijn ondergoed heeft.

'Ik... Eh...'

Joost tikt me op mijn hand. 'Isabel, volgens mij is dat jouw mobieltje.'

Goh, ik ben echt dol op Joost. Had ik dat al gezegd? Ik ken hem nauwelijks, maar hij doet zijn best om me uit deze verschrikkelijke situatie te redden.

Hij pakt mijn tasje van de vloer. 'Dit is toch jouw tas?'

O. Hij deed toch niet zijn best me te redden, mijn mobieltje gaat echt.

Het gaat twee keer over, houdt dan op en gaat vervolgens

weer twee keer over. Het noodsignaal dat Lara en ik vroeger op school al hebben afgesproken.

'Ik moet opnemen,' mompel ik terwijl ik opsta en mijn tasje van hem overneem. 'Het is dringend. Noodgeval.'

Gelukkig is het buiten koud. Ik adem een paar keer diep de frisse avondlucht in en doe mijn best het onverkwikkelijke voorval in de eetzaal te vergeten. Ik bedoel, wat heb ik toch gedaan waardoor Queenie zo'n hekel aan me heeft gekregen? Als ze zo verliefd is op Ben, mag ze hem hebben.

Daar klinkt het noodsignaal weer, dus neem ik op. 'Lara?'

'Iz-Wiz?'

'Lara!' Ik ben zo blij een vriendelijke stem te horen dat de tranen in mijn ogen springen. 'Alles in orde?'

'Ja, alles in orde. Geweldig, zelfs. Kun je praten?'

'O ja, ik wil dolgraag praten!'

'O...' Ze klinkt bezorgd. 'Gaat het niet goed daar?'

'Ik heb wel eens leukere dingen meegemaakt.'

'Ligt het aan het golfen?'

'Nee, het heeft niets met golf te maken. Ik speel hier geen golf, stel je voor,' voeg ik er zacht aan toe. 'Het is allemaal te ingewikkeld om nu te vertellen. Maar zeg eens, waarom gebruik je het noodsignaal als alles piekfijn in orde is?'

'Omdat ik je móést spreken, Iz!' Er wordt getoeterd en Lara slaakt een gilletje. 'Sorry, ik ben op weg naar huis, nadat ik bij Barney ben geweest,' gaat ze verder. 'Ik kon geen taxi krijgen, ik moest met de ondergrondse...'

'Waarom ga je naar huis? Ik dacht dat Barney voor je zou koken.' Uit ervaring weet ik dat zoiets minstens zes uur duurt, maar dan krijg je ook ergens na middernacht een overheerlijke spaghetti bolognese. 'Je kunt nog lang niet klaar zijn met eten.'

'Nee, het was nog niet klaar toen ik wegging. Weet je, Iz, Matthew heeft me gebeld!'

'Pardon?'

'Matthew heeft me gebeld! Een halfuur geleden. Ongelooflijk, hè? Hij is bij je ouders geweest en nu onderweg naar Londen. Hij vroeg of hij even langs mocht komen om te praten.'

Ik ga Matthew vermoorden. Echt waar, ik ga hem vermoorden.

Ik heb gezegd dat hij dat niet moest doen. Omdat hij een paar uurtjes gratis therapie wil en een poosje wil flirten om zijn ego op te vijzelen, gaat hij Lara uit haar toch al wankele evenwicht brengen.

'Weet je wat zo tof is? Hij komt helemaal niet langs West-bourne Grove als hij naar huis gaat! Hij rijdt om, speciaal voor mij.' Lara ratelt maar door. Zo te horen is ze haar feministische principes totaal vergeten. 'Ongelooflijk, hè Iz? Hij rijdt voor mij om!'

'Lara...'

'Ik wil graag een modeadvies van je.' Ik hoor dat ze de sleutel omdraait in het slot. 'Matthew vindt toch dat grijs me goed staat? Daarom dacht ik aan die spijkerbroek van Blue Cult, dan zie ik eruit of ik op een zaterdagavond gewoon een beetje thuis aan het relaxen ben. Met dat grijze truitje dat ik voor mijn verjaardag van je heb gekregen, weet je nog? Matthew zei dat mijn ogen daardoor blauwer worden...'

'Lara!'

Ze houdt op met ratelen.

'Ben je helemaal gek geworden?' Ik ga snel verder om te kunnen profiteren van haar stilte. 'Ben je soms vergeten dat hij verloofd is?'

'Natuurlijk ben ik dat niet vergeten! Ik vind het alleen fijn dat hij langskomt. Want onderweg naar huis drong het ineens tot me door dat ik nog nooit iets met Matthew heb gedaan. Met ons tweetjes, bedoel ik. Jij was er altijd bij, of die Annie...'

'Lara, "die Annie" is zijn verloofde!'

'Nou ja, maar stel dat hij ineens twijfels heeft?'

'Hoe bedoel je dat?'

'Nou, mensen gaan wel eens twijfelen. Ze verloven zich en veranderen dan van gedachten. En laten we wel wezen, ze zijn er nogal onbesuisd in gesprongen...'

'Ze zijn al víér jaar samen!' Ik raak lichtelijk in paniek. Van Lara's logica klopt niets, maar ze heeft de spijker wel op de kop geslagen: Matthew heeft inderdaad twijfels. En als hij haar vermoedens straks bevestigt...

Ik bedoel, ze zal hem toch niet bespringen of zo? Toch?

'Echt, Lara...' Door de stilte aan de andere kant weet ik dat ik tot haar doordring. 'Je moet redelijk en verstandig blijven.'

'O ja, ik was vergeten dat jij expert bent op het gebied van redelijk en verstandig handelen.'

'Nee, maar...'

'Vertel me dan maar eens,' zegt Lara met een piepstemmetje. 'Vertel me dan eens of je het redelijk en verstandig vindt om jezelf zo snel nadat het uit is met Will in de armen van Ben Loxley te werpen, en Will niet een kans te geven om uit te leggen wat er op de Kaaimaneilanden is gebeurd?'

Daar sta ik even van te kijken. 'Lara, Will heeft me bedrogen! Ik heb hem in bed betrapt met een ander!'

'Nietes,' snauwt ze. 'Je was er niet bij, Isabel. Je was aan de telefoon.'

Nou ja, zeg, wat een onzin! De telefoon in zijn hotelkamer werd opgenomen door een vrouw die me vertelde dat ze samen in bed lagen, en twee dagen later biedt Will me bijna wanhopig zijn excuses aan. En dan moet ik maar rustig blijven omdat ik er niet bij was?

Ineens rijst er een vraag bij me op. 'Zeg, weet jij daar soms meer van? Heb je Will gesproken?'

Lara zucht eens diep. 'Ik hoef hem niet te spreken om te vinden dat hij de kans verdient het uit te leggen. Wat ik wilde zeggen, is dat jij niet tegen mij moet preken over redelijk en verstandig gedrag.'

Even weet ik niet wat ik moet zeggen. Want om heel eerlijk te zijn, is het nooit bij me opgekomen dat ik Will de kans zou moeten geven het uit te leggen.

Hij is toch advocaat? Uitleggen hoort bij zijn werk. Dingen rechtvaardigen, ze rationaliseren, hoe heel of half onwaar het ook allemaal is.

'Hoor eens, Iz,' zegt Lara voordat ik iets kan zeggen. 'Ik moet hangen. Matthew kan hier elk moment zijn.'

'Lara, wacht!'

Maar ze heeft de verbinding al verbroken.

Ik bel haar meteen terug, maar ze neemt niet op. Dus bel ik nog eens met het superurgente noodsignaal: drie keer laten overgaan, nog eens bellen, twee keer laten overgaan, ophangen, en... Jezus, ik weet het niet meer. De laatste keer dat we het superurgente noodsignaal gebruikten, is wel tien jaar geleden, waarschijnlijk op dat afschuwelijke feest met Kerstmis, toen Ben met Carolyn Duffie zoende. En als ik me het superurgente noodsignaal wel kon herinneren, zou Lara toch niet opnemen.

Oké, ik bel Matthew wel. Ik zal hem zeggen dat hij me moet komen redden van het vreselijkste diner ooit. Ik zal hem zeggen dat hij onmiddellijk terug moet naar Somerset. Resoluut toets ik zijn nummer in.

'Hallo, dit is het nummer van Matthew Bookbinder. Of ik lig te slapen, of ik ben dronken, of ik rijd auto. Misschien wel alle drie tegelijk. Nee hoor, mam.'

Godallemachtig, wat ziet Lara toch in hem?

'Spreek een boodschap in na de piep.'

Ik spreek geen boodschap in. Dat heeft toch geen zin. Op dit moment bestaat er maar één oplossing: ik moet zo gauw mogelijk terug naar Londen, en ik moet een levensgrote spaak in het wiel steken voordat iemand verdriet krijgt van dit onbezonnen rendez-vous.

Misschien heeft een van die projectontwikkelaars uit Rotterdam een helikopter die ik kan lenen. Zei Joost niet iets over een privévliegtuig?

'Isabel?' Ben loopt over het grindpad naar me toe. 'Wat doe je zo lang buiten?'

'Sorry, Ben, ik moet weg.'

'Weg? Waar heb je het over?'

'Ik moet vanavond nog in Londen zijn. Ik weet dat je hebt gedronken en dus niet mag rijden, maar...'

'Isabel, doe niet zo maf.' Hij kijkt op me neer, en in het maanlicht is zijn knappe gezicht nog knapper dan anders. 'Queenie was je maar een beetje aan het plagen. Het is idioot om weg te lopen vanwege één klein plagerijtje.'

'Maar dáárom wil ik niet weg!' Een kwartier geleden nog wel. Maar nu heb ik met grotere zorgen te kampen. 'Echt, Ben, ik moet naar Londen. Misschien kan Joost me helpen.'

Ben knijpt zijn ogen tot spleetjes. 'Joost is ineens je grote held, hè?'

'Wát?'

'Weet je, als je graag goed met de andere meisjes wilt opschieten, zou ik maar niet de hele avond flirten met een multimiljonair uit Nederland.'

Is Ben jaloers? Hoewel hij me de hele dag totaal niet heeft zien staan?

En is Joost multimiljonair? Echt waar?

Omdat ik vind dat ik voor Joost moet opkomen, zeg ik: 'Hij is geen Nederlander, hij is Belg.'

'Nederlander, Belg, wat maakt het uit?' Ben kijkt nu echt geërgerd. 'En het kan me ook niet schelen dat hij eigenaar is van zowat elke boot in Saint-Tropez. Ik heb je hier niet mee naartoe genomen zodat je andere... Zodat je mijn cliënten zou versieren.'

Aha, boten. Ja, nu snap ik het. Ik vond het al vreemd dat Joost vorig jaar zeventien miljoen aan bootees kon uitgeven. Hoeveel moet je er dan wel niet kopen?

'Kom mee naar binnen.' Ben legt zijn hand op mijn schouder en leidt me naar het hotel. 'De andere meisjes zijn weer iets gaan drinken in de bar, waarschijnlijk kun je het beste bij hen gaan zitten.'

'Maar dat wil ik niet! Het zijn geen vriendinnen van me, Ben. Ze doen vals tegen me. En mijn beste vriendin in Londen heeft me nu hard nodig...'

'Oké, oké,' snauwt hij. 'Weet je wat? Ik ga wel iets drinken met Queenie en de anderen, en dan kijken we of we morgenvroeg weg kunnen. Misschien meteen na de lunch.'

'O...' Wat heb ik daar nou aan? 'Maar...'

'Meer kan ik niet doen. Ik kan je vanavond niet brengen. En de treinen rijden al niet meer.' Hij duwt me zo'n beetje verder. 'Ik moet het nog over het werk hebben, dus ga jij maar gezellig iets drinken.'

Ik wacht totdat hij terug is in de eetzaal, en keer dan de bar de rug toe en ga naar onze hotelkamer.

Echt hoor, voor niets ter wereld ga ik die bar in zodat Queenie en Kirsty me weer op de korrel kunnen nemen. Als ik dan toch hier moet blijven, kan ik in elk geval van een goede nachtrust genieten.

Maar wanneer ik eenmaal in bed lig, in de La Perla-pyjama omdat het me geen moer meer kan schelen wat Bens lingerievoorkeur is, wil de slaap niet komen.

Ik maak me zorgen over wat er misschien bij Lara gebeurt. En ik moet steeds denken aan wat ze over Will zei.

Want als ik hier met Will zou zijn, zou hij er wel voor zorgen dat ik terugkwam in Londen. Hoe dan ook. Hem kon ik vertrouwen, op hem kon ik bouwen. Is het dan eerlijk van me om hem niet de kans te geven alles uit te leggen?

Nou ja, er is één ding dat ik heel zeker weet. En dat is dat ik dit al eerder heb meegemaakt; het in bed liggen wachten op mijn vriend die nog aan het werk is, tobbend over hoe het tussen ons gaat. Maar deze keer voelt het heel anders. Want deze keer voel ik me eenzaam.

Isabel Bookbinder
West-Londen

Germaine Greer
~~Greenham Common~~

30 september

Germaine,
Bedankt, hoor. ~~Honderd jaar~~ ~~Veertig jaar~~ Generaties van feministes, en dit is het resultaat: twee vrouwen die de naam
van een ander door het slijk halen omdat die niet precies
weet hoe ze ingewikkelde lingerie moet aantrekken. Het is allemaal goed en wel om de wereld af te reizen om zuster-
schap te verkondigen, maar wat nou als de ene zus echt heel
rot doet tegen de andere? Wat heb je eraan al je energie te
stoppen in het haten van mannen wanneer sommige mannen – vooral Belgische; misschien heeft dat te maken met
hun betere sociale voorzieningen en kleuterscholen van top-
kwaliteit – in vergelijking met die zusters veel aardiger zijn?
Ik heb me echt verzet tegen het cliché dat we zelf onze ergste vijand zijn, maar nu is het welletjes.

Tot mijn spijt moet ik ook zeggen dat ik erg teleurgesteld
ben door de snelheid waarmee sommigen het feminisme
laten vallen zodra er een knappe man in het vizier komt.
~~Goed, wat dat betreft ben ik ook niet geheel en al onschuldig~~
Hoe moet het verder wanneer aantrekkelijke, intelligente,
professionele psychologen helemaal duizelig van opwinding
worden omdat een man onderweg van Shepton Mallet naar
Putney voor hen wil omrijden? Hoe moeten we het glazen plafond doorbreken wanneer we tevreden zijn met de kruimels
op de vloer? Germaine, het spijt me het te moeten zeggen,
maar ik vrees dat je je beha voor niets in de fik hebt gestoken.

Over het verbranden van beha's gesproken... Als ik nog even iets over het feminisme mag zeggen, zou ik het fijn vinden als er op dit punt meer flexibiliteit zou komen. Ik heb laatst ~~een ongelooflijke smak geld~~ een enorm groot bedrag geïnvesteerd in luxelingerie, en ik zou dat alles niet graag in rook zien opgaan. Helaas lijkt ~~mijn vriend de man met wie ik heb afgesproken mijn vrie~~ de man met wie ik heb afgesproken er niet bijzonder naar te verlangen mij in die lingerie te zien, maar daar hoeft mijn lingerie niet onder te lijden.

Ik zal echter met genoegen de string met kristalletjes en het korsetje met de merkwaardige kwastjes verbranden. Het is me een raadsel wat dat soort dingen voor de vrouw kunnen betekenen.

Een ~~bitter~~ teleurgestelde groet,

Isabel Bookbinder

PS Het is toch zeker niet in orde als een man met wie je nog maar drie afspraakjes hebt gehad, je vraagt zijn overhemd te strijken en het bad te laten vollopen? Ik vraag het maar...

PPS En meisjes kunnen toch best golfen als ze dat willen?

IB x

27

Blijkbaar ben ik toch in slaap gevallen, want opeens hoor ik Ben door de kamer scharrelen. Hij stampt een poosje rond als een olifant, en dan knipt hij het grote licht aan.

'Sorry dat ik je wakker maak,' zegt hij. Het klinkt totaal niet spijtig.

'Geeft niet...' Ik heb een vieze smaak in mijn mond, en het voelt alsof er iets in mijn ogen zit. Dat komt natuurlijk omdat ik ondanks al het boenen toch niet die drie tinten oogschaduw en twee types mascara van mijn ogen kon krijgen. En ik hoef niet te kijken om te weten dat mijn sluike staartje veranderd is in een warboel die een vogelverschrikker eer zou aandoen.

Maar waarom doet hij dan ook het licht aan om... Hoe laat is het eigenlijk? Ik pak mijn horloge van het nachtkastje. Het is halfzeven. In de ochtend.

Eh, waarom staan we om halfzeven al op?

Waarom gooit Ben zijn kleren in zijn tas?

En wat is dat voor blauw-paarse plek bij zijn linkeroog?

Nog slaperig ga ik rechtop zitten, en ik zie dat zijn helft van het bed beslapen is. Het is best verontrustend dat hij naast me heeft geslapen zonder dat ik het wist. We hebben het bed gedeeld zonder dat er iets is gebeurd. Hopelijk heb ik niet liggen snurken.

'Wat is er met je oog gebeurd?'

Hij beent naar de kast en haalt er een paar hangertjes uit. 'Gevochten.'

'Gevochten?'

'Ja, Isabel, gevochten.' Hij vouwt zijn kleren op. 'Dat gebeurt namelijk als je met Hollanders flirt en ze vreemde ideeën krijgen.'

Ik snap er niets meer van. 'Heb je met Hollanders geflirt?'

'Nee, Isabel. Dat heb jij gedaan, met Joost!'

'Maar hij is een Belg...'

Ben werpt me een heel kwade blik toe. 'Isabel, om de een of andere reden heeft Joost heel verkeerde ideeën over jou gekregen, en dat verbaast me niets. Toen ik hem in de bar wilde tegenhouden omdat hij met een vuist vol bankbiljetten naar jou toe wilde, gebeurde er dit.' Hij wijst naar zijn toegetakelde oog.

'Dacht hij dat ik te koop was?'

'Wat moest hij anders denken? Je zat maar te fladderen met je wimpers, en al dat gepraat over je ondergoed...'

'Daar kon ík niets aan doen!' Ik kan wel door de grond gaan. 'Queenie begon erover!'

Ben trekt mijn tas uit de kast en zet hem op het voeteneind. 'Kom op, ga pakken.'

'Gaan we hier weg?'

'Moet ik soms blijven? Joost is er nog, en hij is boos. En Fred zal ook wel woedend zijn, omdat ik de deal met een heel belangrijke cliënt in gevaar heb gebracht.' Hij telt het op zijn vingers af. 'En je wou toch zo graag weg?'

'Jawel, maar...'

'Nou, jij je zin. Ik zie je over een kwartier bij de auto.'

De rit terug naar Londen is lang niet zo aangenaam als die van gisteren naar Frome. Ben is zo uit zijn humeur dat we nauwelijks een woord wisselen. Het enige wat de ongemakkelijke stilte doorbreekt, is meer van die stomme jazz uit de speakers. Hij rijdt over de M3 met een gemiddelde snelheid van honderdvijftig, maar het is dan ook nog stil zo vroeg op de ochtend. Pas wanneer we in Londen zijn en over Bayswater Road naar West-bourne Grove racen, komt er een hele zin uit zijn mond.

'Ik hoop dat je het niet erg vindt dat ik je bij Lara afzet,' zegt hij stijfjes. 'Ik heb vandaag nog heel veel te doen.'

'O, prima!' Shit. Dat klonk iets te opgelucht. 'Ik bedoel, dat is goed, want ik heb zelf ook nog heel veel te doen.'

Dan valt de ongemakkelijke stilte weer, totdat Ben de auto tegenover Lara's huis tot stilstand brengt. Hij zet niet eens de motor af.

'Zo,' zegt hij zonder me aan te kijken. 'We zijn er.'

'Ja.'

Weer zo'n ongemakkelijke stilte. Daar zijn we al heel goed in.

'Nou, dat was een prettig weekend,' lieg ik.

'Ja.' Ik kan aan hem horen dat hij ook liegt. Om heel eerlijk te zijn, kan ik hem dat niet kwalijk nemen. 'Sorry,' zegt hij. 'Voor hoe het gelopen is.'

Ik haal diep adem. 'Bedoel je sorry voor hoe het weekend is geweest? Of sorry voor hoe het tussen ons is gegaan?'

Hij wacht iets te lang voordat hij antwoordt. 'Hoor eens, Isabel, het is ontzettend vroeg. Ik heb koppijn. Kunnen we het er morgen over hebben? Of volgende week of zo?'

'Oké.'

Dit is het meest gênante wat ik ooit heb meegemaakt. Hij poeiert me af met dat 'morgen, of volgende week of zo'. Ik bedoel, ik begon ook zo mijn twijfels te hebben over deze zogenaamde verhouding, maar dat wil nog niet zeggen dat ik wil worden afgepoeierd.

Ik draai me om en pak mijn tas van de achterbank, en dan stap ik uit. 'Nou ja, toch bedankt voor het weekend,' zeg ik beleefd. 'En het spijt me dat je nu problemen met Joost hebt...'

'Laat maar,' reageert hij. 'Maak je er maar niet druk om.'

Nog voordat ik het portier goed dicht heb gedaan, rijdt hij al met brullende motor weg naar Holland Park.

Geweldig. Echt geweldig.

Hij heeft niet eens het fatsoen om er netjes een eind aan te maken. Hij is zo'n verschrikkelijk vervelende kerel die ineens heel kil en afstandelijk gaat doen, zodat jij het vuile werk mag opknappen.

Hé, wacht eens... Er staat een auto voor Lara's huis. Het is de Polo van Matthew. Wat doet die hier om negen uur 's ochtends?

O god, is het dan toch gegaan zoals ik dacht? Heeft Lara Matthew besprongen en gekregen wat ze wilde?

Alleen, dit is niet wat ze wil. Ze wil Matthew voor altijd en eeuwig. Niet voor maar één nachtje. En het zal bij één nachtje blijven. Matthew zal de verloving niet verbreken. Verbreken mensen ooit nog verlovingen, of is die gewoonte verdwenen, samen met mousselinen japonnen in empirestijl en ingewikkelde quadrilles?

Kwaad op mijn broer doe ik de deur van het appartement open, maar mijn woede slaat om in de vrees dat ik hem in boxershort uit de badkamer zal zien komen. Of erger. Gelukkig is de kust veilig. De badkamerdeur staat zelfs open, dus weet ik dat er uit dat vertrek geen akelige verrassingen zullen komen. De deur van Lara's slaapkamer staat ook open. Waar zijn ze? Zitten ze in de keuken te ontbijten?

Aha, de woonkamer. Ik sluip naar de deur en hoor zacht gemompel, verrassend genoeg gevolgd door het vrolijke muziekje van *Will & Grace*.

Nou, dan kan Matthew daar niet zijn. Hij heeft ontzettend de pest aan *Will & Grace*. En niet alleen aan *Will & Grace*, maar aan al dat soort Amerikaanse series. *Friends, Frasier*. Het enige waar hij wel naar wil kijken, is *Home Improvement*. En daarom kan ik eigenlijk niet geloven dat Lara van hem houdt.

Aarzelend, en heel stilletjes, doe ik de deur op een kier. De rolgordijnen zijn nog dicht, maar het licht is aan, dus kan ik heel goed zien wat een bende het is. Er staat een open fles wijn op de eiken tafel, zonder onderzetter, dus die zal wel een kring hebben gemaakt. Op de grond zie ik een halfvolle bak chips met kruimels eromheen. Het meest verontrustend zijn drie chocoladekoekjesverpakkingen, een op zijn kant liggende bak roomijs, en een grote soepkop vol bleke soep. Waarschijnlijk kippensoep met room. Lara ligt op de bank tv te kijken. Haar haar zit vol klitten, ze heeft de spijkerbroek en het grijze truitje nog aan dat ze gisteravond wilde aantrekken, en ze ziet er vreselijk uit.

'Lara?'

'Jezus!' Ze schrikt behoorlijk. 'Isabel? Ik schrok me een ongeluk!'

'Sorry, ik had je moeten laten weten dat ik vroeg terug zou komen.'

Ze komt overeind. 'Wat is er in godsnaam gebeurd?'

'Nou, Ben ging op de vuist met een heel aardige Belgische multimiljonair, en we konden niet blijven omdat Bens baas wel woedend zou zijn,' vertel ik en ik wuif met mijn hand. 'Maar Lara, wat is hier in godsnaam gebeurd?'

Ik dacht dat ze eerst zou gaan ontkennen dat er iets aan de hand was, maar dan beseft ze dat ze nog volledig gekleed op de bank ligt, en dat er overal koekjesverpakkingen rondslingeren. Voor mij is dat geen ongebruikelijk begin van de zondag, maar voor Lara wel.

'Er is niks gebeurd,' zegt ze toonloos.

'Lara, ik heb Matthews auto voor de deur zien staan.'

'Er is echt niks gebeurd. Zijn auto staat daar omdat hij te veel had gedronken. Hij heeft een taxi naar huis genomen.'

'Maar als er niks is gebeurd, wat is er dan gebeurd?'

Lara pakt een van de kussentjes en drukt dat tegen haar buik. 'Matthew kwam. Ik trok een fles wijn open. We zaten op de bank. Hij vertelde dat hij gemengde gevoelens had over een huwelijk met Annie. We trokken nog een fles wijn open. Hij pakte mijn hand...'

'O, Lara!'

'En toen zei ik dat hij naar huis moest om Annie te vertellen dat hij zielsveel van haar hield, en om aan de relatie te werken.'

Heb ik dat goed gehoord? 'Hè, wàt?'

'Ik zei dat hij het niet zo gauw moest opgeven.' Ze kijkt naar me op. 'Ik zei dat als hij twijfelde, dat waarschijnlijk lag aan de stress van de verloving, en aan de verhuizing. Ik zei dat hij niet direct moest kappen als het even moeilijk werd, en dat ze niet voor niets al vier jaar samen waren.'

Het is net alsof ze een andere taal spreekt. Ik snap er niets van. Na twee flessen wijn pakt hij haar hand en komt haar veertienjarige droom uit. En dan gaat ze hem opeens als patiënt – sorry, cliënt – behandelen? 'Lara, waarom?'

'Omdat dat mijn professionele mening was.' Haar gezicht staat strak van verdriet. 'Omdat ik dat tegen een cliënt in die positie zou zeggen. Omdat dat het enige juiste was.'

'O, Lara, wat erg!'

'Wat had ik dan moeten zeggen? Ik bedoel, laten we wel wezen, het lag aan de wijn dat hij opeens romantisch ging doen. Als het verder was gegaan...' Haar lip trilt. 'Nou ja, je zei het gisteren zelf al. Hij is verloofd. Ik wil daar niet tussen komen.'

Ik weet niet wat ik moet zeggen. Want ik denk niet dat er iets is wat ook maar een klein beetje troost zou bieden. 'Misschien... Als je het cognitief herstructureert...'

'Dat kan niet.'

'Weet ik.' Ik neem haar ijskoude hand vol kruimeltjes in de mijne en wrijf er zachtjes over. 'Je bent een dappere meid.'

'En een stomme.'

'Omdat je hem hebt weggestuurd?'

Lara schudt haar hoofd en pakt de afstandsbediening. 'Omdat ik hoop koesterde.'

28

Oké, er zijn geen vruchtentaarten door de lucht gevlogen. Maar Lara is wel heel erg van slag. Gisteren was het aldoor maar huilen, chocoladekoekjes eten, naar *Will & Grace* kijken en foeteren op alles wat er mis is in de wereld. Op een gegeven moment lukte het me haar in bed te krijgen voor een verkwikkend slaapje, weg van de tv. Maar toen was het al vroeg in de avond.

Nou, dat was dus een grote vergissing. Want toen ze eenmaal in bed lag, wilde ze er niet meer uit komen. Vanochtend wilde ik net op weg gaan naar mijn werk toen het tot me doordrong dat Lara nog thuis was. Ze was zelfs nog niet opgestaan. En als je Lara zou kennen, en dus zou weten dat ze in vijf jaar nog nooit ook maar één dag niet op haar werk is verschenen, zou je de ernst van de situatie kunnen inschatten. In elk geval, het duurde vijf minuten om haar onder het dekbed uit te krijgen, en toen nog een kwartier om haar haar voeten op de grond te laten zetten, en nog een kwartier om haar onder de douche te krijgen. En zodra ik haar niet meer in de gaten hield omdat ik kleren voor haar uitzocht waarin ze de wereld waardig tegemoet kon treden, kroop ze weer in bed en trok het dekbed over haar hoofd. Ze zei dat het waarschijnlijk het beste was als ze haar hele leven in bed zou blijven liggen.

Bij ieder ander zou ik het hebben opgegeven. Maar met Lara is het anders. Ik bedoel, kijk eens naar de chaos die ik aantrof toen ik gisterochtend terugkwam van Babington House. Een normaal persoon zou er twee dagen over hebben gedaan om zo'n troep te creëren. Ze is zo'n perfectionist dat ze nooit eens iets halfslachtig doet, zelfs instorten niet. Bovendien heeft ze jarenlang de verhalen van haar patiënten moeten aanhoren over de ijskast leegvreten, verdriet wegdrinken en de stropdas van hun echtgenoot kapot knippen. Een totale zenuwinzinking ligt dus op de loer. Ik bedoel, waarom anders zou ze al die chocoladekoekjes naar binnen werken?

Nadat ik haar hardhandig had geholpen met aankleden en haar naar het station van de ondergrondse had gebracht, kon ik eindelijk een halfuur geleden zelf in de ondergrondse stappen. Hopelijk merkt Nancy niet dat ik veel te laat ben. Ze zou nog in bespreking moeten zijn met de moderedactie, dus waarschijnlijk kan ik achter mijn bureau gaan zitten en doen alsof ik er al heel lang ben.

Maar ik heb geen rekening gehouden met Lilian. Ik dacht dat ik er wel mee weg kon komen toen ik uit de lift stapte en haar niet achter haar bureau zag zitten. Maar dat had ik verkeerd gedacht. Want ze staat bij míjn bureau. En zodra ze me ziet, slaat ze haar armen over elkaar en kijkt me streng aan.

'Isabel! Je bent meer dan een uur te laat.'

'Weet ik. Sorry, maar er was een huiselijke crisis...'

Ze fronst haar wenkbrauwen. 'Daar heeft *Atelier* niets mee te maken, Isabel. En Nancy ook niet, en ik ook niet. Vergeet niet dat ik de dingen voor Nancy moet afhandelen als jij niet op tijd bent.'

Ik probeer er berouwvol uit te zien. 'Het zal niet weer gebeuren.'

'Nou, vertel dat maar aan Nancy. Ze is naar je op zoek.'

Shit. 'Is ze dan niet in bespreking?'

'Nee.' Lilian lacht triomfantelijk naar me. 'Omdat Claudia ziek is, is de bespreking afgelast.'

'O.'

'Ja, Isabel: "O". En omdat Claudia ziek is, heeft Nancy je nodig om alles te regelen voor de *MiMi* Style Awards van vanavond.'

'Maar ik dacht dat ze daar niet naartoe ging.'

Lilian haalt haar schouders op. 'Claudia heeft Nancy gevraagd in haar plaats te gaan. Bij de *MiMi* worden ze heel pissig als er niemand van *Atelier* bij is. Dan zeggen ze dat we hun blad boycotten of zoiets. In elk geval, Nancy moet een stuk of vijf afspraken maken als ze op tijd wil zijn, en je weet dat ze vanochtend een bespreking heeft met haar advocaten...'

'Ja. Sorry. Ik zal me meteen melden.'

Nancy is aan de telefoon. Zodra ze me aarzelend in de deuropening ziet staan, wenkt ze me naar binnen.

'Ik zei toch dat ik niet weet hoe laat ik vanavond thuis ben,' zegt ze gespannen. 'Vermoedelijk tegen elven... Nee, uiteraard wil ik niet naar die kloteparty, maar Claudia denkt dat ze gordelroos heeft... Uiteraard stelt ze zich aan... Hoor eens, Hugo, ik moet hangen, over een kwartier moet ik bij Magnus zijn... Ja, goed, dag.'

Voordat ze heeft opgehangen pakt ze al een sigaret.

'Mannen,' moppert ze terwijl ze de sigaret aansteekt. 'Ga nooit trouwen, Izzie. Het is het allemaal niet waard.'

Ik reageer daar maar niet op. 'Sorry dat ik te laat ben. Er was een...'

Ze wuift mijn excuses weg met de hand met de sigaret erin, zodat er een hele sliert rook ontstaat. Blijkbaar is ze niet zo geïnteresseerd als Lilian dacht. 'Nou ja, je bent er nu. Zeg, ik moet vanavond toch naar dat gedoe van de *MiMi*...'

'Dat heeft Lilian me verteld. Klinkt leuk.'

Nancy lacht snerend. 'Nou, ik heb echt weinig zin om naar een party te gaan waar Eve Alexander in Marchesa komt opdagen. Iedereen zal achter mijn rug fluisteren dat het toch echt verschrikkelijk is dat ze ons heeft laten vallen, en dat ze medelijden met me hebben...'

Ze klinkt precies als Marina uit de winkel van Lucien Black. Ik doe mijn best er niet om te giechelen. 'O ja, dat was ik vergeten, van Eve Alexander. Vervelende situatie. Wat kan ik doen?'

Nancy neemt nog een haal van haar sigaret en drukt hem dan driftig uit tussen een stapel van Lilians dierbare memo's. 'Nou, als ik dan dat soort opmerkingen toch aan moet horen, wil ik er wel geweldig uitzien. Dus moet jij afspraken voor me regelen bij de nagelstudio, de kapper, de visagist...' Ze telt alles af op haar vingers. 'En ze moeten allemaal hier komen, want ik heb geen tijd om de hele stad door te karren.'

'Oké.'

'En je moet iets voor me uitzoeken uit de kast met mode. En je moet Tammy bellen bij Christian Louboutin, zodat ze me een paar sandaaltjes kan sturen. En om zes uur heb ik een auto nodig om me naar Berkeley Square te brengen.' Ze strijkt met haar handen door haar haren, en trekt een gezicht wanneer ze er een grijze uit plukt. 'Kun je dat allemaal regelen, Izzie?'

'Tuurlijk.' Ik doe mijn best zelfvertrouwen uit te stralen. Want eigenlijk ben ik niet zo goed in dit soort logistieke dingen. 'Ik zorg dat alles in orde is voordat je terug bent van je bespreking met de advocaten.'

'Dank je wel, schatterd. O...' Ze gaat zachtjes verder. 'Nog één ding. Kun je even bellen naar de afkickkliniek waar Lucien zit en vragen of ze ervoor kunnen zorgen dat hij me later vandaag belt? Ik moet nog veel met hem bespreken voordat we woensdag een handtekening zetten.' Ze zoekt in haar tasje en haalt er dan een verfrommeld geel papiertje uit. 'Dit is het nummer.'

Ik kijk naar het met rode balpen geschreven nummer. 'Sorry, Nancy, maar volgens mij geef je me het verkeerde nummer.'

'Hoezo?'

'00353...' Ik lees de eerste paar cijfers op. 'Dat klinkt als een buitenlands nummer, niet als eentje in Somerset.'

'Hoezo in Somerset?' Ze knippert met haar ogen. 'Lucien zit in Ierland.'

'In Ierland?'

'Ja. In Ierland heeft hij leren zuipen. Dus dacht ik dat hij het zuipen ook wel in Ierland af kon leren.' Ze lacht spottend. 'Bovendien loopt hij daar niet in de kijker. Ik zou het vreselijk vinden als hij naar de Priory ging en elke week in de *Daily Mail* zou staan.' Ze kijkt op haar horloge. 'Jezus, ik moet weg! Jij regelt hier alles, hè?'

'Ja, tuurlijk. Maar Nancy...'

'Wat is er?'

'Eh... Niks. Sorry. Tot straks.'

Het moment is voorbij. Ik snel naar mijn bureau en toets het nummer in dat ze me heeft gegeven. Omdat ik iets wil weten, iets heel belangrijks. Is Lucien ontsnapt uit de kliniek in Ierland, of...

'Hope and a Prayer Centre, wat kan ik voor u doen?' Ik hoor een zwaar Iers accent.

'O, hallo,' zeg ik. 'Ik vroeg me af of ik een boodschap zou kunnen achterlaten voor een van uw...' Cliënten? Patiënten? Gedetineerden? 'Eh, voor een van uw gasten?'

'Natuurlijk kan dat? Voor wie wilt u een boodschap achterlaten?'

'Voor Lucien Black.'

'O, de modeontwerper!' De vrouw klinkt erg opgewekt voor iemand wier taak het is de hele dag doorgewinterde zuipschuiten weg te houden van de drank. 'Het spijt me, lieverd, dan ben je aan het verkeerde adres. Meneer Black is hier al zo'n twee of drie jaar niet meer geweest.'

'Wat? Helemaal niet?'

'Nee, lieverd, helemaal niet.'

'Dus hij is niet een paar dagen geleden gekomen en vervolgens eh... ontsnapt?'

'Ontsnapt?' Er klinkt een klaterende lach. 'O nee, lieverd, er ontsnapt nooit iemand uit Hope and a Prayer. Echt hoor, hij is hier niet geweest. Misschien moet je de Avondale Clinic in County Wexford eens proberen, want daar is hij ook wel eens geweest...'

'Nou, ik had dit nummer opgekregen. Waarschijnlijk is het een vergissing. Dank u wel.' Ik hang snel op.

Nou, ik had dus gelijk. Lucien is niet in de Ierse afkickkliniek. Blijkbaar heeft hij in meerdere van dat soort klinieken gezeten. Maar feit blijft dat Nancy denkt dat hij wel in die kliniek is. Dus liegt hij tegen haar.

Misschien kan ik dit beter nog een poosje voor mezelf houden. Nancy heeft al genoeg aan haar hoofd.

Nou, ik heb vandaag ook veel aan mijn kop. Ik heb vijf uur aan de telefoon gehangen om alles te regelen zodat Nancy mooi naar de party kan, en dat was een hele klus. Ik voel me nu een beetje als zo'n nerveuze jongen op de beursvloer die je wel eens op tv ziet wanneer de koersen onderuit zijn gegaan, en die in telefoons staat te schreeuwen en ingewikkelde signalen met zijn handen geeft. Het duurde een uur voordat ik iemand van Daniel Galvin had bereikt die iemand zou sturen om te komen föhnen. Bij Elemis-wellnesscenter ben ik nu heel impopulair omdat ik erop stond dat hun zwangere nagelstyliste, die waarschijnlijk genoot van een vrije dag, en die de enige in Londen lijkt te zijn die nagels kan lakken, zou komen om Nancy's teen- en vingernagels onder handen te nemen. En ik heb Olivia van de beautyredactie zover gekregen dat ze me de naam en het telefoonnummer gaf van de in haar ogen beste visagiste, en die zou hier moeten zijn zodra Precious klaar is met föhnen. En nu zit ik hier achter mijn bureau te duimen dat de sandaaltjes van

Christian Louboutin op tijd komen, zodat Nancy iets kan uitkiezen bij de lange jurk in zonsondergangtinten van Lucien Black die ik helemaal achter in de kast met mode heb aangetroffen.

Ik moet zeggen, ik ben best trots op mezelf. Ik wist niet dat ik het in me had.

Ik wil net Precious gaan vragen of ze voordat ze gaat föhnen een kopje koffie wil, als de telefoon op mijn bureau gaat. Shit. Als dat Tammy is die me gaat vertellen dat er toch geen sandaaltjes komen...

'Nancy? Ben jij dat?'

'Nee, dit is Isabel. Spreek ik met Tammy?' Ze klinkt niet als Tammy. Ik heb Tammy vijf keer gesproken, en zij had een vriendelijke stem en ze was heel geduldig. Deze stem klinkt ook bekend, maar tegelijkertijd schril en geërgerd.

'Nee, dit is Jasmine.'

'O! De styliste van Eve Alexander!'

'O ja?' snauwt Jasmine. 'Ben ik dat?'

Is ze soms gek geworden? 'Eh, nou, u zei zelf dat...'

Ze valt me zomaar in de rede. 'Want blijkbaar denk je dat jíj Eve Alexanders styliste bent.'

'Nee hoor.'

'O nee? Waarom vind je het dan nodig haar onder druk te zetten om op de Style Awards toch Lucien Black te dragen?'

'Ik heb haar niet onder druk gezet. Ik zei alleen maar...'

'Nou, je hebt gewonnen, Isabel,' zegt ze op een heel onaangename toon. 'Eve belde me daarnet op om te zeggen dat ze toch geen vertrouwen had in de lila jurk van Marchesa, en dat ze vanavond toch liever Luciens jurk draagt.'

'O, wauw! Geweldig!'

'Geweldig voor Nancy en Lucien,' snauwt ze. 'Voor mij betekent het weken van hard werken voor niks, en mijn reputatie bij Marchesa kan ik nu ook wel vergeten.'

Hoewel ze een vreselijke bitch is, voel ik me even schuldig. 'Het spijt me...'

'Daar is het nu te laat voor. Ik kom de jurk zo meteen halen. Waar is hij? In de winkel, of bij Nancy?'

O god. De jurk hangt bij mij thuis. 'Nee, hij is op dit moment elders.'

'Elders? Waar dan?'

Omdat er een kans bestaat dat een beroemdheid als Eve Alexander het niet fijn vindt dat een voor haar op verzoek gemaakte jurk al twee keer is gedragen door een hoogst onbelangrijk persoon zoals ik, moet ik maar een beetje liegen om bestwil.

'De jurk hangt bij mij thuis. Weet je, Nancy vond het geen goed idee hem hier in de kast te hangen, en haar kast thuis is overvol, daarom...'

'Jezus, wat kan mij dat allemaal schelen! Zeg maar gewoon waar je woont. Hopelijk niet ergens helemaal in Wimbledon of zoiets.' Het komt eruit alsof ze denkt dat ik daar speciaal ben gaan wonen om haar een hak te zetten.

'Nee hoor,' zeg ik, blij dat ik toch iets goed heb gedaan. 'Het is vlak bij Westbourne Grove.'

'Nou, dat is tenminste iets. Ik ga nu op weg, dan zie ik je over eh... een halfuurtje?'

'Eh...'

'En zeg nou niet dat je meer tijd nodig hebt!' snauwt ze. 'Eve moet die jurk om zes uur hebben in het Claridge's.'

'Oké, over een halfuurtje.'

Het kan best in een halfuurtje. Tenminste, als ik niet op de ondergrondse hoef te wachten, als mijn trein niet zomaar vijf minuten op het station van Bond Street blijft staan, en als ik bij Notting Hill direct een taxi kan vinden die me in sneltreinvaart naar Westbourne Grove brengt.

Ik geef haar het adres, hang op en sprint Nancy's kantoor in.

'Nancy!' roep ik boven het lawaai van de föhn uit. 'Ik moet naar huis! Jasmine komt Luciens jurk halen, omdat Eve die vanavond aan wil!'

Nancy spert haar ogen wijd open en gebaart dan dat de haarstyliste de föhn moet uitzetten. 'Je meent het... Hoe komt dat zo ineens?'

'Dat leg ik straks wel uit,' antwoord ik bescheiden. 'Maar nu moet ik meteen weg.'

'Ja, ga maar gauw. Eh, en Izzie, de jurk is toch wel in orde, hè? Ik bedoel, er is toch niets mee gebeurd, die keer dat jij hem hebt gedragen?'

Ik vertel maar niet dat ik hem twéé keer heb aangehad. 'Nee, hij is piekfijn in orde. Eve zal er beeldschoon uitzien.'

'Fijn. Geweldig. O, Izzie, is het niet fantastisch?' Voor de eerste keer dat ik haar ken, lacht ze echt. 'Zo te horen wil ze Lucien toch niet laten vallen.'

Ik hoefde maar een half minuutje te wachten op de Central Line, maar we stonden wel zonder enige reden zes minuten stil op Bond Street. Tegen de tijd dat ik bij Notting Hill in een taxi spring, is er al een halfuur voorbijgegaan sinds Jasmines telefoontje. Geweldig. Ze loopt vast al als een gekooide leeuwin voor mijn huis te ijsberen. En ik kan niet even, heel snel een beetje opruimen, en vooral de vuilniszakken ergens verstoppen.

Maar wanneer de taxi voor de deur stilhoudt, valt er geen spoor van haar te bekennen. Gelukkig, ik was sneller dan zij. Dan kan ik nog best een paar vuilniszakken onzichtbaar maken.

O. De voordeur zit niet dubbel op slot. Ben ik dat vergeten toen ik Lara het huis uit werkte?

Zodra ik de gang in stap, weet ik wat er aan de hand is. Daar staat Lara's koffertje, en haar jas en tasje liggen ook op de grond. Ze is dus toch niet gaan werken.

'Lara!' Ik been naar haar gesloten slaapkamerdeur en roffel er stevig op.

'Binnen.'

Ik duw de deur open en wil haar eens flink de waarheid zeggen. Maar wanneer ik haar in bed zie liggen, omringd door koekjesverpakkingen, en met het dekbed opgetrokken tot over haar neus, kan ik dat niet.

'O, Lara.'

'Sorry.' Ze kijkt me aan met wasbeerogen door de uitgelopen mascara. 'Ik heb vanochtend echt de ondergrondse genomen, Iz-Wiz. Maar toen drong het tot me door dat ik per ongeluk de Westbound Line had genomen, en dat ik alsmaar rondjes reed, en toen vroeg iemand waarom ik huilde, en toen dacht ik dat ik beter naar huis kon gaan... Mijn cliënten hebben zo toch niks aan me.' Ze haalt haar neus op. 'Hoe kan ik ze goede raad geven wanneer ik zelf niet eens in de goede trein kan stappen?'

'Nou, misschien ontdek je door deze ervaring heel nieuwe gezichtspunten,' reageer ik bemoedigend. 'En je moet niet zo streng zijn voor jezelf. Ik bedoel, wanneer ik verdrietig ben, zeg je altijd dat er niets mis is om in bed te kruipen met een dubbelpak chocoladekoekjes.'

'Nee, ik zeg dat er niks mis is met een tijd van bezinning. Het opladen van de accu.'

'Ja, en dat is precies wat jij nu doet.'

'Helemaal niet!' jammert ze. 'Ik laad de accu niet op! Iz, ik lig al de héle dag in bed! Ik heb met die chocoladekoekjes al vierduizendzeshonderddrieënvijftig calorieën naar binnen gewerkt.'

'Lara, blijf alsjeblieft rustig.' Ik leg mijn handen op haar schouders. 'We zorgen wel dat je hier doorheen komt. Heus. We doen alles wat nodig is. Maar zo meteen komt er een vreselijke styliste om een jurk te halen, dus dat moet ik eerst afhandelen. Maar daarna...'

345

Lara verslikt zich bijna. 'Bedoel je Jasmine?'

Ik knipper met mijn ogen. 'Hoe weet jij dat nou?'

'Een vreselijke styliste die een jurk kwam halen? Die was hier een kwartier geleden. Als ze niet aldoor op de bel had gedrukt, zou ik niet hebben opengedaan. Ze heeft de jurk meegenomen en stormde weg zonder een bedankje.'

Geweldig. Echt fijn. Dus Jasmine heeft al die vuilniszakken wel gezien.

Ik heb ook het verontrustende gevoel dat ik mijn Knorretje-pyjama open en bloot op bed heb laten liggen.

'Ik kom zo terug.' Ik laat Lara alleen en spoed me naar 'mijn' kamer. Ja hoor, de pyjama met al die Knorretjes erop ligt open en bloot op bed. Uiteraard slingeren er overal vuilniszakken. Ik was vergeten dat er om mijn bed heen allemaal lege flesjes Evian staan, en...

Wacht even...

De jurk van Lucien Black hangt er nog. Achter in de kast, aan zo'n duur, zacht hangertje, precies waar hij was toen ik van-morgen wegging.

Waarom is Jasmine helemaal hiernaartoe gekomen om die jurk te halen, en is ze zonder jurk weer vertrokken?

Heeft Lara zich maar verbeeld dat Jasmine is geweest? Had ze soms een psychose?

O god... Waarschijnlijk heeft het tegen Matthew zeggen dat hij toch maar met Annie moet trouwen zoveel druk uitgeoefend op het gedeelte van de hersenen – de cortex, de synapsen? – dat ze haar greep op de werkelijkheid kwijt is, en zich voorvallen en gesprekken herinnert die niet hebben plaatsgevonden.

Ik loop snel terug naar haar kamer, kniel bij het bed neer en zeg op die zangerige toon die je moet gebruiken tegen mensen die net een afschuwelijk trauma hebben opgelopen: 'Lara, ik wil je iets heel belangrijks vragen. Je zei daarnet dat Jasmine die jurk had opgehaald...'

'Klopt.'

Ik pak haar hand. Dit is net zoiets als in *The Sixth Sense*, wanneer je beseft dat Haley Joel Hoe-heet-ie-ook-weer eigenlijk een geest is. 'Maar Lara, de jurk hangt er nog.'

Lara heeft blijkbaar *The Sixth Sense* al een poos niet meer gezien. Ze trekt een gezicht. 'Nee hoor, ze heeft hem meegenomen.'

'Waarom hangt hij dan nog achter in de kast?'

'Dat weet ik niet, hoor. Ik heb gezien dat ze een zwarte jurk meenam.'

Opeens begint me iets te dagen. Alleen... Nee, dat kan niet. Onmogelijk.

'Hoe zag die jurk eruit?'

'Dat zei ik toch? Zwart.' Lara maakt een vaag gebaar. 'Met een blote schouder, en veiligheidsspelden op de heup.'

'Heeft ze díé jurk meegenomen? Maar... dat is de verkeerde! Dat is mijn toga-jurk! Die is niet eens echt klaar.'

'O... nou, ik zou me maar geen zorgen maken, Iz. Ze leek best in haar sas met die jurk.'

'Omdat ze denkt dat die gemaakt is door een modeontwerper van internationale topklasse!' Ik kom overeind. 'Maar daar gaat het nu niet om. Nancy denkt dat Eve Alexander vanavond de jurk van Lucien Black aanheeft.' Ik ga gauw naar mijn kamer. 'Ik moet weg.'

'Iz, wacht...' roept Lara me na. 'Waar ga je naartoe?'

Ik pak de beeldschone jurk van Lucien Black uit de kast, hang die over mijn arm, en terwijl ik de voordeur opentrek, roep ik achterom: 'Naar Claridge's!'

347

29

Uiteraard heb ik *Notting Hill* gezien. Dus weet ik dat beroemdheden een valse naam opgeven als ze in hotels logeren. Eve Alexander is afgestudeerd aan de universiteit van Oxford, en haar belangrijkste rollen heeft ze gespeeld in verfilmingen van de boeken van Jane Austen, dus zou ze best een naam uit de Engelse literatuur kunnen hebben gekozen. En dus probeer ik elk literair personage dat me maar uit de lessen op school te binnen wil schieten. Tegen de tijd dat ik bij Tess of the d'Urbervilles ben aangeland, strekt de onaardige dame van de receptie in Claridge's haar hand al uit naar de telefoon. Daarom loop ik maar weg, voordat ze de beveiliging gaat bellen.

Er moet een betere manier zijn om erachter te komen hoe ik bij Eve kan komen. O, ik weet het al! De fotografen! Die staan buiten aan de overkant van de straat, met hun telelenzen op de draaideur gericht. Die lui zijn de hele dag bezig beroemdheden te achtervolgen, toch? Dat is hun werk. Een van hen zal me toch wel een aanwijzing kunnen geven over onder welke naam Eve Alexander zich hier heeft ingeschreven? Ik kies een van de minst enge uit, een enorm lange, magere man in een slechtzittend leren jasje, en loop snel op hem af.

'Pardon, het spijt me dat ik u stoor terwijl u aan het werk bent, maar ik wilde het even met u hebben over Eve Alexander...'

'Moet je een handtekening?' Hij kijkt op me neer. 'Dan ben je te laat, mop. Ze is vijf minuten geleden weggegaan.'

Oké, geen paniek. Misschien ging ze alleen maar even naar Fenwick's aan Bond Street om een nieuwe panty te kopen of zo. 'U hebt zeker niet gezien wat ze aanhad. Ik bedoel, was ze helemaal opgetut, of...'

'O ja, helemaal opgetut.' Hij bevochtigt zijn lippen. 'Een zwart jurkje dat op een toga leek. Best leuk.'

Shit, ze is al weg. Ik heb haar gemist.

'Maar maak je niet druk, mop. Zo meteen komt Lindsay Lohan, misschien kun je haar handtekening krijgen.'

'Ik... ik wil geen handtekening.' Ik loop bij de paparazzi weg en slenter over Brook Street. Ik voel me duizelig. Hoe is het mogelijk dat Jasmine en Eve denken dat mijn thuis gemaakte, met de hand in elkaar gezette jurk een soort geniaal ontwerp is? En wat zal er gebeuren als ze erachter komen dat die jurk niet door Lucien Black is ontworpen?

En wat zal er gebeuren wanneer Nancy Eve ziet in een zwarte, met veiligheidsspelden bijeengehouden toga die totaal niet lijkt op het beeldschone jurkje van Lucien Black?

'O god!' hoor ik ineens. Het is een schrille stem. 'Wat doe jíj hier?'

Op de stoep staat Queenie Forbes-Wilkinson. Ze heeft iets minder make-up op dan gewoonlijk, en ze draagt een skinny spijkerbroek en een t-shirt. Maar ze heeft een heel lange kledingzak bij zich, en een tas van Jimmy Choo, waardoor ze eruitziet als een model dat van de ene show op weg is naar de andere. Blijkbaar heeft ze gezien dat ik ook met een jurk loop te sjouwen, want ze trekt een vies gezicht.

'Maar Isabel, je trekt dat ding toch niet wéér aan? Naar de *MiMi* Style Awards? Heb je dan echt helemaal niks anders?'

'O, maar ik ga niet naar de Style Awards...'

'Wat doe je hier dan?'

'Eh?' Ik snap er niets van.

'Bij Claridge's, om je mooi te laten maken door Nicky Clarke en Jemma Kidd? Ik heb net mijn jurk afgehaald bij Callum, en nu ga ik mezelf laten doen.' Opeens schiet haar iets te binnen. 'O, als je niet naar Claridge's gaat, dan ben je hier zeker voor Ben.'

Dat zou heel goed kunnen, want het kantoor van Redwood is hier in de straat. 'Ja.'

'Hoe is het met zijn oog?'

'Eh... Prima.'

'Ik heb Callum flink de les gelezen. Ik bedoel, ik snap dat hij kwaad was, maar dat is nog geen reden om Ben een blauw oog te slaan.'

'Heeft hij dat blauwe oog aan Callum te danken?'

'Heeft hij je soms verteld dat hij tegen een deur aan is gelopen?'

'Nee, hij...' Achteraf gezien heeft hij me voorgelogen dat hij mijn eer verdedigde tegenover een hitsige Belg. 'Maar... waarom zou Callum hem slaan?'

'Nou, hij was er eindelijk achter gekomen dat Ben totaal door mij is geobsedeerd.' Ze trekt haar wenkbrauwen op als ze mijn onthutste gezicht ziet. 'En vertel me nou maar niet dat je van niks weet. Ben fantaseert nog steeds over me. Voordat ik Callum leerde kennen, heb ik een weekje iets met Ben gehad. Dat was nog in de Verenigde Staten. En sinds hij weer in Londen is, loopt hij voortdurend achter me aan. Net een stalker!'

'Maar ik dacht...' Ik houd mijn mond. Want door wat Queenie heeft gezegd, vallen de schellen van mijn ogen. Ben Loxley, die lief doet wanneer Queenie in de buurt is. Die me uitnodigt ergens mee heen te gaan als hij weet dat zij er ook zal zijn. De snelheid waarmee hij me tot zijn vriendin bombardeerde, hoewel hij me achter gesloten deuren nauwelijks wilde aanraken.

'Ik dacht dat hij jou gebruikte om mij jaloers te maken.' Ze slingert haar staartje op haar rug. 'Jezus, Callum en jij zijn me een stelletje! Zie je dan niet wat er allemaal om je heen gebeurt?'

'Blijkbaar niet...'

'Nou, ik hoop dat ik je niet verdrietig heb gemaakt,' zegt ze onoprecht. Dan kijkt ze op haar horloge. 'Ik moet weg, anders kom ik te laat bij Jemma. Tot ziens, Isabel.' Ze wringt zich langs me heen en loopt snel door naar Claridge's, voor haar metamorfose.

Ik kan Ben Loxley wel vermoorden. Had hij niet even kunnen zeggen waarom hij afspraakjes met me wilde maken? Ik zou dat niet leuk hebben gevonden, maar dan zou ik niet hoeven denken dat ik een kneusje was. Ik was geen kneusje, ik was alleen Queenie niet. Ik bedoel, ik ging met Ben uit omdat het me na het debacle met Will het gevoel gaf dat ik toch aantrekkelijk en begeerlijk was. Zo aantrekkelijk en begeerlijk was ik echter niet voor hem, want hij was gek op een ander. Nou ja, misschien is het wel goed dat ik Queenie tegen het lijf ben gelopen. Nu ik dit weet, ga ik meteen naar Ben om het uit te maken. Voordat hij het met mij uitmaakt. Dan is mijn eer tenminste gered.

Ik been in de richting van Park Lane en kijk naar al die glimmende koperen platen aan de muren. Butterworth Finlay Associates... Kleinmann, Susskind, Lessing and Lomas... Jezus, stel je voor dat je daar de hele dag de telefoon moet opnemen! Newton Capital...

Hé, wacht eens, zie ik Ben daar? Een eindje verderop, aan de overkant. Hij komt net uit een mooi pand met laurierboompjes in de vorm van lolly's aan weerskanten van de ingang. Ja hoor, dat is hem. Hij ziet er knap uit in een donkergrijs pak, wit overhemd, en zonder das. Van hieraf zie ik zijn blauwe oog, dat nu bijna helemaal paars is. Hij houdt een taxi aan, en stapt met twee andere mannen in. De ene is Fred Elfman, ook in het pak, en de ander... Ik kan hem niet goed zien, Ben staat in de weg. Het zal Callum wel niet zijn, na dat akkefietje in het hotel. Ha, nu kan ik het beter zien.

O. Het is Lucien Black.

Voordat Lucien instapt, geeft hij Ben een klap op zijn schouder. Eenmaal in de taxi lacht hij om iets wat Fred heeft gezegd. Het portier slaat dicht en de taxi rijdt weg in de richting van Grosvenor Square. Ik denk er even over me te verstoppen achter een geparkeerde auto zodat ze me niet kunnen zien, maar dan besef ik dat ze te geanimeerd in gesprek zijn om door het raampje te kijken.

Lucien zit dus niet in een afkickkliniek. Hij is in Londen. En hij gaat heel vriendschappelijk om met de lui die op het punt staan zijn bedrijf over te nemen.

Ik ben geen expert, maar iets zegt me dat dit niet klopt. Nee, het klopt helemaal niet.

30

Het goede nieuws is dat Nancy niet midden in de nacht woedend heeft gebeld om te vragen waarom Eve Alexander niet zoals beloofd is verschenen in een beeldschoon en elegant jurkje van Lucien Black, maar in een met veiligheidsspelden bij elkaar gehouden Isabel Bookbinder.

Maar dat wil nog niet zeggen dat ik goed heb geslapen. Ik lag wakker en tobde over Lucien Black. Wat moest ik doen? Na heel wat woelen en draaien heb ik een beslissing genomen. Ik ga het Nancy vertellen. Ik bedoel, morgen moeten er al handtekeningen worden gezet! Als er inderdaad een luchtje zit aan wat Lucien aan het uitspoken is, kan Nancy dat maar beter zo snel mogelijk weten. Ook al is ze kwaad op me. En daarom ben ik al om kwart over acht op mijn werk, zodat ik het er in redelijke privacy met Nancy over kan hebben.

Eigenlijk zou ik vaker vroeg moeten komen. Het is hier dan heerlijk stil, en Lilian is er niet om me het gevoel te geven dat ik iets heel verkeerds heb gedaan terwijl ik nog niet eens ben begonnen. Ik loop door de gang naar Nancy's werkkamer, en het verbaast me niet dat ze al achter haar bureau zit. Nou ja, ze hangt er eerder overheen, en ze heeft een enorme sjaal om. Ze zit te paffen en neemt slokjes uit een kartonnen koffiebeker. En ze heeft een zonnebril op. Binnen!

Wauw. Dat moet me het avondje zijn geweest, die Style Awards.

Ik klop op de deur en ze kijkt even op. 'O, ben jij het.'

Nu ik in haar werkkamer sta, zie ik dat ze onder die sjaal de jurk met zonsopgangtinten van gisteravond nog aanheeft. Haar haar is nog gedeeltelijk opgestoken, alsof ze bezig was het los te maken, maar halverwege werd gestoord. En onder de zonnebril zie ik uitgelopen make-up.

'Ben je na de party meteen hiernaartoe gegaan?'

'Ik heb hier geslapen.'

'O. Is het erg laat geworden?'

'Niet echt. Ik ben redelijk vroeg weggegaan. Een uur nadat het begon.' Ze kijkt me niet aan. 'Dat was nogal een verrassing voor mijn echtgenoot en de zeer atletische jongedame die hij in ons bed vermaakte.'

'Dat is een grapje...'

'Waarom zou ik over zoiets grapjes maken?' Opeens kijkt ze kwaad. 'Dat mijn echtgenoot zichzelf en mij alweer helemaal voor gek zet met zo'n blond sletje vind ik bepaald niet grappig.'

O god, dat blonde sletje is vast Marina van de boetiek van Lucien Black... 'Nancy, dat vind ik erg rot voor je. Ik had het je moeten vertellen toen ik hen samen in de winkel zag.'

'In de winkel? Hoezo, de winkel? Deze meid is gymjuf op de school van zijn dochter Polly. Ze doet het hockey- of lacrosseteam, of zoiets. Weer zo'n fantasietje van hem.'

Wat zei ze daar?

'Annie,' flap ik uit.

'Ja, zo heet ze.' Ineens kijkt ze me doordringend aan. 'Ken je haar soms?'

Ik moet op de witte bank gaan zitten. 'Volgens mij is ze de verloofde van mijn broer...'

Nancy trekt een gezicht. 'Nou, dan moet je je broer maar zeggen dat hij de bruidstaart kan afbestellen. Ze zag er niet echt uit als een trouw, aanstaand bruidje.'

Heeft Annie Matthew bedrogen? Maar volgens de Bookbindertjes zijn ze het ideale stel! Zelfs mijn vader heeft nog nooit iets slechts over Annie gezegd. Daarom heb ik Lara ook al vier jaar lang gezegd dat ze de hoop moet opgeven. Omdat Annie en Matthew onafscheidelijk zijn.

Maar dat was blijkbaar voordat er een engerd met gladde tong zoals Hugo Tavistock voorbijkwam.

O jee, had Annie het daarom zaterdag zo druk? Ging ze nou met Amanda shoppen, of lag ze met Hugo in bed? En de mysterieuze uitstapjes naar Annabel's gingen achteraf dus blijkbaar niet alleen om roze cocktails en dansen op tafel.

'Weet je, de avond was toch al verpest.' Nancy zet de zonnebril af en kijkt me met bloeddoorlopen ogen aan. 'Je zult wel begrijpen dat het na de opwinding dat Eve Alexander toch had besloten in Luciens jurk te gaan, het een hele schok was haar in iets heel anders te zien.'

O god... 'Nancy, dat kan ik uitleggen. Het was een stomme vergissing, en ik neem de verantwoordelijkheid daarvoor op me...'

Nancy gaat door alsof ik niets heb gezegd. 'Gevolgd door de behoorlijk onverwachte onthulling van een andere gast, namelijk ene mevrouw Queenie Forbes-Wilkinson, dat jij de vriendin bent van een van de motors achter Redwood Capital.'

Wacht eens... Weet Queenie dat ik voor Nancy werk? Hoe weet ze dat nou weer?

Nancy ziet dat ik in verwarring ben gebracht. 'Kennelijk liep ze een vriendin van haar die styliste is in Claridge's tegen het lijf. En die vriendin klaagde over ene Isabel Bookbinder die Eve had overgehaald toch maar geen Marchesa te dragen.'

'Jasmine,' breng ik gesmoord uit.

'Ja, Jasmine.' Ze knikt. 'Uiteraard verbaasde dat Queenie, want zij dacht dat je modeontwerper was, niet mijn personal assistant. Maar uiteraard kan iemand best zowel het een als het ander zijn. Het kan zelfs een voordeel zijn, bijvoorbeeld als je de klanten van je baas wilt afpikken, en je bovendien van alles en nog wat te horen krijgt wat je kunt doorbrieven aan je vriend.'

Wát? Nee... 'Nancy, je hebt het helemaal bij het verkeerde eind! Ik wilde Eve niet van je afpikken. Dat ze die jurk droeg, was een vergissing. En ik ben helemaal geen modeontwerper!'

'Nee?' Het ongeloof druipt ervan af. 'Het lukt je om Eve Alexander voor de Awards in een jurk van jou te krijgen, maar je bent geen modeontwerper?'

'Nee, echt niet!' Wanhopig wring ik mijn handen. 'Ik zit niet in de mode. Ik heb alleen déze jurk gemaakt, voor een vriendin van de familie. Die hing in mijn slaapkamer naast Luciens jurk, en toen dacht Jasmine waarschijnlijk dat dit de goede was...'

'Nou, dat verbaast me niets. Een briljant ontwerp.'

Ik kijk haar met grote ogen aan. 'Briljant?'

'Ja, briljant. De asymmetrie, het draperen, de handgezette steken... Eve leek verdomme wel een engel.' Ze pakt de *Daily Mail* van de stapel kranten op haar bureau, de kranten die elke dag worden bezorgd, en gooit hem naar mij. 'Hier.'

Ik pak de krant van de grond, en sper mijn ogen wijd open wanneer ik de voorpagina zie. Daar staat een grote foto van Eve, en zoals Nancy al zei, ze ziet eruit als een engel. In míjn jurk. Ze poseert met een glimlachje, met haar ene hand in haar zij. Ze ziet er cool, elegant en funky uit. En ook heel erg slank. Dat komt zeker door de gedrapeerde zijde, en de manier waarop ík die heb gedrapeerd. Ze lijkt echt die paar pondjes te zijn kwijtgeraakt waarover ze maar bleven zeuren in kranten zoals de *Daily Mail*. Die ene blote schouder accentueert haar volmaakte sleutelbeen, en waar de asymmetrische zoom hoog boven haar knie eindigt, toont ze een stukje been, maar het blijft zedig. En heel sexy.

Is dit míjn werk?

Nancy kijkt me strak aan. 'Was dat een ideetje van Ben Loxley? Of was het afpikken van een klant gewoon een extraatje terwijl je voor Redwood spioneerde?'

Nou, ik hoop dat Queenie tevreden is. Ik weet niet of zij ervoor heeft gezorgd dat Nancy denkt dat ik voor Redwood spioneer, of dat Nancy dat is gaan veronderstellen nadat ze van Queenie hoorde dat ik iets met Ben heb. In elk geval zit ze er helemaal naast. En dat terwijl ik iets belangrijks over Redwood heb te vertellen.

Ik leg de krant neer. Mijn handen trillen. 'Nancy, toe nou. Ik bespioneer je niet, echt niet. Ik zweer het. En ik heb je iets over Redwood te vertellen. Iets wat je moet weten. Volgens mij zijn ze iets aan het bedisselen met Lucien. Achter jouw rug om. Ik heb Lucien dit weekend in Shepton Mallet gezien. Ik dacht dat hij gewoon op kroegentocht was, maar nu ik erover heb nagedacht, vermoed ik dat hij daar met Redwood heeft gesproken. Want gisteren zag ik hem weer, met Ben en Fred Elfman...'

'Hoe durf je de aandacht van jezelf af te leiden en insinuaties over Lucien te maken?'

'Nee, dat doe ik niet!'

'Wie denk je wel dat je bent? Lucien is al vijftien jaar mijn beste vriend, en jou ken ik nog geen twee weken!'

'Bel de afkickkliniek dan! Zij zullen je vertellen dat hij daar niet is. Vervolgens kun je hem op zijn mobiel bellen, en hem vragen wat dit te betekenen...'

Opeens slaat Nancy met haar platte hand hard op het bureaublad. 'Wil je dat ik mijn beste vriend aan een kruisverhoor onderwerp? Omdat jíj dat zegt, terwijl is bewezen dat je een grote leugenaar bent?'

'Ik heb niet gelogen,' mompel ik. 'Niet echt...'

'Kom op, zeg! Het is echt jammer dat ik je niet meteen doorhad. Ik bedoel, al die onzin over Bianca Jagger... Ik dacht toen al dat je loog, maar dat je dat deed omdat je zo dolgraag voor me wilde werken. Dit is mijn verdiende loon, omdat ik me laat vleien.'

'Maar ik wilde echt dolgraag voor je...'

Ze staat op, loopt naar de deur en zet die wijd open. 'Wegwezen, Isabel.'

'Maar Nancy, toe...'

'Als je nu niet meteen weggaat, bel ik de beveiliging.'

Ik verdedig mezelf maar niet meer. Het is heel erg gênant om door de beveiliging uit het pand te worden gezet. Ik ga liever op een waardiger manier. Dus sta ik op en loop naar de deur.

'Weet je,' zegt Nancy wanneer ik voor haar sta. 'Ik vind het vooral erg omdat ik je graag mocht. Ik vertrouwde je.'

'Maar je kunt me nog steeds vertrouwen. Echt...'

'Nee, onmogelijk. Ga maar weg, Isabel. Ga.'

31

Als Ben die avond de deur opendoet, zie ik aan zijn gezicht dat hij totaal niet verwachtte dat ik voor zijn neus zou staan. In zijn ene hand heeft hij een glas rode wijn, in de andere een paar vellen papier en een balpen. Zijn blauwe oog heeft nu rode en paarse vlekken, en zijn neus ziet er aan de ene kant gezwollen uit.

'Mag ik binnenkomen?' vraag ik.

Zijn wenkbrauwen schieten omhoog, en hij kijkt demonstratief op zijn horloge. 'Isabel, het is al negen uur. Om heel eerlijk te zijn heb ik het druk met de deal met Lucien Black. Morgen worden de handtekeningen gezet, en ik moet alles nog een keer nalopen...'

'Het duurt maar even. Toe, we moeten echt praten.'

Met een zucht steekt hij de papieren onder zijn arm en legt dan zijn hand op mijn schouder. 'Hoor eens, ik weet wat je voor me voelt, maar volgens mij heb je je te snel aan me gehecht. Het is me allemaal te intens.'

Ik wist het wel! Hij gaat doen alsof het aan mij ligt. Jezus, het is maar goed dat ik van Queenie heb gehoord hoe de vork echt in de steel zit, anders was ik nu een snikkend hoopje ellende.

Ik tover een verdrietig glimlachje op mijn gezicht. 'Daar heb ik alle begrip voor, Ben.'

'O ja?' Hij kijkt verbaasd. Volgens mij had hij liever dat snikkende hoopje ellende gezien.

'Ja. Maar toch wil ik even met je praten. Zodat het later niet zo pijnlijk is als we elkaar tegenkomen. Ik bedoel, we kunnen elkaar niet eeuwig blijven ontlopen. Per slot van rekening ben je Matthews beste vriend.'

Daar denkt hij even over na. 'En met de bruiloft binnenkort...'

Als het aan Hugo Tavistock ligt, komt er geen bruiloft, denk ik.

'Precies,' zeg ik. 'We moeten even schoon schip maken.'

Hij kijkt me een beetje wantrouwig aan. 'Als vrienden?'

Het is toch niet te geloven... 'Ja, als vrienden.'

'Nou, goed dan.' Edelmoedig laat hij me binnen en gaat me voor naar de woonkamer. 'Ik ben hier aan het werk, dus let alsjeblieft niet op de rommel.'

Zo rommelig is het er niet. Vergeleken met de zwijnenstal waarin Lara haar appartement de afgelopen twee dagen heeft omgetoverd, is het hier keurig netjes. Er staat een laptop op de salontafel, en op het bijzettafeltje naast de bank staat een bord met plakjes wortel en selderijstengels. O god, zijn iPhone ligt op de bank! Geweldig, want daar kom ik voor.

Nou ja, niet voor het toestel zelf natuurlijk. Ik heb al genoeg problemen, daar hoeft niet ook nog een aanklacht wegens diefstal bij. Ik moet iets uit dat toestel hebben. Het bewijs dat Ben contact heeft met Lucien Black.

Een bewijs dat er van en naar het toestel van Lucien is gebeld, is voldoende. Een sms'je zou nog beter zijn. Gewoon iets wat ik Nancy kan laten zien zodat ze even gaat nadenken voordat ze haar handtekening zet. Ze moet zich gaan afvragen of haar zogenaamde zakenpartner echt wel het beste voorheeft met het bedrijf.

'Glaasje wijn?' vraagt Ben op een toon die aangeeft dat hij alleen maar beleefd is en graag een weigering van mij zou horen.

'Ja, graag.' Hoe langer ik hier ben, des te beter. Ik moet een manier zien te vinden om hem een poosje de kamer uit te krijgen.

Ben loopt naar het slanke buffet met chroompanelen, pakt een fles en schenkt me een royaal vingerhoedje in. Hij bedoelde dus echt een glaasje. Niet een glas. Verdorie, zo wordt het nog lastig hier lang te blijven.

Nadat hij me het glaasje heeft gegeven, zegt hij heel zakelijk: 'Laat me beginnen met te zeggen dat je je nergens voor hoeft te schamen.' Hij neemt een slokje uit zijn glas. 'Ik bedoel, we hebben een paar keer afgesproken en het liep op niets uit. Dat kan gebeuren.'

Dat kan gebeuren? Ik word steeds kwader.

'Weet je, Ben, ik ben het toch niet helemaal met je eens. Als we gewoon een paar keer hebben afgesproken, waarom bazuinde je dan rond dat ik je vriendin was?'

'Pardon?'

'Voor mij was dat behoorlijk gênant,' flap ik eruit. 'Ik bedoel, mijn ouders vinden me toch al een ramp. Ze zullen diep teleurgesteld zijn dat het nu al uit is.'

Dit had ik niet willen zeggen, maar Ben ziet er zo zelfvoldaan uit, en hij wil zo graag dat ik overal de verantwoordelijkheid voor neem, dat ik het niet kon laten.

Hij knikt wijs. 'Dat begrijp ik. Toen ik het uitmaakte met Saskia, was haar moeder heel erg bedroefd...'

'Allemachtig, Ben, je bent echt niet de beste partij ooit!' zeg ik geërgerd. 'Voor hen is het alleen weer een reden om te denken dat ik heb gefaald. En over Saskia gesproken,' ga ik verder omdat ik niet meer tegen te houden ben, 'bestaat ze eigenlijk echt, of heb je nog een relatie verzonnen?'

Zijn gezicht wordt strak. Met een klap zet hij zijn glas op de salontafel. 'Verzonnen?'

Goed, ik moet dus oppassen. Hij mag me niet de deur uit gooien.

Trouwens, ik wil hem helemaal niet op stang jagen. En om

heel eerlijk te zijn, heb ik een beetje medelijden met hem. Goed, hij is een egoïst en hij heeft me gebruikt, maar het is geen misdaad om hopeloos verliefd op Queenie te zijn. Het is onbegrijpelijk, maar geen misdaad.

'Sorry, ik bedoelde er niets mee. Ik wilde alleen... Je weet toch dat mijn vader altijd kritiek op me heeft, op alles wat ik doe, en nu heb ik weer een verbroken relatie...' Ik snif. 'O, sorry. Ik wilde echt niet gaan huilen...'

'Dat geeft niet,' zegt hij geërgerd.

'Heb je een zakdoekje?'

Hij kijkt me onderzoekend aan omdat hij geen spoor van tranen ziet. 'Heb je een zakdoekje nodig?'

'Nou, ik ben bang dat mijn mascara uitloopt... En ik zou geen zwarte vlekken op je mooie, dure bank willen maken.'

Dat was een goede zet. Hij springt zowat over de meubels om maar gauw een doos tissues uit de badkamer te halen. 'Ik haal er wel een.'

Zodra hij de kamer uit is, pak ik zijn iPhone en zet het scherm aan. Mijn handen trillen, en dat is erg vervelend, en ik kan nauwelijks meer denken, en dat is nog vervelender. Concentreer je, Isabel! Nou, eens kijken of ik Bens laatste gesprekken kan vinden... Nee, geen stom weerbericht dat zegt dat het morgen bewolkt is met een temperatuur van vijftien graden.

'Hier.'

Ik schrik en laat de telefoon gauw los wanneer Ben met een doos tissues en een frons op zijn gezicht terugkomt.

'Je hebt toch geen vlekken op de kussens gemaakt?'

'Nee... Maar, weet je wat ik heel graag zou willen?'

Hij geeft me de doos tissues. 'Wat dan?'

'Een kopje thee!' Ja, dat is een goed idee. Een kopje thee zetten duurt minstens een paar minuten. 'Een kopje warme, zoete thee.'

'Thee?'

'Ja. Weet je, dit alles is behoorlijk schokkend voor me, Ben.' Ik zet een trillende stem op, iets wat me geen enkele moeite kost. En ik veeg een onzichtbare traan weg met een tissue.

'Maar je zei dat je het begreep. Dat je alleen maar de lucht wilde klaren.'

'Jawel, maar nu ik hier ben...' Ik kijk om me heen. 'Nu besef ik pas dat ik het veel erger vind dan ik dacht.'

Hij ziet eruit alsof hij wordt verscheurd door ergernis en ijdelheid. De ijdelheid krijgt de overhand.

'Goed, dan zet ik wel thee.'

'O, dank je wel!' breng ik zwakjes uit terwijl hij naar de keuken loopt en achter de hoge Poggenpohl-kasten verdwijnt. Ik hoor hem de ketel pakken, ik hoor water lopen, en dan hoor ik dat hij de kastdeur opent en een mok pakt.

Goed, een nieuwe poging. Ik pak de iPhone en zoek naar de laatste berichten. Ik druk op de knop met een telefoontje erop en... hebbes. Hij belt dus met Fred Elfman, Matthew Bookbinder en... Lucien Black. Er staat: Lucien B mobiel. En het laatste gesprek heeft plaatsgevonden om 19.57. Vandaag.

Precies wat ik nodig heb! Ik zoek in mijn tas naar mijn eigen mobieltje, zet de camerafunctie aan en neem gejaagd een foto van het scherm van de iPhone.

'Is Earl Grey goed?' roept Ben vanuit de keuken.

'O ja, prima.' Ik druk op de middelste knop om terug te gaan naar het hoofdmenu en druk dan op het icoontje voor sms'jes. Weer een hele lijst namen van mensen die hem berichtjes hebben gestuurd. Er is er eentje van Queenie: *Nooit en te nimmer.* Ik vind het bijna jammer dat er geen tijd is om de hele bericht-wisseling te lezen. Er zijn ook sms'jes van lui die klinken alsof ze ook durfkapitalist zijn. En helemaal onderaan staat wat ik zoek.

Lucien B mobiel – 19.46
Ben nu bij NT. Bel je over 10 minuten.

Ik weet niet waarom ik daar toch van sta te kijken. Per slot van rekening heb ik Lucien en Ben als dikke maatjes in de taxi zien stappen. En toch doet het me iets om bevestigd te krijgen dat ze inderdaad met elkaar communiceren. Het is bijna griezelig. Want ik heb gelijk. En ik heb nooit gelijk.

Wanneer ik op Luciens berichtje tik, komt er een heel scherm vol sms'jes. Ik lees de correspondentie snel door, te beginnen met een sms'je van Ben.

Tijd om morgen even iets te gaan drinken? Heb nog beetje info nodig.

Oké. Is er iets?

Niet echt, maar Fred is het met me eens dat NT's advocaten een beetje nerveus worden. Weet je zeker dat ze van niets weet?

Absoluut zeker. Ik heb verdorie mijn goede naam hiervoor op het spel gezet! Het gaat niet om knikkers!

Lucien heeft wát gedaan? Heeft hij zijn goede naam op het spel gezet? Expres?

Maar dat betekent... Al die onzin over doorzichtige kleding, het moderedactrices bekogelen met champagneflessen... Dat was allemaal expres? Maar waarom zou Lucien zoiets doen?

Nou... Nu ik erover nadenk, het is best handig voor Redwood Capital dat Luciens geestelijke instorting en zijn eerste grote flop op de catwalk een paar weken voor ze zijn bedrijf willen overnemen plaatsvinden. Want dan kunnen ze hun bod aanzienlijk verlagen.

Ik zet de camerafunctie van mijn mobieltje weer aan en maak zo goed en zo kwaad als het gaat weer een foto van het schermpje van de iPhone. Het resultaat is een beetje vaag, je moet echt turen om het te kunnen lezen, maar het is leesbaar, vanaf Luciens naam bovenaan tot zijn onopzettelijke schuldbekentenis.

Ik zet de iPhone weer op het neutrale scherm en steek mijn mobieltje veilig terug in mijn tas. Net op dat moment komt Ben binnen met een porseleinen mok in zijn hand.

'O, fijn!' Ik sta op en neem een slokje. De thee is gloeiend heet. 'Goh, bedankt, Ben, net wat ik nodig had.' Ik neem nog een slok. 'Nou, ik ben blij dat we even hebben gepraat. De lucht is echt geklaard.'

'Ga je al?' Hij kijkt me verwonderd aan wanneer ik hem de mok teruggeef en mijn tas over mijn schouder hang. 'Nu al?'

'Natuurlijk!' Ik ga op mijn tenen staan en geef hem een zoen op beide wangen. Vervolgens zet ik koers naar de voordeur. 'Je zei toch dat je het druk had?'

'Maar... de thee... Ik dacht dat je het over óns wilde hebben.'

'Och, wat valt er eigenlijk nog te zeggen? Ik wilde het alleen maar afsluiten. En volgens mij is dat nu wel gebeurd, toch?' Ik doe de deur open, loop de treden af en de straat op.

'Eh... ja...'

'O, en bedankt voor de thee. En voor alles!' Ik kijk nog even om voordat ik de hoek om ga. 'Ik zie je nog wel, Ben.'

Hij haalt zijn schouders op en steekt zijn hand omhoog. Eerst denk ik dat hij naar me wil zwaaien, maar hij doet alleen de deur dicht.

Ontbijtprogramma van 11 januari, 11.15 uur

FERN BRITTON: Dus blijf bellen voor de probleemrubriek van Denise Robertson, die graag van je wil horen als je worstelt met de menopauze.

PHILLIP SCHOFIELD: Onze volgende gast is een modeontwerper van internationale topklasse, eigenaar van twintig ~~concepten winkels~~ over de wereld verspreide boetieks, en de persoon tot wie alle gefortuneerden en beroemdheden zich wenden wanneer ze een jurk voor de Oscaruitreiking nodig hebben.

FERN: En niet alleen dat, ze heeft ook een openhartige biografie geschreven die laat zien wat een slangenkuil de modewereld kan zijn.

PHIL: Ze is hier al eerder geweest. We zijn blij dat we Isabel Bookbinder nogmaals mogen verwelkomen. Isabel, hoe gaat het met je?

ISABEL BOOKBINDER: Heel goed, Phil. Leuk jullie weer eens te zien!

FERN: Dit boek, Isabel, *Mijn worsteling...* (houdt groot boek op, met meer foto's dan tekst) Dit boek is echt fascinerend. Was het erg pijnlijk voor je om het allemaal te vertellen?

ISABEL: Soms wel, Fern, soms wel. Het bracht veel herinneringen aan een turbulente periode boven.

PHIL: Laten we het eerst eens over die tijd hebben. Je geeft zelf toe dat je eerste baan binnen de modewereld niet als ontwerper was, maar dat je ~~niets meer dan~~ een eenvoudige personal assistant was voor de professionele muze Nancy Tavistock. Je geeft ook toe dat je om die baan te krijgen de waarheid over jezelf een beetje opsmukte, om het zo maar eens te zeggen.

ISABEL: Klopt. (kijkt naar de grond, pinkt traantje weg) Ik heb het nog nooit eerder verteld, maar inderdaad, ~~ik heb gelogen~~

~~dat ik zwart zag~~ ik heb mijn cv een beetje opgesmukt om in de modewereld te kunnen indringen. Ik wil graag van deze gelegenheid gebruik maken om mijn excuses aan te bieden aan de personen die ik onopzettelijk heb meegesleurd in deze ~~zooi~~ situatie: Nancy Tavistock, die mijn uiterst vriendelijke en genereuze baas was, Bianca Jagger, die niet mijn peetmoeder was...

FERN: En weet je nog, toen was er die enorme ruzie met Nancy Tavistock, hè? Toen ze je ervan beschuldigde dat je haar pogingen saboteerde Eve Alexander toch in een creatie van Lucien Black te krijgen, in de periode dat het bedrijf wankelde?

ISABEL: Inderdaad, Fern. Maar dat was niet waar. ~~Als er iemand schuld heeft, is het wel de styliste Jas~~ Weet je, dat is een van de redenen waarom ik dit boek heb geschreven. Ik wilde alles rechtzetten. Ik had niet moeten liegen om die baan te krijgen, maar ik heb Nancy wat dat andere betreft niet om de tuin geleid.

PHIL: En je hebt heel erg spijt van het hele zaakje, toch? (heeft moeite zich goed te houden) Ik bedoel...

FERN: (houdt script voor mond) O, Phil, hou op...

PHIL: (bijna hysterisch) Het spijt me...

FERN: (doet moeite niet te giechelen) Sorry, Isabel. Zeg, er waren anderen met wie je werkte die de boel nog veel erger belazerden, toch?

ISABEL: Ja. Uiteraard kan ik hun namen niet noemen, maar ik was diepgeschokt toen ik ontdekte dat een modeontwerper van internationale topklasse zijn zakenpartner en zeer goede vriendin bedroog. Ik zag hem in het geheim met investeerders spreken. Ik merkte dat hij loog over waar hij zich bevond. Uiteindelijk kreeg ik sms'jes te pakken die het overtuigend bewijs vormden dat hij expres had gedaan alsof hij geestelijk was ingestort, waarschijnlijk om de investeerders minder geld te laten bieden voor zijn bedrijf.

PHIL: Dat was heel alert van je, Isabel.

ISABEL: Nou ja, hij bedroog Nancy Tavistock, mijn uiterst vriendelijke en genereuze baas. Hij troggelde haar geld af, terwijl ze dat zelf hard nodig had. Het was wel het minste wat ik kon doen.

FERN: Dus je carrière binnen de mode ging eerst niet op rolletjes, maar juist daardoor werd je aangemoedigd door te zetten. Klopt dat?

ISABEL: Ja, dat klopt. ~~Ik had een van de belangrijkste perso-nages binnen de modewereld eens goed te kijk gezet~~ Door dit alles besloot ik dat ik waarschijnlijk beter op een meer traditionele manier een plekje binnen de modewereld kon veroveren. Het drong tot me door dat ik een echte opleiding zou moeten volgen, ook al was het maar de prestigieuze mastersopleiding van Central Saint Martins. Daar moest ik maar eens de rudimentaire basiskennis opdoen van het in elkaar zetten van kleding.

PHIL: En dat wilde je allemaal nog doen terwijl je al verbazend veel succes had geoogst met de creatie van de toga-jurk waarmee Eve Alexander boven aan de lijst van bestgeklede vrouwen ter wereld kwam te staan? Ik heb gehoord dat juist door die toga-jurk de aandacht van Martin Scorsese op Eve viel, en dat ze daardoor de rol kreeg in zijn volgende film, hetgeen haar een Oscar opleverde.

ISABEL: (bescheiden) Och, Eve is een beeldschone vrouw. Ik weet zeker dat iedere ontwerper die ze om een jurk vraagt, haar dolgraag zou willen gerieven. (Ze zucht) Wacht, dat moet ik anders verwoorden...

FERN: (kan niet meer van het lachen)

PHIL: (ligt dubbel)

FERN: (mascara loopt uit)

PHIL: (veegt ogen droog met mouw) Dank je wel, Isabel. Het was fijn dat je hier wilde zijn.
ISABEL: Graag gedaan.

Reclameblok

32

Ik had niet gedacht dat iemand verbaasder kon kijken dan Ben toen hij me eerder vanavond voor de deur zag staan. Maar wanneer Will de deur opent van zijn – ons – appartement in Battersea Park, kijkt híj toch nog verbaasder.

'Isabel.'

'Hoi.'

'Wat...' Hij schraapt zijn keel. 'Wat doe jíj hier?'

'Weet ik eigenlijk niet.'

Godallemachtig! Waarom zeg ik dat nou? Ik weet heel goed wat ik hier doe. Ik had zelfs gerepeteerd wat ik zou zeggen. Maar wanneer ik Will verdomme zie staan, met die smeulende blik in zijn ogen, en heel knap in de spijkerbroek die ik hem bij Harvey Nichols heb laten kopen, en met een van al die bijna identieke lichtblauwe shirts aan, raak ik helemaal van slag.

Ik begin opnieuw. 'Ik bedoel, ik weet het wel. Eh... Ik wilde je iets vragen. Het heeft met mijn werk te maken. Maar...'

'O.' Meteen verdwijnt die verbaasde blik en trekt hij een uit-drukkingsloos gezicht. 'Werk. Natuurlijk.' Hij trekt de deur bijna helemaal achter zich dicht. 'Kan je nieuwe vriend je daar niet mee helpen?'

'Hij is mijn nieuwe vriend niet.'

Hij trekt zijn wenkbrauwen op. Ik weet dat hij dat doet bij lastige cliënten, of bij pompeuze collega's. Ik moet zeggen, het is heel effectief. 'O? Hij scheen te denken dat hij dat wel was.'

'Nou ja, hij was het ook. Zo'n beetje. Maar nu niet meer.' Ik haal diep adem. 'Het is allemaal behoorlijk ingewikkeld. Het was een vergissing. En het spijt me van die avond op het feest. Dat was onvergeeflijk.'

Niet op zijn gemak haalt Will zijn schouders op. 'Geeft niet. Ik had niet moeten komen. Ik weet niet waarom ik dat deed.'

We blijven een poosje zwijgend staan, huiverend in de frisse avondlucht.

'Nou,' zegt Will uiteindelijk. 'Er was een probleem op je werk?'

'O ja. Sorry. Iets juridisch.'

Nu zou hij zijn hand moeten opsteken en lachend zeggen: o, juridisch? Dan staan we hier nog uren! Weet je wat? Kom maar binnen, dan trek ik een fles wijn open.

Maar hij zegt niets. Hij maakt geen grapje, hij vraagt me niet naar binnen te komen. Niets. Hij slaat alleen zijn armen over elkaar en wacht geduldig af.

'Nou, eh... Is het juridisch gezien tegen de wet om samen te spannen en daardoor een bedrijf minder waard te maken?'

'Pardon?'

'Nou, zodat ze het veel goedkoper kunnen overnemen.'

'Allemachtig!' Will spert zijn ogen wijd open. 'Wat heb je je nu weer op de hals gehaald, Isabel?'

'Niets! Ik heb er niets mee te maken.' Opeens word ik kwaad. Het is allemaal weer precies hetzelfde: wat heeft die stomme Isabel nu weer uitgespookt? Ik draai me om. 'Laat ook maar. Het spijt me dat ik...'

'Iz! Wacht!' Hij pakt me bij de arm. 'Ik bedoelde er niks mee. Alleen, wat jij daar beschrijft, riekt griezelig veel naar bedrijfsfraude. En dat is een heel ernstige zaak.' Hij fronst zijn voorhoofd. 'Ik snap het niet. Ik dacht dat je iets met mode deed.'

'Dat doe ik ook. Maar er zijn ontwikkelingen.'

Nog steeds houdt hij mijn arm vast. 'Toe, Iz, vertel het me. Ik wil echt graag helpen. Als ik dat kan.'

Ik kijk naar hem op. Nog steeds kijkt hij zo uitdrukkingsloos, maar in zijn ogen is een zachtere blik verschenen. Tenminste, dat denk ik. 'Oké. Het kan ook dat het niets bijzonders is. Maar het is strikt vertrouwelijk.'

'Uiteraard.' Hij knikt ernstig. 'Ik beloof je dat ik morgenochtend vroeg niet met deze inside informatie naar mijn effectenmakelaar zal rennen.'

Ik kijk hem boos aan. 'Ha ha. Nou, ik heb dus voor Nancy Tavistock gewerkt. Ze is mede-eigenaar van het bedrijf van Lucien Black. Je weet wel, de modeontwerper.'

'Wauw.' Weer schieten zijn wenkbrauwen omhoog. 'Dat klinkt goed, Isabel.'

'Gewoon als personal assistant, hoor.' Ik voel dat ik bloos. 'Niks bijzonders. Ik wilde gewoon een voet tussen de deur krijgen.'

'Nou, het klinkt als een forse voet. Tussen een eh... forse deur.' Ineens kijkt hij of hij zich schaamt. 'Ik bedoel... Nou ja, je weet wel wat ik bedoel.'

Ik ga dapper verder, blij dat ik niet de enige ben die stomme dingen zegt. 'In elk geval, Nancy staat op het punt het bedrijf te verkopen aan grote investeerders. Durfkapitalisten. Redwood. Maar volgens mij spant Lucien achter Nancy's rug om met Redwood samen.'

'Met welk doel?'

'Dat weet ik niet precies. Maar ik heb hem met mensen van Redwood gezien terwijl hij werd verondersteld in een afkickkliniek te zitten. En nu heb ik bewijzen dat hij sms't met Be...' Ik verbeter me snel. 'Met iemand van Redwood.'

'Doe maar niet zo moeilijk. Ik weet dat die ex-niet-vriend van je voor Redwood Capital werkt, hoor.'

'Ja?'

Will kijkt naar de tegeltjes voor de deur. 'Ik heb op het feest bij Matthew en Annie aan iemand gevraagd hoe hij heette. En de dag na het feest heb ik hem gegoogeld,' mompelt hij.

Geloof het of niet, dit is het beste nieuws dat ik deze week heb gehoord. Will heeft op internet naar Ben gezocht! Dat zou hij niet hebben gedaan als hij niet meer om me gaf.

'Nou ja,' ga ik verder, 'Lucien wordt verondersteld geestelijk ingestort te zijn, waardoor hij met een heel bizarre collectie kwam. Redwood heeft nu het bod met meer dan de helft verlaagd...'

'En jij denkt dat ze het samen zo hebben afgesproken, en dat ze... Tja, wat? Dat Lucien een smak geld krijgt omdat ze het bedrijf kunnen kopen voor ruim onder de waarde?'

Ik knipper met mijn ogen. 'Eh... ja. Ja, dat denk ik.'

'Mag ik die sms'jes eens zien?'

Ik zoek naar de vage foto, overhandig mijn mobieltje en kijk naar Wills frons, die steeds dieper wordt.

'En?' Ik bijt op mijn lip. 'Wat vind je ervan? Het hoeft niet voldoende te zijn voor een aanklacht. Nancy moet het serieus kunnen nemen zodat ze niet met die deal akkoord gaat.'

'Nou, het is in elk geval niet voldoende voor een aanklacht.'

'O.' Dat vind ik toch erg jammer. Ik had al visioenen van Lucien, Ben en Fred voor de rechter, met een uit schaamte gebogen hoofd, terwijl de rechter voorleest wat voor verschrikkelijke misdrijven ze hebben gepleegd, en die me dan bedankt omdat ik ervoor heb gezorgd dat ze konden worden ingerekend.

'Ik moet wel zeggen dat als Nancy onze cliënt was en ik zou die sms'jes zien, ik haar zou adviseren niet door te gaan met de deal.'

'Echt?'

'Ja. Het hele zaakje stinkt. Die Nancy Tavistock moet zich terugtrekken.'

Ik trek een gezicht. 'Maar dat is juist het probleem. Ze heeft er maanden aan gewerkt, en ze heeft het geld hard nodig...'

'Met wat jij daar hebt kan ze de besprekingen met Redwood openbreken. Ik weet zeker dat de gedachte aan een onderzoek door de financiële autoriteiten voldoende is om Redwood een genereuzer bod te laten uitbrengen. Ze heeft toch zeker een advocaat? Zou je het goed vinden als ik contact opnam met die firma om ze te vertellen waar jij achter bent gekomen? Dan kunnen ze zelf uitmaken hoe het verder moet.'

Dat zou fijn zijn. Maar ik denk dat Nancy het beter rechtstreeks van mij kan horen. Bovendien moet ik eens leren doorzetten. 'Nee, dank je. Ik zal mijn best doen tot haar door te dringen.'

Hij haalt zijn schouders op. 'Nou, als je hulp nodig hebt, geef je maar een gil. Je krijgt korting.'

Opeens moet ik breed grijnzen. Ik kan er niets aan doen. Want dit is zo'n advocatengrapje van hem. Zo'n suf advocatengrapje met een baard. Zo'n grapje waarvan ik altijd zei dat ik wel eens iets leukers had gehoord. Maar toch moest ik er soms – nou ja, best vaak – om lachen.

'Will...'

'Will?' Iemand anders zegt ook zijn naam. Iemand met een mannenstem, binnen, op de trap naar het appartement. 'Moesten we nou de rode planeta opentrekken of de witte?'

Ik zet een stap naar achteren. 'Sorry, ik stoor...'

'Nee, helemaal niet!' zegt Will met een piepstem. 'Gewoon een paar collega's.'

Collega's. Ja, hoor. 'Nou, dan is het maar goed dat je niet hebt gevraagd of ik binnen wilde komen,' merk ik stijfjes op. 'Ik zou niet willen dat je je moest generen.'

'Ik zou je zeker hebben gevraagd binnen te komen als ik niet had geweten wat je vindt van...' snauwt hij. 'Nou ja, wat je vónd van mensen van Thomson Tibble.'

'William? Rood of wit?' De man die heeft geroepen trekt de deur open. Hij is klein en dik, met witblond haar. 'O, sorry,' zegt hij opgewekt. Hij heeft zo'n bekend Europees-Amerikaans accent dat je ook vaak hoort wanneer sommige tennissers tijdens Wimbledon worden geïnterviewd. 'Ik stoor.'

'Ik ging net weg.'

'Niet waar!' Will klinkt geërgerd, en hij krijgt een kleur. Maar ik weet niet of dat van schaamte of van ergernis is. 'Trek maar open wat jullie willen, Erik,' zegt hij tegen de gezette man. 'Ik kom ook zo.'

'Dank, dan misschien maar rood,' zegt Erik. 'Hoewel Julia natuurlijk de voorkeur geeft aan wit...'

'Julia?' Het is toch niet te geloven... 'Is Julia hier?'

'Natuurlijk,' zegt Erik voordat Will iets kan zeggen. 'We hebben een etentje.'

Ha! Ik weet wat je vindt van mensen van Thomson Tibble... Ammehoela! Het is niet waar dat hij me niet binnen heeft gevraagd omdat ik me niet op mijn gemak voel bij zijn collega's. Hij heeft me niet binnen gevraagd omdat ik me niet op mijn gemak zou voelen in aanwezigheid van... van zijn snol! Het is vast een heel knus etentje. Ze zuipen dure wijn, hebben het over de olieprijs, of over de maatregelen van de regering op het terrein van onderwijs en sociale huisvesting, of over dat *Oorlog en vrede* een veel beter boek is dan *Anna Karenina*. En Julia heeft waarschijnlijk voor een negengangenmenu vol gastronomische hoogstandjes gezorgd, en dat heeft ze slechts gekleed in een bikini van echt bont en een sexy schortje gekookt in míjn oude pannen. En ze heeft míjn keukenspullen gebruikt.

Wankelend loop ik weg. 'Nou, eet smakelijk dan maar...'

'Isabel...'

'Is dat Isabel?' Erik lacht nog stralender. 'Wat leuk je te leren kennen! We hebben heel veel om over te praten.'

'Ja?'

'Erik...'

'Ja!' onderbreekt Erik Will. 'We zijn allebei Thomson Tibble Telford-weduwen.' Lachend slaat hij Will op de rug. 'Elke keer dat ik naar mijn vrouw op de Kaaimaneilanden belde, was ze met je vriend.' Hij gaat samenzweerderig verder: 'Weet je, volgens mij heb ik ze een keer samen in bed betrapt!'

Wacht eens... Is Julia Eriks echtgenote? En vond hij het dan niet erg dat ze het bed deelden?

'O, schrik maar niet, hoor,' zegt Erik. 'Ik bedoelde dat ze lagen te slapen. Will is een echte heer. Hij liet mijn vrouw in zijn kamer een middagdutje doen omdat de airconditioning in haar kamer niet werkte.'

'Airconditioning?' mompel ik.

'Nu ze al ruim drie maanden heen is, maak ik me een stuk minder zorgen, maar ik vind het nog steeds niet fijn dat Julia in het buitenland zo hard moet werken...'

Dus Julia is niet alleen getrouwd, maar ook nog zwanger? En toch lag ze in een met bont afgezette bikini tropische cocktails te lurken?

Maar eigenlijk heb ik Julia nooit in een met bont afgezette bikini gezien, of met een cocktail in haar hand. En zoals Lara al zei, heb ik haar nooit betrapt op vrijen met Will. Ze nam de telefoon aan in zijn kamer en zei dat ze samen in bed lagen.

'Erik, mag ik Isabel alsjeblieft even onder vier ogen spreken?' vraagt Will gespannen.

'Natuurlijk,' antwoordt Erik met een lach naar ons allebei. 'Leuk je even te hebben gesproken, Isabel. Will en jij moeten ook eens bij ons komen eten. En maak je geen zorgen,' voegt hij er met een knipoog aan toe. 'Ik laat Julia niet koken!'

'Zo,' zeg ik na een poosje. 'Dus de airconditioning was kapot.'

Will haalt zijn hand door zijn haar, waardoor er allemaal plukjes overeind gaan staan. Heel sexy. 'We hadden dertig uur achter elkaar gewerkt, Isabel. En we moesten nog naar een bespreking die iets van vijf, zes uur zou duren. Toen ik wist dat de airconditioning op Julia's kamer niet werkte, bood ik haar mijn kamer aan voor een middagdutje.'

'Maar... Je verontschuldigde je steeds...'

'Omdat ik me zo ontzettend rot voelde! Ik besefte dat ik niet naast Julia op bed had moeten gaan liggen slapen. Dat was hoogst ongepast. Maar Isabel...' Hij wrijft over zijn voorhoofd, en het valt me op dat zijn handen trillen. 'Ik wist niet dat jij dacht dat ik me verontschuldigde voor iets heel anders. Dacht je nou echt dat ik iets met haar had?'

'Ik... Ik wist het niet.'

'Maar Iz, je weet toch dat ik zoiets nooit zou doen! Waarom vertrouwde je me niet gewoon?'

'Dat is niet eerlijk.' Ik word een klein beetje boos. 'Je was duizenden kilometers ver weg. Zij was in je kamer. Ze wist niet eens wie ik was.'

Will kijkt beschaamd. 'Sorry, Isabel. Ik heb het op het werk nooit over je, snap je? Het wordt daar afgekeurd om het te veel over je persoonlijke leven te hebben.'

'Het is toch niet te veel om die lui te laten weten dat ik besta! Hoor eens, ik snap best dat je je voor me schaamt omdat ik geen advocaat ben die per uur ontzettend veel verdient.'

'Denk je dat ik me voor je schaam?' Hij zet grote ogen op. 'Hoe kom je daar in 's hemelsnaam bij?'

'Kom op, zeg! Je collega's weten niet van mijn bestaan af, je ouders wisten het ook niet...'

'Wacht. Denk je dat ik je niet aan mijn ouders heb voorgesteld omdat ik me voor je schaamde?' Hij neemt mijn handen in de zijne. 'Isabel, de enige reden waarom ik je niet aan hen voorstelde, was omdat ik niet wilde dat ze wisten dat ik het serieus met je meende.'

Ik knipper met mijn ogen. Moet dit me geruststellen?

'Je weet niet hoe mijn moeder kan zijn,' gaat hij verder. 'Zodra ze je zou leren kennen en het tot haar doordrong wat ik voor je voelde, zou ze ons geen seconde meer met rust laten. Ze zou ons aan ons hoofd zeuren – vooral aan jouw hoofd – over de verloving, de bruiloft en kleinkinderen...'

'Will, ik heb zelf ook een moeder, weet je nog?'

Bijna breekt er een echte lach door. 'Nou ja, ik dacht dat het een beetje te veel zou worden als het van twee kanten zou komen. Misschien had ik die beslissing niet voor je moeten nemen. Maar dat ik me voor je schaamde? Hoe kom je daarbij? Verre van dat!'

Ik doe mijn mond open om iets te zeggen, en merk dan dat ik niets weet te zeggen. Want opeens besef ik dat ik – we – er een zootje van hebben gemaakt.

Maar hij houdt nog steeds mijn handen in de zijne. En dat voelt nog net zo fijn als eerst.

Hij haalt diep adem. 'Ik heb mijn best gedaan het je uit te leggen, Isabel. Echt waar. Maar jij nam zomaar de benen.' Hij kijkt naar de grond. 'Je vluchtte in de armen van die verdomde Ben Loxley.'

'Ik... Het spijt me.'

'Mij ook.' Nog steeds kijkt hij naar de grond. 'En op het werk is zoveel gaande, dat ik niet altijd besef wat jij ervan zou kunnen denken.'

'Je was altijd aan het werk.'

'Isabel...' Hij zucht eens diep. 'Ik ben dol op mijn werk. Ik dacht dat juist iemand als jij dat zou begrijpen.'

'Juist iemand als ik?'

'Ja. Omdat je net zo bent als ik. Je wilt hartstochtelijk graag succesvol zijn. Ik dacht altijd dat het daarom zo goed ging tussen ons...'

'Denk je dat van me? Dat ik hartstochtelijk graag succesvol wil zijn?'

Hij knippert met zijn ogen. 'Dat klopt toch?'

'Ja! Maar ik wist niet dat jij dat van me vond. Ik dacht dat je veronderstelde dat ik de hele dag maar een beetje thuis zat te zitten. Een beetje duimendraaien, en afspreken voor een manicure...'

Nu kijkt Will echt heel erg verbaasd. 'Ik moet toegeven dat ik niet helemaal snapte hoe jouw, eh... arbeidsproces verliep, maar dat komt waarschijnlijk omdat ik niet zo creatief aangelegd ben als jij. Ik heb nooit gedacht dat je maar een beetje zat te zitten.'

'Nou,' mompel ik, 'dat kwam wel voor. Soms.'

'Misschien. Maar uiteindelijk bereikte je wat je wilde bereiken, toch? Ik bedoel, je werkt nu voor Nancy Tavistock. Zelfs ík weet hoe top dat is.'

Ik weet niet of dit het juiste moment is om Will te vertellen dat ik ben ontslagen. Niet nu ik er net achter ben gekomen dat hij me toch geen nietsnut vindt.

'Isabel...' Even zwijgt hij. 'Hoor eens, volgens mij heb je nog heel veel te doen. Ik zou je niet graag ergens in willen belemmeren.'

Maar je belemmert me helemaal niet...

Hoewel... Eigenlijk heeft hij wel gelijk. Ik heb inderdaad heel veel te doen. En niet alleen Nancy op de hoogte brengen. Want sinds ik mijn jurk op de voorpagina van de krant heb gezien, heb ik besloten dat ik mijn carrière in de mode doorzet. Ik zal niet meer de kortere weg nemen via een achterdeurtje en iedereen voor de gek houden om maar binnen te komen, en het vervolgens verprutsen. Deze keer ga ik het doen zoals het hoort. Ik ga een avondcursus volgen om de basistechnieken onder de knie te krijgen, precies zoals Diana Pettigrew opperde. En ik ga een cursus modetekenen volgen. Ik ga aan een portfolio werken. Een echte, niet alleen maar een suf sfeerboekje. Als ik echt over talent beschik, zal ik er alles aan doen om Isabel B op de rails te zetten.

Ik weet niet zeker of me dat ook zal lukken als ik mijn energie ook moet stoppen in een poging deze relatie weer op de rails te krijgen.

'Je belemmert me niet,' zeg ik naar waarheid. 'Alleen... Nou ja, je hebt wel gelijk. Dat ik heel veel te doen heb...'

'Luister.' Hij steekt zijn hand op. 'Bel me. Meer hoef je niet te doen. Bel me. Ik ben hier.'

'Echt?'

'Nou ja, of ik ben op mijn werk.' Er verschijnen rimpeltjes rond zijn ogen, zoals dat gebeurt wanneer hij gaat lachen.

Weer zo'n suf grapje. Dat doet de deur dicht. Ik ga op mijn tenen staan om hem te zoenen. Ik had een vederlicht kusje op de lippen bedoeld, maar zodra onze lippen elkaar raken, wordt het heftiger. Eigenlijk totaal niet vederlicht meer.

En wanneer we elkaar loslaten, lacht hij echt. Hij schraapt zijn keel. 'Het is al laat, ik zal een taxi laten komen...'

'Hoeft niet.' Met een lach loop ik de traptreden af en stap de straat op. 'Ik houd zelf wel een taxi aan.'

De goden die over taxi's gaan, zijn me goedgezind. Een half minuutje nadat ik op de uitkijk ben gaan staan, komt er een de hoek om. Zodra ik ben ingestapt, draai ik me op de achterbank om en kijk naar Wills huis. Hij staat nog voor de deur, scherp afgetekend tegen het licht. Hij heeft op me gepast.

Eigenlijk zou ik het liefst rechtsomkeert maken en naar huis gaan. Naar Will.

Maar ik heb nog iets heel belangrijks te doen, en dat kan niet wachten. Ik pak mijn mobieltje en toets Nancy's nummer in. Het verbaast me niet dat ik na een paar keer overgaan word doorgeschakeld naar de voicemail.

Ik haal diep adem. 'Nancy, met Isabel. Toe, wis dit berichtje niet meteen. Ik wil alleen maar zeggen dat ik bewijs heb voor wat ik je een poosje geleden heb verteld. Over Lucien, bedoel ik. Dus... wil je me alsjeblieft terugbellen? Ik wil je heel graag spreken.'

Ik ben Battersea Bridge nog niet over of mijn mobieltje gaat.

33

Het is heel, heel merkwaardig om Nancy Tavistock, de mode-koningin, vanmorgen aan Lara's keukentafel te zien. Ze drinkt thee uit de mok die ik Lara met Kerstmis heb gegeven en die ze niet in haar praktijkruimte wil hebben omdat erop staat: LAST VAN SMETVREES? WAS JE HANDEN!

Het is vooral zo merkwaardig omdat Nancy zelf blijkbaar niet doorheeft hoe onwerkelijk dit is. Ze heeft haar Louboutins met extreem hoge hakken uitgeschopt, haar witte jasje over de rugleuning van een keukenstoel gehangen en de roze radio af-gestemd op een lawaaiig ontbijtprogramma. En daarnet bood ze aan boterhammen voor Lara te roosteren.

'Dat is wel het minste wat ik kan doen, schat,' zegt ze tegen Lara, die met grote ogen staat te kijken, gekleed in haar stok-oude pyjama van Dangermouse, terwijl Nancy druk in de weer is met brood en broodrooster. 'Als je voor acht uur 's morgens al gasten hebt, kunnen die zich beter nuttig maken, toch?'

'Nou, dat is heel vriendelijk van u...'

'Helemaal niet vriendelijk.' Nancy lacht Lara stralend toe. Ze tuurt naar Lara's pyjama. 'Interessant T-shirt... Dangermouse, nooit van gehoord. Is het vintage?'

'Lara, kom even.' Ik trek haar de keuken uit en de badkamer in. 'Hoor eens, het spijt me verschrikkelijk...'

'Nou, het is wel een beetje onverwacht. Als ik had geweten dat ik 's morgens vroeg in de keuken door Nancy Tavistock zou worden begroet, had ik mijn haar wel even gekamd en een py-jama aangetrokken die niet vintage is.'

'Ik had je moeten waarschuwen, maar ik kreeg pas een uur geleden een sms'je van haar waarin stond dat ze wilde komen.'

Het verbaasde mij ook, dat kan ik je wel vertellen. Ik bedoel, ik had al tot na middernacht met Nancy gepraat. Nadat ze had gehoord dat ik Luciens sms'jes had ontdekt, vroeg ze me naar het hotel te komen waar ze haar intrek heeft genomen. Ik moest haar alles vertellen. Waar ik Lucien had gezien en wan-neer... En toen belde ze haar advocaat Magnus, en die kwam meteen. We zijn er nog vijf keer doorheen gegaan terwijl Nancy zich te goed deed aan de inhoud van de minibar, en Magnus en ik via de roomservice belegde broodjes bestelden. In elk geval, ik dacht dat er wel genoeg over was gezegd. Het was dus heel onverwacht dat er om halfzes vanmorgen een sms'je van Nancy kwam waarin ze zei dat ze met iemand moest praten. Ze vroeg of ze onderweg naar de belangrijke bespreking met Redwood op het kantoor van Pritchard and Haynes even mocht binnen-wippen.

'Maar Iz, ik bedoel het niet ongastvrij, hoor, maar had ze niet beter kunnen vragen of jij bij haar langskwam?'

Ik heb nu geen tijd om Lara uit te leggen waarom dat niet kan. Ik wil Lara niet om halfacht op een werkdag verrassen met het nieuws dat Nancy in een hotelkamer zit omdat haar echtgenoot met Annie wipt. 'Eh... het is allemaal behoorlijk in-gewikkeld.'

'Wat is er aan de hand, Iz? Ik snap niet waarom jullie al zo vroeg iets moeten bespreken.' Lara gaat op de wc zitten en kijkt naar me op. 'Nog geen vierentwintig uur geleden kreeg ik een sms'je van je waarin je vertelde dat je was ontslagen. En de hele verdere dag nam je niet op als ik je belde.'

'Het spijt me. Ik had heel veel aan mijn hoofd. Ik moest na-denken.'

'En dan kom je in het holst van de nacht thuis, en nu zit je in de keuken met de vrouw die jou heeft ontslagen en die aanbiedt geroosterde boterhammen voor me te maken.' Ze wrijft vermoeid in haar ogen. 'Ik weet dat ik zwaar gestoord ben, maar dit snap ik niet.'

'Nou kijk, er zijn onverwachte dingen gebeurd. Nancy moet straks haar handtekening zetten onder de deal met de investeerders, maar gisteravond heb ik iets ontdekt. En dat zou wel eens een spaak in het wiel kunnen steken.'

'O, Isabel...' Ze verbergt haar gezicht in haar handen. 'Nee, hè? Geen spaak...'

'Maar het is juist een goede spaak! In een heel frauduleus wiel. Nancy heeft overlegd met haar advocaat. Straks gaat ze naar die bespreking, en dan zal ze de investeerders vertellen dat ze niet voor hun prijs gaat verkopen.'

'Trekt ze zich terug? Denk je niet dat hoe heet hij ook weer... Lucien Black! Denk je niet dat hij razend zal zijn?'

'O nee, ze trekt zich niet terug. Ze wil alleen maar de prijs die eerst overeen was gekomen. Trouwens, Lucien is degene die haar heeft bedot, dus hij zal weinig inspraak krijgen.'

'Izzy! Lara!' Nancy roept ons. 'De geroosterde boterhammen zijn klaar!'

'Hier.' Ik geef Lara haar handdoek, haar douchemuts, en mijn speciale naar lavendel geurende douchegel van L'Occitane. Ik wil graag aardig voor haar zijn. 'Maak je nu maar klaar om naar je werk te gaan. Ik houd Nancy wel in de gaten. En ik beloof je dat ik het je vanavond allemaal uitleg.'

In de keuken smeert Nancy boter op de geroosterde boterhammen en neemt ze slokjes thee. Ze grijnst naar me. 'Wat vindt je vriendin lekker? Honing? Jam? Of van die vieze Bovril waar jullie Britten zo dol op zijn?'

'Dat heet hier Marmite.' Ik pak het potje uit het keukenkastje. 'Lief van je, Nancy, om het ontbijt te verzorgen.'

Nancy wuift dat weg. 'Zoals ik al zei: het is het minste wat ik kan doen. Ik ben binnengedrongen in je huis.' Ze steekt een beboterd mes in het potje Marmite. Lara zou dat niet fijn vinden als ze dat had gezien. 'Zeg, Izzie, wil je straks met me mee gaan naar Pritchard and Haynes?'

'Naar de bespreking met Redwood?'

Ik zie er kennelijk doodsbang uit, want Nancy schiet in de lach. 'Jezus, nee! Gewoon mee in de taxi. Ik kan wel een beetje geestelijke bijstand gebruiken.'

'Oké!' Geweldig. Dan kan ik intussen even met Barney kletsen bij de Coffee Messiah terwijl de bespreking aan de gang is, en vervolgens...

Vervolgens wat? Betekent dit dat ik mijn baan bij Nancy terug heb? Ik durf het niet te vragen. Ik bedoel, ik moet het natuurlijk wel vragen. Want als ik een cursus modeontwerpen wil volgen, moet ik dat kunnen betalen, en daarvoor moet ik een baan hebben. En dan werk ik het allerliefst voor Nancy. Maar het zou heel erg beschamend zijn als ze me toch niet meer wil...

'Eh, Nancy...'

'Dank je wel, Izzie. Ik ben blij dat je mee wilt gaan. Deze bespreking wordt een verschrikking. Bah.' Ze trekt een vies gezicht, maar dat heeft volgens mij meer te maken met de Marmite dan met het vooruitzicht Lucien te confronteren met het feit dat ze weet dat hij haar bedondert. Nancy ziet er om de een of andere reden – opluchting? hysterie? – eerder opgewonden dan angstig uit. 'Waarom ontbijten jullie niet gewoon met creosoot?'

Ik glimlach beleefd. 'Nancy, ik wilde het ergens over hebben...'

'O god, dat vergeet ik helemaal! Ik bedoel, de reden waarom ik hiernaartoe ben gekomen. Ik wil namelijk iets met jou bespreken, Isabel. Volgens mij kan ik er wel op vertrouwen dat je naar waarheid antwoordt. Na alles wat er is gebeurd, bedoel ik. Als je maar niet weer gaat liegen over je vriendschap met een van de exen van Mick Jagger!' Ze lacht heel hard, en ik zou zo wel door Lara's keukenvloer willen zakken. 'In elk geval, schat, moet je nu heel eerlijk tegen me zijn, want het gaat over iets belangrijks.' Ze wijst naar me met het mes vol Marmite. 'Vind je dat ik een eigen bedrijf zou moeten opstarten?'

'Pardon?'

'Een eigen bedrijf. Mijn eigen label.' Ze kijkt op haar horloge en trekt dan haar schoenen weer aan, waardoor ze in deze kleine ruimte ineens heel groot lijkt. 'Ik bedoel, ik heb Luciens label bijna in mijn eentje bestierd, al vijf jaar lang. Ik zou best een geweldig productieteam kunnen samenstellen voor een collectie. Precies zoals ik dat wil. Zodra ik niets meer met Lucien te maken heb, zullen degenen die me hebben ontlopen me hopelijk met open armen verwelkomen. Ik heb dan immers het geld van Redwood om alles op poten te zetten.' Ze haalt haar schouders op. 'Denk je dat het me zou lukken?'

'Ik vind het een geweldig idee!' Het is ook een geweldig idee. Ik bedoel, wie wil er nou niet een fortuin neertellen voor iets stijlvols van Nancy Tavistock? 'O, en dan kun je beginnen met een rivaal voor de Tavistock-tas... En met grote oorbellen. O, en kaftans! Een hele serie minikaftans...'

'Geweldig.' Nancy snoert me de mond door haar duimen op te steken. Vervolgens veegt ze de kruimels van haar handen, trekt haar jasje aan en pakt het Celine Boogie-tasje dat ze in plaats van de gebruikelijke Tavistock-tas bij zich heeft. 'Fijn dat je vertrouwen in me hebt. Nou, laten we maar eens zien hoe die bespreking gaat verlopen. Dan kan ik eindelijk eens rustig nadenken. Nu moeten we een taxi gaan zoeken.'

'Ja. Oké. Wacht even, dan pak ik mijn tas.' Ik voel me een beetje teleurgesteld wanneer ik in 'mijn' kamer mijn spulletjes bij elkaar zoek. Het was uiteraard lief van Nancy dat ze naar mijn mening vroeg. Maar ik weet niet of ze ook iets met mijn suggesties gaat doen. En ik heb ook niet de kans gekregen om te vragen of ik nog steeds ontslagen ben. Nou ja, misschien durf ik daar onderweg naar de bespreking naar te vragen. Of daarna, wanneer ik me moed heb ingedronken met de sterkste espresso die Barney maar heeft.

Nancy staat al bij de voordeur. Ze bedankt de in een handdoek gehulde Lara voor haar gastvrijheid, neemt de post in ontvangst van een postbode die diep onder de indruk is van haar verschijning, en belt Magnus om hem te vertellen dat ze onderweg is.

'Ik bel je nog,' zeg ik zacht tegen Lara. 'En dan leg ik je alles uit. Beloofd.' Vervolgens stap ik achter Nancy aan de straat op.

Ik weet niet hoe ik het zonder Coffee Messiah zou moeten redden. Ik sta al uren voor Pritchard and Haynes, en Nancy is nog steeds binnen. Er staat een erg fris windje. Maar ik bevries niet omdat ik regelmatig een dosis cafeïne uit Barneys Faema krijg.

Ik wacht al een kwartier op een nieuwe shot. Want er staat een rij. Een stuk of zes klanten staat te wachten op de espresso die ze van Barney mogen bestellen. Het is immers al over elven. Ik heb vanmorgen nog niet zo'n lange rij gezien. Maar sinds ik hier sta, is er wel een gestage stroom klanten.

'Het gaat goed, Barney!' zeg ik zodra de ergste drukte voorbij is, en hij zichzelf beloont met een half chocoladecroissantje. Daar zijn er niet veel meer van.

'Ja, hè?' Gul overhandigt hij me de andere helft. 'Er is een groot reclamebureau samengegaan met een Italiaans bureau, en die Italianen komen hier voor een training. Ze hebben elkaar over mij verteld, en nu komen ze meestal wel minstens één keer per dag koffie halen.' Hij slaakt een tevreden zucht. 'Wist je al dat een van de Italianen me een oase in de woestijn vindt?'

Ik grijns breed. 'Geweldig! Als je zo doorgaat, kun je straks nog zo'n kar zetten bij Central Saint Martins. Elke keer dat ik daar dan ben, kunnen we even bijpraten.'

'Weet je, ik ben echt onder de indruk, Iz.' Barney maakt eindelijk een espresso voor me. 'Ik bedoel, ik wil niet net zo klinken als je vader, maar zo'n avondcursus lijkt me een heel goed idee.'

'Je klinkt helemaal niet als mijn vader.' Mijn vader zou zeggen dat ik eindelijk eens iets verstandigs deed. En dat pas nadat hij eerst een paar uur verwijten zou hebben gespuid omdat ik had gelogen over dat ik allang was aangenomen. Dat is trouwens nog een reden waarom die avondopleiding op Central Saint Martins zo aantrekkelijk is. Ik kan daar rondlopen en mijn nichtje Portia de indruk geven dat ik fulltime student ben, en dat kan zij dan weer aan de familie vertellen. 'Nou, we moeten de huid niet verkopen voor de beer geschoten is,' zeg ik. 'Misschien word ik niet eens aangenomen.'

Dat zeg ik maar om de goden niet ongunstig te stemmen. Want ik heb gisteren het informatiepakket van de beginnerscursus Modeontwerpen opgehaald en doorgenomen, en het lijkt me niet moeilijk om daaraan mee te doen. Je hoeft bijvoorbeeld geen portfolio met eerder werk mee te nemen, en je hoeft ook niet al een opleiding met succes te hebben afgerond. Ook is werkervaring niet vereist. Je moet alleen maar aantonen dat je in mode bent geïnteresseerd. Nou, dat kan ik. En hoe!

Als het echt moet, kan ik altijd de krantenknipsels laten zien, met uitspraken van grote namen binnen de modewereld die mijn jurk voor Eve Alexander zowat de hemel in prijzen. Met daarbij uiteraard een briefje van Nancy, waarin staat dat er dan wel wordt geschreven dat het een jurk van Lucien Black is, maar dat ík hem heb ontworpen en gemaakt. Voor het geval ik weer een toelatingsgesprek met Diana Pettigrew heb, die natuurlijk geen woord zal geloven van wat ik zeg.

'Iz?' Barney houdt me het bekertje koffie voor en probeert mijn aandacht te trekken. 'Je mobieltje, geloof ik.'

Gejaagd haal ik het toestel uit mijn tas. Ik verwacht het nummer van Nancy op het schermpje te zien, maar dit nummer herken ik niet.

'Met Isabel.'

'Isabel? Met je vader.'

Ik laat het mobieltje bijna in de espresso vallen. Geen wonder dat ik het nummer niet herkende... 'Pap?'

'Ja.' Het klinkt geërgerd. 'Stoor ik soms?'

'Eh... nee.'

'Het gaat over Matthew.'

De moed zakt me in de schoenen. Nu weet ik waarom hij belt.

'Hoor eens, pap...'

'Ik weet niet of je al op de hoogte bent, maar Annie heeft de verloving verbroken.' Mijn vader klinkt erg kortaf. 'Dat heeft Matthew ons vanmorgen telefonisch medegedeeld.'

Ja, ik wist het. En ik weet ook dat het waarschijnlijk te maken heeft met het feit dat ik haar gisteren heb gebeld om te vertellen dat ik op de hoogte ben van wat er tussen haar en Hugo speelt. En ik heb ook gezegd dat als zij het niet direct aan Matthew opbiecht, ik het hem zou vertellen. Maar nu is de vraag: hoe weet mijn vader ervan? Want de enige reden waarom hij mij zou bellen, is dat hij me op mijn kop wil geven omdat ik me ermee heb bemoeid.

'Ja maar pap, ik kon toch niet zomaar...'

'Ik weet dat je het druk hebt,' valt hij me in de rede. 'Maar ik zou het fijn vinden als je even met Matthew wilt praten. Ga met hem lunchen of zo.' Hij schraapt zijn keel. 'Ik vergoed de kosten wel.'

Ik kijk naar de grond. Ik ben hier zo door geschokt dat ik niet weet wat ik moet zeggen. 'Pardon?'

'Hij is zojuist gedumpt, Isabel,' zegt mijn vader, ook al houdt hij niet van zulke uitdrukkingen. 'Ik vind dat juist jij even met hem moet gaan praten.'

Nu snap ik het. 'Omdat ik altijd word gedumpt?'

'Nee.' Weer schraapt hij zijn keel. 'Omdat je zijn zus bent. En omdat mensen het fijn lijken te vinden om met jou te praten. Door jou eh... lijken ze zich prettiger te voelen.'

Barney kijkt me bezorgd aan, alsof hij bang is dat ik dood zal neervallen. 'Gaat het?' vraagt hij zacht.

Ik knik en richt mijn aandacht weer op het telefoongesprek. 'Natuurlijk wil ik met hem praten. Ik wil alles doen om...'

'Fijn. Dank je wel, Isabel. Je moeder zal het op prijs stellen.'

'Nou, dat is dan geregeld.'

'O, en nog iets...'

Nu komt het. Ik wist wel dat er nog kritiek zou komen.

'Een paar dagen geleden had ik een heel aangenaam gesprek met Lady Rutherford. Aardige vrouw. We zitten samen in het comité van de tennisclub om geld in te zamelen.'

'Sonia Rutherford?'

'Ja, uiteraard. Je dacht toch zeker niet dat die verschrikkelijke trul die haar plaats heeft ingenomen iets te maken zou willen hebben met zoiets laag-bij-de-gronds als de Mid-Somerset Tennis Club?' Het klinkt vernietigend. Ik moet zeggen dat het heel verfrissend is om eens niet het mikpunt van zijn misprijzen te zijn. 'In elk geval, ze vertelde dat het een heel plezierige ervaring voor haar was toen jij die jurk voor haar verzorgde.'

'O ja?'

'Ja. Ze zei dat je heel professioneel was, en dat je een uitstekende service verleende...'

Ik kan het mijn vader bijna horen vragen, onder het nuttigen van slappe koffie en kleffe koekjes tijdens een vergadering van dat comité: gedroeg ze zich professioneel, lady Rutherford? Was u onder de indruk van de service die ze verleende?

Nou ja, in elk geval was het antwoord bevestigend. Daar heeft hij vast van opgekeken.

'Blijkbaar was de jurk een groot succes. Ze schitterde op het

feest in die jurk, zei ze. Ik heb haar je adres nog maar eens gegeven, want ze wilde je een bedankbriefje sturen.'

Ik wil zeggen dat hij helemaal niet zo verwonderd hoeft te
klinken. Maar dan dringt het tot me door dat hij niet verwonderd klinkt, maar vergenoegd.

'O, dat is fijn. Dat de jurk een succes was, bedoel ik.'

'Ja.' Mijn vader schraapt zijn keel. 'Goed gedaan, Isabel.'

'Dank je...'

'En veel succes met Matthew. Dag.'

'Dag, pap.'

Is dit echt gebeurd? Heeft mijn vader echt... Heeft hij me echt
een complimentje gegeven?

Ik denk steeds dat ik het me maar heb verbeeld. Ik bedoel,
het zijn stressvolle tijden.

Maar... zei mijn vader niet dat Sonia Rutherford me een bedankbriefje zou sturen? Want volgens mij... Ja, klopt. Na even
zoeken in mijn tasje haal ik de bleekroze envelop tevoorschijn
die Nancy uit de hand van de postbode had gerukt, vanochtend
vroeg bij Lara voor de deur.

'Wie was dat, Iz?'

'Mijn vader,' antwoord ik. Ik scheur de envelop open en haal
het kaartje met de bloemetjes eruit. 'Ik moet even iets controleren...'

Geachte mevrouw Bookbinder,
Ik wil u even laten weten dat uw jurk een enorm succes was
op het feest voor mijn dochter Katie. Ik stuur u er een foto
van voor in uw archief.
Heel, heel veel dank,
Sonia Rutherford
PS Waarom had ik nooit beseft dat John Bookbinder uw
vader is? Ik ken hem van het comité van de tennisclub. Een
aardige man. Hij is vast heel trots op u!

Dus ik heb het me niet verbeeld. Het is niet een soort alternatieve werkelijkheid.

Maar wanneer ik naar de foto kijk die Sonia Rutherford heel vriendelijk heeft meegestuurd, zou ik willen dat dit wél een alternatieve werkelijkheid was. Ik zie een mooi, rossig meisje dat vast Katie is met haar arm om een verlegen lachende Sonia geslagen. Katie draagt een marineblauw satijnen jurkje met een soort pofrokje. En Sonia draagt mijn zwarte tuniekjurk, die nauwelijks meer te zien is door miljoenen pailletten.

'Jezus!' Barney kijkt over mijn schouder mee. 'Wat is er met haar gebeurd?'

'Mijn moeder en Barbara.'

Ik bedoel, geen wonder dat Sonia mijn vader vertelde dat ze op het feest had geschitterd. Maar blijkbaar vindt ze hem mooi. En Katie ook. Maar omdat Katie zelf in zo'n ballonrok op haar eigen feest is verschenen, weet ik niet hoeveel waarde ik aan haar oordeel moet hechten. Maar och, als ze maar gelukkig zijn.

'Ben je verblind door die pailletten, Iz? Hé, komt je baas daar niet aan?'

Barney heeft gelijk. De draaideuren van Pritchard and Haynes spugen Nancy en haar advocaat Magnus de straat uit.

'Ik ga maar gauw naar hen toe,' zeg ik, en ik voeg de daad bij het woord.

Nancy ziet me aankomen en zwaait. 'Het spijt me dat we je zo lang hebben laten wachten,' zegt ze wanneer ik bij hen ben gearriveerd.

'Geeft niet.' Ik voel me een beetje misselijk van spanning. Als de bespreking niet goed is gegaan, als Redwood met een goede verklaring is gekomen over hun contacten met Lucien, zou ik me heel erg verantwoordelijk voelen. 'En? Hoe ging het?'

Er verschijnt een brede lach op Nancy's gezicht. 'Het is gelukt! Ze zijn teruggekomen op het bod. Ze bieden nu een klein beetje minder dan eerst, maar daar gaan we niet moeilijk over doen, hè Magnus?'

Magnus, die een taxi probeert aan te houden, ziet eruit alsof hij zomaar zou kunnen omvallen van vermoeidheid. 'Absoluut niet.'

'Maar Nancy, dat is geweldig!'

'Vertel mij wat!' Ze drukt me even heel stevig tegen zich aan. Vervolgens zegt ze tegen Magnus: 'Neem jij maar een taxi, Magnus. Ik heb nog een paar dingen te doen.'

'Hebben ze het toegegeven?' vraag ik wanneer Magnus in een taxi is gestapt die over Great Portland Street wegrijdt. 'Hebben ze Lucien gebeld? Weet hij dat jij het weet?'

Nancy steekt haar handen op. 'Ho ho! Niet zo snel! Nee, ze hebben natuurlijk niets toegegeven, maar ze schrokken wel toen ik hun die sms'jes liet zien. Ze zeggen dat ze het bod uit goodwill hebben teruggedraaid.' Ze snuift. 'En ja, ze hebben Lucien gebeld. En ja, hij weet dat ik het weet.' Ze zet haar zonnebril op met een bruusk gebaar. 'En hij weet nu ook dat ik uit het bedrijf stap.'

'Dus je hebt de beslissing genomen? Om voor jezelf te beginnen, bedoel ik?'

'Ja, Isabel, ik geloof het wel. Uiteraard is Lucien razend. Hij kan niet zonder me en zo. Hij bedoelt dat hij niks kan zonder mij. Nou ja, hij komt er wel overheen. Hij krijgt nu het ongetwijfeld forse bedrag niet meer dat hij stiekem van Fred Elfman zou ontvangen, maar nu Redwood het volle pond gaat betalen, hoeft hij bepaald niet op zwart zaad te zitten.' Er verschijnt een harde, kille uitdrukking op haar gezicht. 'Nou ja, daar heb ik niets meer mee te maken.'

Wauw. Nancy is niet mis als je haar bedondert.

'Zo,' zegt ze. 'Nu moet ik maar eens naar Hugo om hem te vertellen wat er is voorgevallen...'

'Ga je...' Ik kan maar beter niet vragen of ze naar hem teruggaat, dus vraag ik maar: 'Eh... Ga je terug naar huis?'

Ze haalt haar schouders op. 'Och... Weet je, ik ga het heel erg druk krijgen met mijn nieuwe bedrijf. De komende maanden zullen we elkaar nauwelijks zien. Dat maakt het gemakkelijker.'

'Maar je hebt toch gezien... Ik bedoel, je hebt hem betrapt!'

Nancy zet de zonnebril af en kijkt me strak aan. Haar ogen staan opeens vermoeid. 'Isabel, ik heb hem al eerder betrapt. En ik zal hem heus nog vaker betrappen. Zoals ik al zei, ik krijg het druk. Te druk om hem te bestraffen omdat hij is zoals hij is.'

Dus al dat opgewekte gedoe bij Lara in de keuken was niet omdat ze bij Hugo weggaat. Het was ondanks het feit dat ze bij hem blijft.

'Nancy...'

'Over werk gesproken,' verandert ze opzettelijk van onderwerp, 'jij en ik hebben nog heel veel te doen.'

'Pardon?'

Ze prikt met een lange vinger in mijn schouder. 'Ik heb je alleen maar bij *Atelier* ontslagen. En nu heb ik een creatief assistent nodig voor in mijn nieuwe bedrijf. Iemand met wie ik kan brainstormen. Misschien iemand die me een beetje kan helpen bij de ontwerpen van mijn eerste collectie.'

Mijn mond valt open. 'Wil je mij in dienst nemen? Om dat allemaal te doen?'

'Ja, Isabel, dat wil ik. Je hebt een heel mooie jurk ontworpen voor Eve Alexander. Je hebt me een idee gegeven voor het nieuwe label: een rivaal van de Tavistock-tas. Dus als je nog meer van zulke ideeën hebt, wil ik die graag horen. Bovendien wil ik iemand in dienst hebben die ik kan vertrouwen.'

Ik weet niet wat ik moet zeggen. Ik? Creatief assistent bij wat over een poosje het hotste label van Londen gaat worden? Een betaalde baan bij de koningin van de modearistocratie, terwijl ik in mijn vrije tijd bezig ben met het opzetten van mijn eigen label? Met alle contacten en de invloed die Nancy voor me heeft? Geweldig! Ongelooflijk!

Als ze ingenomen is met mijn ideetje over die tas, ziet ze waarschijnlijk ook wel wat in mijn andere ideeën. Bijvoorbeeld een Nancy Tavistock-geurtje. Ik bedoel, hoe top zou het zijn om aan zoiets mee te mogen werken? Ik zou kunnen helpen met het ontwerpen van het flesje, ik zou een naam kunnen verzinnen... Misschien zou ik aan het hoofd van de campagne kunnen staan. Ik zou een tropisch eiland kunnen uitzoeken waar de reclamefilmpjes worden opgenomen, en de beroemde acteurs en actrices die daarin gaan optreden.

'En? Wil je de baan?'

Ik schraap mijn keel. Vervolgens doe ik mijn best heel rustig en verstandig te klinken. 'Nou, ik moet dinsdag- en donderdagavond vrijhouden. Ik bedoel, ik wil een opleiding volgen en...'

'Prima. Maar kom je nou voor me werken of niet?'

'Dolgraag.' Ik lach naar haar. 'Ik ben vereerd.'

Nancy pakt mijn hand en juicht. 'Geweldig! Dat moeten we vieren! Ga je mee lunchen, Izzie? Bij Scott's of Cipriani of zo?'

Ik kijk om me heen. 'Eigenlijk heb ik nu liever een kopje koffie.'

Nancy zet haar zonnebril weer op. 'Oké. Weet je iets hier in de buurt?'

'Jazeker.' Ik ga haar al voor naar Coffee Messiah.

Tot slot

God, ik ben een en al inspiratie.

Ik ben de hele dag op zoek geweest naar een appartement, en dat heb ik gevonden ook! Het is een soort kippenhok, maar heel licht en luchtig. En het bevindt zich helemaal boven in een hoog, negentiende-eeuws herenhuis, zodat het een beetje op een studio of atelier lijkt. Bovendien is het op loopafstand van de winkels aan Westbourne Grove, en dat is een enorm voordeel. In elk geval, zodra ik het had bezichtigd, tekende ik het huurcontract. Met wat Nancy me betaalt, kan ik er nauwelijks voldoende meubels voor kopen, maar goed, ik ben altijd al fan geweest van het minimalisme. Eigenlijk heb ik alleen een plek nodig om te slapen. O, en voor de paspop, de naaimachine, de rollen stof, de leerboeken over modeontwerpen, en alle andere dingen die ik heb moeten aanschaffen sinds ik een paar weken geleden ben begonnen aan de opleiding op Central Saint Martins. Nou, dan wordt het maar een beetje vol. Het is toch fijn om mijn eigen stekkie te hebben.

Ik bedoel, Lara heeft niets gezegd, maar ik denk dat ik beter zo gauw mogelijk kan verkassen. Het is nog niet echt aan met Matthew, maar ze bellen en sms'en elkaar dat het een lieve lust is. En te zien aan de blikken die ze elkaar over de keukentafel toewierpen toen hij afgelopen zondag kwam voor een eindeloos durende lunch, zal het niet lang meer duren. Natuurlijk dacht ik eerst dat ik het maar uit moest zitten, dat ik moest wennen aan de ongemakkelijke situatie en Lara dan maar later moest troosten wanneer hij haar in de steek zou hebben gelaten. Maar ik geloof niet dat hij haar zal dumpen. Het is nog slechts een paar weken uit met Annie, maar ik zou het zeker doorhebben als Matthew alleen maar troost zocht bij Lara, en dat doet hij niet. Ook al vinden ze elkaar razend aantrekkelijk, ze gedragen zich als beste maatjes. En als dit gaat zoals ik hoop, moeten ze alleen kunnen zijn.

Dus ik ga. Met mijn vuilniszakken. Die laat ik natuurlijk niet in mijn fijne nieuwe appartement slingeren. Ik bedoel, ik wil liever niet dat Will me ermee gaat plagen. Als hij opeens langskomt voor een kleine house-warming of zo. We hebben besloten het de eerste maanden heel rustig aan te doen, maar dat betekent niet dat hij niet even kan komen kijken hoe ik woon. En weet je, als we ooit besluiten het niet meer rustig aan te doen en ik weer bij hem intrek in het knusse appartement in Battersea Park, dan heb ik hier mijn studio waar ik fijn kan werken. Ondertussen help ik Nancy met het opstarten van Tavistock, Inc. In de *Grazia* en in de stijlbijlage van de *Sunday Times* wordt al veel geschreven over de opwindendste gebeurtenis binnen de modewereld sinds Kate Moss een heel eigen kledinglijn lanceerde bij Topshop. En ik ben ook bezig ideeën te verzamelen voor Isabel B. Daar heeft nog niemand het over, maar dat komt nog wel. Zoiets moet je de tijd geven, en dat ga ik deze keer doen.

Ik begin met een schone lei. Want Isabel B voor Underpinnings bestaat gelukkig niet meer. Ik zal Barbara's verontschuldigende telefoontje maar even kort samenvatten. Het komt erop neer dat ze het zo leuk vond om de tuniek voor Sonia Rutherford op te pimpen dat ze heeft besloten zelf een beetje te gaan ontwerpen. Ze noemt het label: Lady Barbara. Mijn moeder wordt haar creatief consultant. Ik heb een paar stukken gezien die ze aan het maken zijn voor hun eerste collectie, en ik wil graag even zeggen dat als je nog niet hebt belegd in pailletten, je dat nu moet doen. Maar toch, onder de clientèle van Underpinnings zitten vast veel mensen die meteen voor Lady Barbara zullen vallen. Mijn Grieks gedrapeerde toga-jurken en mijn tunieken zouden het er veel moeilijker hebben gehad.

Overigens ben ik niet van plan nog meer toga-jurken of tunieken te maken. Want ik steek best veel op van mijn beginnerscursus modeontwerpen. De basistechnieken van het kleding maken, bijvoorbeeld. Ik heb leren zomen. En als ik maar genoeg blijf oefenen met de naaimachine, krijg ik het mouwen inzetten heus wel onder de knie. Dat wil ik graag, want ik heb allemaal ideeën die ik dolgraag zou willen uitvoeren. Sinds het triomfje met de jurk voor Eve Alexander vul ik het ene sfeerboekje na het andere. Maar deze keer met serieuze ontwerpen. Schetsen, lappen stof. Het ziet er allemaal zo serieus uit dat sommige van mijn medestudenten er ook al aan begonnen zijn. Volgens mij vinden ze me heel professioneel, en dat is fijn. En een verfrissende verandering.

Refreshing: de nieuwe geur van Isabel Bookbinder.

Kijk, dat klinkt als iets waarvoor Daniel Craig wel reclame zou willen maken. En Eve Alexander staat bij me in het krijt. Ze zouden kunnen baden in een maanbeschenen meer, gebronsd, lenig en helemaal verfrist ogend. En dan zou het geurtje kunnen worden gelanceerd in... in het IJshotel in Zweden. De gasten kunnen er op door husky's getrokken sleeën door de sneeuw naartoe worden gebracht, en Barney kan wodkagranita serveren, en sashimi. En precies om middernacht verschijnen Eve en Daniel, gehuld in grote bontmantels. Imitatiebont uiteraard, dat moet ik de mensen die de party organiseren goed op het hart drukken. En dan trekken Eve en Daniel die bontmantels uit en duiken in een meer waar warme damp van opstijgt...

God, ik moet dit allemaal gauw in een sfeerboekje noteren! Niet het saaie, professioneel ogende geval dat ik tijdens de opleiding gebruik, maar het geheime sfeerboekje dat ik veilig in mijn tas bewaar, voor het geval ik ineens inspiratie krijg.

Nu ik erover nadenk, krijg ik allemaal ideeën voor jassen voor het nieuwe herfst- en winterseizoen. Lekker ruime jassen, niet van die saaie, en sexy schoudermantels om over je dure jurk te dragen als je tijdens de feestdagen aan het eind van het jaar naar een party gaat. Misschien iets in de geest van Roodkapje, maar dan heel smaakvol. De vrouw voor wie ik ontwerp is vast wel gevoelig voor van die kleine rokjes zoals kunstschaatsters die dragen, met knooplaarsjes eronder. En dat manteltje is dan niet gewoon rood, maar karmijn.

Nu ik er over nadenk... Een cape heeft geen mouwen.

God, wat heb ik een inspiratie.

Ik bedoel, ik voel me echt ontzettend geïnspireerd.

Nu alleen nog een debuutcollectie.